L'économie

Renaud CHARTOIRE
Sophie LOISEAU

D1158517

Nathan

sommaire

● Fondements de l'économie

L'économie est une science traversée par de nombreux débats, liés à l'existence de courants de pensées aux approches et aux conclusions différentes. Ce chapitre présente :
• **les principaux courants de pensée** qui ont marqué la pensée économique ;
• **les différents agents économiques** (en tant que secteurs institutionnels), et leurs multiples relations à travers le circuit économique.

● Fonctions économiques

Ce chapitre présente les principaux concepts de base nécessaires à la compréhension du mode de fonctionnement des agents économiques. Il analyse les grandes fonctions économiques en montrant la diversité des sources de la croissance :
• **la production** : définition et mesure, facteurs de production, progrès technique, système productif… ;
• **la répartition** : revenus et redistribution ;
• **la consommation et l'épargne** : définition, déterminants, fonction de consommation, évolutions…

● Financement de l'économie

Les phénomènes financiers sont au cœur du fonctionnement d'une économie de marché. Ce chapitre présente :
• les fonctions et les formes de **la monnaie** ;
• les mécanismes de **création monétaire** ;
• la **masse monétaire** et ses contreparties ;
• l'analyse des **politiques monétaires** ;
• les différents **marchés boursiers**.

© Nathan, 2005 pour la précédente édition - ISBN 978-2-09-183193-0
© Nathan, 25 avenue Pierre-de-Coubertin - 75013 Paris, 2010 - ISBN 978-2-09-161440-3

sommaire

● **La régulation**

Des millions d'actes d'achats et de ventes ont lieu chaque jour. La régulation de ces échanges résulte de deux logiques qui interagissent :
• **une logique marchande** : les marchés sont libres et s'autorégulent selon le jeu de l'offre et de la demande ;
• **une logique interventionniste** : l'État intervient directement sur les marchés pour influer sur le niveau et la structure de l'activité économique en utilisant différents leviers (politiques budgétaires, monétaires, de l'emploi).
Le chapitre se termine par une présentation des débats sur **l'efficacité de l'intervention publique** et sur **les limites de la régulation**.

● **La mondialisation**

La mondialisation est une réalité économique incontournable. Qu'elle prenne la forme d'une internationalisation des échanges, d'une multinationalisation des firmes ou d'une globalisation financière, elle change en profondeur le mode de régulation des activités économiques. Ce chapitre présente :
• les théories du **libre-échange** et celles du **protectionnisme** ;
• **les échanges internationaux de biens et services** ;
• **les mouvements de capitaux** et leur impact sur la valeur des monnaies ;
• **l'hétérogénéité de l'économie mondiale** (inégalités de développement) ;
• le cas particulier de **l'Union européenne**.

● **L'entreprise**

L'entreprise est l'un des acteurs centraux du champ économique. Ce chapitre présente :
• **la pluralité des entreprises**, qui diffèrent par leur taille, leur statut juridique, leur secteur d'activité, leur localisation…
• le phénomène croissant de **la multinationalisation des firmes** ;
• **l'organisation du travail et ses mutations** depuis le début du xxe siècle.

FONDEMENTS DE L'ÉCONOMIE

FONCTIONS ÉCONOMIQUES

FINANCEMENT DE L'ÉCONOMIE

LA RÉGULATION

LA MONDIALISATION

L'ENTREPRISE

Qu'est-ce que la science économique ?

L'économie ne s'est réellement constituée en science autonome, avec un objet d'étude propre, qu'après l'émergence des sociétés « modernes ». Avec l'institutionnalisation du marché, les activités économiques se sont distinguées des autres structures sociales, sur lesquelles elles ont exercé une influence croissante.

La science économique

– La science économique est la science qui étudie la production, la répartition et la circulation des richesses, entendues au sens de biens et services résultant d'une activité productive. D'une manière plus formelle, c'est la science qui étudie l'allocation optimale des biens *rares* à des fins alternatives (Lionel Robbins).

– En effet, l'économie ne concerne que ce qui relève directement ou indirectement de l'activité productive. Or, tout bien qui est disponible en quantité illimitée n'a pas besoin d'être produit – il se situe donc hors du champ économique. La rareté est la situation dans laquelle l'offre naturelle d'un bien est inférieure à sa demande ; c'est donc une situation où le bien a un prix. Ainsi, un dessin réalisé par un enfant de trois ans n'a pas de prix ; comme personne ne désire l'acheter, il n'est pas « rare » au sens économique. Par conséquent, la science économique analyse la manière dont, à partir de ressources rares – les matières premières par exemple –, on peut générer le niveau de production le plus élevé possible.

– L'économie, science qui étudie l'activité productive, cherche donc à répondre à trois questions : Pourquoi produire ? Cela pose le problème de la nature des besoins à satisfaire. Comment produire ? Cela pose la question de l'efficacité du système productif. Comment répartir la production ? C'est une problématique en terme de justice sociale qui se pose alors.

Microéconomie et macroéconomie

L'activité économique s'étudie sous deux angles différents.

– L'approche *microéconomique* analyse la réalité économique à partir du comportement des individus. Selon elle, pour comprendre le système économique dans son ensemble, il suffit de généraliser ce qui est vrai à l'échelle individuelle. Les lois économiques générales sont donc les mêmes que les lois économiques qui régissent les comportements individuels : le « tout » est égal à la somme des parties. Cette approche est celle du courant libéral, qui repose sur l'hypothèse de la rationalité des agents économiques individuels comme fondement explicatif des comportements économiques.

– L'approche *macroéconomique* avance au contraire que le « tout » n'est pas réductible à la somme des parties. Par exemple, s'il est vrai qu'au niveau individuel chaque entrepreneur à intérêt à ne verser que des salaires faibles pour augmenter ses profits, si tous les entrepreneurs agissent ainsi, alors la consommation globale sera faible, de même que la production globale et donc… les profits eux-mêmes. Ce qui est vrai au niveau individuel n'est donc pas généralisable au niveau collectif. C'est l'approche keynésienne, qui raisonne sur des agrégats, des quantités globales (PIB, FBCF…).

– Depuis une trentaine d'années, un nouveau courant de pensée est apparu, qui cherche à donner des fondements microéconomiques à l'approche macroéconomique, estimant que l'hypothèse de rationalité des agents économiques doit être centrale.

MODÈLES ET RATIONALITÉ ÉCONOMIQUE

■ Des modèles théoriques basés sur des hypothèses simplificatrices

• La quasi-totalité des approches économiques dominantes s'appuie sur des modèles formalisés, c'est-à-dire sur des constructions simplifiées, fondées sur des hypothèses parfois irréalistes, afin de comprendre le système économique. On parle alors d'une démarche hypothético-déductive : on part d'une théorie pour essayer d'expliquer le monde, et non de la description du monde pour essayer d'en déduire une théorie (ce qui correspond à une démarche inductive, allant du particulier au général). Le néophyte est souvent surpris, en ouvrant un ouvrage d'économie, d'y découvrir de nombreuses formules mathématiques et des raisonnements qui lui semblent bien loin de la réalité.

• Gary Becker, prix Nobel d'économie en 1992, chantre de « l'impérialisme économique dans les sciences sociales », a cherché à appliquer ce modèle de rationalité à toutes les dimensions du comportement humain. Il a ainsi développé des modèles économiques de la criminalité, du mariage…

■ L'exemple de la rationalité du comportement

Toutes les théories libérales (voir p. 6) reposent sur l'hypothèse de la rationalité des agents économiques. Selon cette hypothèse, tout choix, toute décision prise par un individu se fait à la suite d'un calcul coût/avantage. Face à chaque situation, chacun cherche à évaluer les coûts (en termes financiers, mais aussi de temps, d'efforts, d'investissement personnel…) et les avantages (en termes financiers, mais aussi de bien-être personnel). Le comportement retenu sera donc celui qui apportera l'avantage le plus élevé par rapport au coût supporté. Les agents économiques sont considérés comme ayant un comportement d'homo œconomicus, c'est-à-dire comme des individus uniquement motivés par un calcul rationnel. Ils chercheront à éviter des coûts d'opportunité, qui correspondent aux gains supplémentaires qu'ils auraient pu réaliser en retenant d'autres choix.

■ L'intérêt des modèles

Il est bien sûr utopique de penser que toutes nos actions sont le fruit d'un calcul rationnel : les achats d'impulsion ne relèvent pas du calcul rationnel, de même que l'amitié, l'amour, les relations sociales… Les économistes sont bien conscients de cette réalité, mais justifient l'utilisation de ces modèles par deux types d'arguments.

– Tout modèle induit nécessairement des simplifications, sans quoi la théorie qui en découle ne pourrait avoir de puissance explicative. Et si le modèle de rationalité comportementale n'est pas en adéquation parfaite avec la réalité, mais que malgré tout les conclusions de la théorie semblent être corroborées par la réalité, alors on pourra juger la théorie pertinente… même si elle repose sur des hypothèses irréalistes. C'est la position défendue par Milton Friedman, prix Nobel d'économie (1976), dans *Essai sur la méthodologie de l'économie positive* (1953).

– Ces modèles ont servi de bases à l'élaboration d'autres modèles plus complexes, qui reposent sur des hypothèses plus réalistes. Ainsi, Herbert Simon a développé un modèle fondé sur l'existence d'une « rationalité limitée » : les agents économiques ne choisissent pas le *meilleur* comportement possible, car les coûts liés à la recherche et au traitement de toute l'information nécessaire pour effectuer un choix rationnel entre toutes les situations possibles sont beaucoup trop importants. Par conséquent, ils choisiront la première situation leur paraissant *acceptable*, même si ce n'est pas forcément la meilleure. La capacité à faire l'objet d'améliorations est donc une caractéristique de ces modèles, même si, en retirant certaines hypothèses, ils deviennent plus complexes.

FONDEMENTS DE L'ÉCONOMIE

FONCTIONS ÉCONOMIQUES

FINANCEMENT DE L'ÉCONOMIE

LA RÉGULATION

LA MONDIALISATION

L'ENTREPRISE

Le courant libéral

Le courant libéral est le premier courant économique à être apparu. Il pose comme fondement légitime de toute société le respect de la liberté individuelle. Selon cette approche, une société libre, où les échanges économiques se réalisent selon le jeu de l'offre et de la demande sur des marchés, est une société dans laquelle le bien-être collectif est le plus élevé possible.

● L'approche générale du libéralisme

– Le libéralisme est né à la fin du XVIIIᵉ siècle avec l'apparition du courant classique. Il a régné quasiment sans partage sur la pensée économique académique jusqu'à la crise de 1929 et a ensuite été éclipsé par la pensée keynésienne. Il a fallu attendre la crise des années 1970 pour que le libéralisme redevienne d'actualité.

– Les économistes libéraux pensent que le mode d'organisation des activités économiques le plus efficace est l'*économie de marché*. Dans ce système, l'État n'intervient que pour pallier aux défaillances du marché (voir p. 82). Les échanges se réalisent sur des marchés par la libre confrontation de l'offre et de la demande. De cette confrontation naît un prix, qui égalise l'offre et la demande. Par conséquent, les marchés sont toujours à l'équilibre : on parle d'équilibre général. Comme tous les marchés sont mutuellement équilibrés, à tout équilibre général correspond une situation de plein-emploi. Des marchés libres permettent donc d'engendrer le niveau d'activité économique le plus élevé.

● L'école classique

Le courant classique est apparu à la fin du XVIIIᵉ siècle, avant d'être supplanté par le courant néoclassique après 1870. Les auteurs classiques sont les premiers à avoir théorisé l'économie de marché et ses avantages. Les principaux représentants de ce courant sont les Anglais Smith et Ricardo et le Français Say.

– Adam Smith : « père » de l'économie politique classique, il a écrit en 1776 l'ouvrage fondateur de ce mouvement : *Recherche sur la nature et les causes de la richesse des Nations*. Il y explique entre autres que la division du travail est la source de la croissance, et que le libre-échange est bénéfique (théorie des avantages absolus, voir p. 110) ;

– David Ricardo : c'est le véritable fondateur du libre-échange entre les Nations, à partir de sa théorie des avantages comparatifs ;

– Jean-Baptiste Say : par sa loi des débouchés (« l'offre crée sa propre demande »), il a voulu montrer qu'une économie de marché est toujours équilibrée et qu'il ne peut donc y avoir ni pénurie, ni surproduction.

● L'école néoclassique

Les économistes néoclassiques ont succédé aux classiques. Ce sont des économistes « marginalistes », car ils ont introduit le raisonnement à la marge en mathématisant l'économie. Ils ont repris les conclusions des classiques, mais ont innové en formalisant leur approche à partir d'hypothèses simplificatrices et de raisonnements rigoureux. Ils ont en particulier théorisé l'économie de marché à partir des marchés de concurrence pure et parfaite (voir p. 74). Les principaux auteurs de cette école sont Léon Walras et William Stanley Jevons.

« LA MAIN INVISIBLE » : CONCEPT FONDATEUR DU MOUVEMENT LIBÉRAL

Une citation d'Adam Smith

L'homme a presque continuellement besoin du secours de ses semblables, et c'est en vain qu'il l'attendrait de leur seule bienveillance. Il sera bien plus sûr de réussir, s'il s'adresse à leur intérêt personnel et s'il leur persuade que leur propre avantage leur commande de faire ce qu'il souhaite d'eux. C'est ce que fait celui qui propose à un autre un marché quelconque : le sens de sa proposition est ceci : Donnez-moi ce dont j'ai besoin, et vous aurez de moi ce dont vous avez besoin vous-mêmes ; et la plus grande partie de ces bons offices qui nous sont nécessaires s'obtient de cette façon. Ce n'est pas de la bienveillance du boucher, du marchand de bière et du boulanger, que nous attendons notre dîner, mais bien du soin qu'ils apportent à leurs intérêts. Nous ne nous adressons pas à leur humanité, mais à leur égoïsme.

Adam Smith, Recherche sur la nature et les causes de la richesse des Nations, 1776.

■ Intérêt personnel et intérêt collectif

Les économistes libéraux pensent que les agents économiques sont égoïstes. Par leurs échanges, ils cherchent à obtenir le niveau de satisfaction maximal en fonction de leurs ressources. Or, chacun, en n'agissant que pour son propre intérêt, œuvre sans le savoir, et peut-être même sans le vouloir, au plus grand bonheur du plus grand nombre.

Prenons l'exemple d'un boucher. Son objectif est de réaliser le maximum de profits. Pour ce faire, il a intérêt à vendre aux consommateurs la viande de meilleure qualité au meilleur prix. En répondant à leurs besoins, il s'assure une clientèle, et donc des ventes génératrices de profits. Le boucher, en ne pensant qu'à son intérêt personnel, met en œuvre un comportement qui répond au mieux à l'intérêt des clients. La recherche de l'intérêt personnel est donc compatible avec l'intérêt collectif.

■ « La main invisible » : une régulation automatique

A. Smith décrit dans son ouvrage le fameux concept de la « main invisible », qui correspond à un mécanisme de régulation automatique de l'économie.

• Sur des marchés libres, les agents économiques sont comme mus par une « main invisible » qui fait en sorte que chacun soit à une place et ait un comportement qui correspondent à ce qui est le plus efficace pour la collectivité.

• Ainsi, l'économie de marché est le système d'organisation des activités économiques le plus efficace qui soit, car les prix, résultant du jeu de l'offre et de la demande, sont des signaux pertinents indiquant aux agents économiques vers quel type d'activité ils doivent se diriger. Si le prix d'un bien baisse, c'est que la demande de ce bien diminue, et donc qu'il ne répond plus à des besoins solvables insatisfaits. Un agent économique désirant faire des profits a donc intérêt à se désengager de cette activité, pour se diriger vers une autre activité qui réponde mieux aux besoins de la population, c'est-à-dire vers un bien dont le prix augmente… car la demande augmente.

• Chacun, en ne pensant qu'à son intérêt égoïste, agit donc bien en fonction du bien-être général. Les prix sont donc des vecteurs d'information permettant une allocation optimale des ressources. Ils véhiculent à eux seuls toute l'information nécessaire aux prises de décisions individuelles de l'ensemble des agents économiques. Smith admet cependant que dans certains cas (infrastructures utiles mais non rentables par exemple), l'État doit intervenir car le marché est inefficace. Il n'a donc pas une conception ultra-libérale du système économique.

FONDEMENTS DE L'ÉCONOMIE

FONCTIONS ÉCONOMIQUES

FINANCEMENT DE L'ÉCONOMIE

LA RÉGULATION

LA MONDIALISATION

L'ENTREPRISE

Le courant keynésien

John Maynard Keynes a révolutionné la pensée économique dans les années 1930 en proposant une alternative au libéralisme. Il a théorisé l'impact positif d'un interventionnisme public dans l'économie, et a été à l'origine du développement de l'État-providence. L'approche keynésienne a été hégémonique durant les Trente Glorieuses, avant d'être remise en question depuis les années 1970.

● Une légitimation de l'interventionnisme

John Maynard Keynes est né en 1883. Après une carrière dans l'administration publique, marqué par la crise de 1929 et l'incapacité des économistes à proposer des solutions pertinentes pour en sortir, il écrit *Théorie générale de l'emploi, de l'intérêt et de la monnaie* en 1936. Cet ouvrage va révolutionner la pensée économique, en justifiant les politiques interventionnistes. Keynes meurt en 1946, mais ses théories vont être mises en application avec succès durant les Trente Glorieuses. Cependant, l'ouverture des économies va peu à peu réduire la légitimité de ces politiques. Aujourd'hui, la pensée keynésienne n'est plus dominante, même si l'interventionnisme étatique reste important.

● Une approche qui se démarque de l'optique libérale

– La possibilité d'un *équilibre de sous-emploi* : pour les libéraux, le libre jeu du marché amène nécessairement à l'équilibre du marché du travail, c'est-à-dire au plein-emploi (voir p. 76). Keynes, au contraire, cherche à montrer qu'il peut exister des équilibres de sous-emploi : le marché des biens et des services est en équilibre (l'offre est égale à la demande), mais l'offre de travail des individus est en même temps supérieure à la demande de travail des entreprises. Par conséquent, des marchés libres n'engendrent pas automatiquement le plein-emploi.
– Le marché du travail n'est pas un marché comme un autre : selon Keynes, le salaire n'est pas un prix, il s'agit d'une variable soumise à de nombreux rapports de force (rôle des syndicats, des conventions collectives). Ainsi, l'équilibre n'est pas automatique sur ce marché, puisque les salaires sont rigides à la baisse.
– Keynes, à la différence des néoclassiques défend une approche macroéconomique : par exemple, il ne va pas seulement analyser le salaire comme étant *un coût de production* pour l'entreprise (vision « micro »), mais aussi en considérant qu'il s'agit *d'un revenu* qui constitue, dans les économies modernes, la composante principale de la demande globale (avec l'investissement). Keynes montre que la diminution des salaires exerce un effet dépressif sur la demande, et donc sur le niveau de production des entreprises.

● L'impact de la demande effective sur l'emploi

Pour Keynes, le niveau de l'emploi ne dépend pas du salaire, mais de la demande de biens et services anticipée par les entreprises. En effet, ce qui motive un entrepreneur à embaucher, c'est avant tout la perspective de devoir augmenter son volume de production. Les décisions d'embauches vont donc dépendre de la *demande effective,* c'est-à-dire la demande globale anticipée par les entrepreneurs. Si la demande effective est faible, les entrepreneurs embaucheront peu, ce qui sera source de production faible et donc de chômage. Par conséquent, *le niveau de l'emploi dépend du niveau de l'activité économique, qui lui-même dépend de la demande effective*. S'il y a du chômage, il est involontaire, car les demandeurs d'emplois ne sont pas responsables de leur situation.

LES POLITIQUES ÉCONOMIQUES D'INSPIRATION KEYNÉSIENNE

■ La nécessité des politiques de relance

• Pour les économistes néoclassiques, il y a chômage lorsque l'offre de travail est supérieure à la demande de travail (voir p. 76), c'est-à-dire lorsque le niveau des salaires est trop élevé. Il faut donc baisser les salaires pour réduire le chômage ; s'il persiste alors, c'est qu'il est volontaire. Pour Keynes, cette solution est inefficace, comme le montre le cercle vicieux suivant :

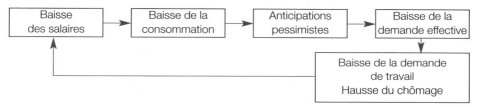

• Le chômage est consécutif à une demande effective trop faible. Si le libre jeu du marché n'est pas apte à générer un niveau de demande suffisant pour engendrer le plein-emploi, c'est à l'État d'intervenir pour relancer cette demande. Or, la demande effective dépend de plusieurs variables :
– **C** : consommation nationale de biens et services par les entreprises (CI) et par les ménages (CF)
– **I** : investissements (des entreprises et ménages)
– **G** : consommation et investissements des administrations publiques
– **X** : biens et services exportés (demande des agents non-résidents)

} **Demande effective = C + I + G + X**

• Le chômage résultant d'une insuffisance de la demande effective, il faut donc stimuler cette demande et ses différentes composantes. D'une manière générale, toutes les politiques de relance (voir p. 89) effectuées par l'État sont favorables à l'emploi.

■ La stimulation de la demande

• **Le soutien à la consommation des ménages**
Il s'agit de faire en sorte que les revenus des ménages soient plus importants pour qu'ils puissent consommer davantage.
En particulier, il est important d'accroître les revenus des personnes les plus pauvres, car ce sont elles qui consommeront en priorité tout nouveau revenu.
Cela passe par une augmentation des allocations chômage, du RMI, du SMIC, et d'une manière générale de toutes les aides à la consommation (prêts à taux zéro, aides sociales diverses…).

• **Le soutien à l'investissement**
Pour relancer la demande, il faut également accroître le niveau de l'investissement en :

– développant les investissements publics (construction d'autoroutes, de TGV, de bâtiments publics…) ; c'est ce qu'on désigne par les politiques dites de « grands travaux », qui visent à compenser des investissements privés trop faibles ;
– incitant les entreprises privées à augmenter le montant de leurs investissements. Pour ce faire, l'État peut subventionner les entreprises qui investissent, ou encore diminuer les taux d'intérêts pour que le coût du crédit nécessaire au financement des investissements soit plus faible (depuis 1993, en France, l'État n'est plus en mesure d'influer sur le niveau des taux d'intérêts, car la Banque centrale est devenue indépendante).

FONDEMENTS DE L'ÉCONOMIE

FONCTIONS ÉCONOMIQUES

FINANCEMENT DE L'ÉCONOMIE

LA RÉGULATION

LA MONDIALISATION

L'ENTREPRISE

Le courant marxiste

Karl Marx est un auteur de la seconde moitié du XIXe siècle qui a présenté une critique radicale du capitalisme, en particulier dans son ouvrage intitulé *Le Capital*. S'il a relativement peu écrit sur le système qui, selon lui, lui succédera, il a longuement décrit les défauts du capitalisme. Son œuvre théorique a pour objectif de mobiliser les prolétaires contre le capitalisme.

● La lutte des classes

Selon Marx, « l'Histoire est l'histoire de la *lutte des classes* ».

– Une classe sociale est un groupement d'individus occupant la même place dans le mode de production. Cette place est définie essentiellement par la possession ou non des moyens de production. Placés dans les mêmes conditions matérielles d'existence, les membres d'une classe développent une conscience de classe qui débouche sur la lutte des classes.

– Marx distingue *les classes en soi*, qui existent de fait, mais sans que leurs membres en aient conscience ; et les *classes pour soi*, dont les membres ont conscience de former une classe et sont amenés à lutter contre les autres classes. Le système capitaliste oppose deux classes sociales antagonistes : les *bourgeois* (capitalistes) qui détiennent les moyens de production, et les *prolétaires*, qui ne disposent que de leur seule force de travail, qu'ils sont contraints de vendre.

– Dans le système capitaliste, il arrive un moment où les rapports sociaux de production entrent en conflit avec le développement des forces productives. Pour poursuivre la croissance économique, il faut que les rapports de production se transforment. Cette transformation se fait à travers des conflits (ou luttes), qui constituent donc le moteur du changement social, c'est-à-dire de l'Histoire.

● Une critique du capitalisme

– Pour Marx, le capitalisme est un système aliénant pour les prolétaires. L'*aliénation* se définit comme la déshumanisation des salariés : dépossédé du fruit de son travail, l'ouvrier ne se reconnaît plus dans son œuvre et devient étranger à lui-même.

– Les prolétaires sont *exploités*, car une part de la richesse qu'ils créent par leur travail – la *plus-value* – est extorquée à leur profit par les capitalistes.

● Vers la fin du capitalisme… et après ?

– Le capitalisme est voué à disparaître, miné par ses contradictions internes. Il est en effet marqué par ce que Marx appelle la « *baisse tendancielle du taux de profit* » (voir ci-contre). Or, comme les profits sont nécessaires à l'existence des entreprises, leur diminution inéluctable entraîne l'apparition régulière de crises économiques de plus en plus violentes et étendues dans l'espace et le temps.

– Pour Marx, le système capitaliste perdurera jusqu'à ce que les prolétaires prennent conscience de sa logique. Dès lors, ils comprendront que seule une révolution pourra faire évoluer leur situation. Cette révolution sera marquée par une appropriation collective des moyens de production : il n'y aura alors plus de classes sociales. Ce sera l'avènement du *socialisme*, où un État fort, véritable extension du peuple, gérera l'ensemble du système productif. Puis, ce système laissera place au *communisme* : l'État disparaîtra et chacun sera libre d'œuvrer comme il le souhaite, en fonction des besoins de la communauté.

LA THÉORIE ÉCONOMIQUE MARXISTE

◼ Une théorie de la valeur

• Dans le système capitaliste, l'objectif des propriétaires des moyens de production est de réaliser des profits. Or, selon Marx, ces profits découlent directement de l'exploitation de la main-d'œuvre, c'est-à-dire des prolétaires.

En effet, les prolétaires, par leur travail, créent deux valeurs : une *valeur d'usage*, correspondant à la richesse créée, et une *valeur d'échange*, mesurée par le salaire perçu en échange du travail réalisé. Comme le montre le schéma ci-dessous la différence entre ces deux valeurs constitue ce que Marx appelle la « plus-value » (à ne pas confondre avec la somme perçue par des actionnaires en revendant leurs actions, voir p. 70) :

Valeur d'usage

Valeur d'échange — Plus-value

• La plus-value, qui correspond approximativement au profit, est créée par la force de travail apportée par le prolétariat, mais elle est la propriété de la bourgeoisie qui possède les moyens de production. Par conséquent, les bourgeois « extorquent » une partie du travail (surtravail) réalisé par les prolétaires à leur profit : c'est en ce sens que Marx parle d'exploitation. Sans celle-ci, les bourgeois ne réaliseraient pas de profit, et donc le capitalisme ne perdurerait pas.

• La plus-value est d'autant plus élevée que la valeur d'échange, c'est-à-dire le salaire, est faible. Or, le salaire est d'autant plus faible que le chômage est élevé. Par conséquent, les capitalistes vont créer une « armée industrielle de réserve » (nom donné par Marx aux chômeurs) pour faire pression sur les salaires des prolétaires. Le chômage est donc inhérent au capitalisme : c'est la condition de l'existence de profits.

◼ La baisse tendancielle du taux de profit

Pour Marx, le capital se compose de capital constant (C, qui correspond aux moyens de production) et de capital variable (V, c'est-à-dire la valeur du travail). Le taux de profit correspond au rapport entre la plus-value et le capital total (C + V). La bourgeoisie utilise le profit pour accroître la part du capital constant dans le capital total (notion d'*accumulation*). C'est là que réside la contradiction du capitalisme : en augmentant sans cesse le capital constant, on diminue la part relative du travail. Or c'est du travail que vient le profit (plus il y a de travail, plus la plus-value est élevée). Marx parle alors de baisse tendancielle du taux de profit, car cette baisse est inscrite dans la logique même du capitalisme. Le schéma suivant résume l'essentiel de cette approche :

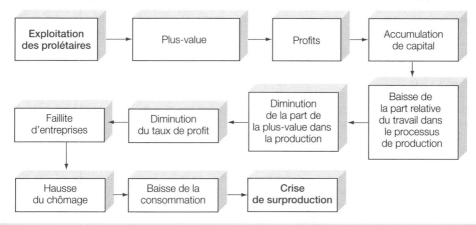

FONDEMENTS DE L'ÉCONOMIE

FONCTIONS ÉCONOMIQUES

FINANCEMENT DE L'ÉCONOMIE

LA RÉGULATION

LA MONDIALISATION

L'ENTREPRISE

Les autres courants de pensée majeurs

Libéralisme, approche keynésienne, et marxisme forment le socle de la pensée économique. Toutefois, de nouvelles générations d'économistes sont apparues, formant un ensemble très disparate, et s'appuyant plus ou moins sur les apports de leurs prédécesseurs. Sans être exhaustif, on peut présenter certains de ces courants.

Les économistes hétérodoxes

On regroupe sous ce nom une pléiade d'économistes en rupture plus ou moins radicale avec les théories dominantes, en pointant des questions que celles-ci intègrent mal.
– Joseph Schumpeter a consacré une grande partie de son œuvre à l'analyse de l'évolution du capitalisme. En particulier, il a montré le rôle central de l'entrepreneur et des vagues d'innovations dans l'évolution cyclique de l'activité économique.
– Le courant *institutionnaliste*, porté notamment par T. Veblen et J.K. Galbraith, se définit par le rôle majeur donné aux institutions – et, de manière plus générale, aux faits socio-culturels – dans l'analyse de la réalité et de l'évolution économique.
– *L'école de la régulation*, représentée surtout par des auteurs français (M. Aglietta, R. Boyer, J. Mistral…), s'inscrit dans la mouvance institutionnaliste, et s'efforce d'analyser la diversité des formes de développement des économies capitalistes.

Les « descendants » de Keynes

Avec la crise du début des années 1970, on assiste au déclin du keynésianisme « pur », mais de nouvelles générations de keynésiens apparaissent.
– Les *néo-keynésiens* s'inspirent des préceptes de Keynes (imperfection du marché et intervention étatique), mais ils intègrent aussi les nouveaux acquis de la microéconomie. Ainsi, ils admettent que le chômage comporte une composante « offre », avec une certaine rigidité du travail, s'expliquant par les comportements rationnels des agents économiques.
– Les *post-keynésiens* s'emploient à prolonger la théorie de Keynes, en adoptant encore un point de vue critique à l'égard des théories libérales. Même si elles ont des effets pervers, les analyses de Keynes sont toujours considérées comme valides, mais il convient de préciser les conditions d'efficacité des politiques de relance dans un contexte économique moderne.

Le renouveau de la pensée libérale

Aujourd'hui, les économistes d'inspiration libérale se scindent en plusieurs écoles.
– Les *monétaristes*, avec Milton Friedman en chef de file, condamnent les politiques laxistes de l'État en matière monétaire et budgétaire. Elles n'ont, selon eux, aucun effet sur l'économie réelle (production et échanges), mais sont source d'inflation.
– Les *nouveaux classiques* renouent avec une vision « classique » de l'économie et accordent une importance particulière aux anticipations rationnelles.
– L'*économie de l'offre* accuse les prélèvements obligatoires de décourager l'offre de travail et de capital. A. Laffer dénonce les effets pervers d'un taux d'imposition excessif, en montrant que « trop d'impôt tue l'impôt » (voir p. 97).
– L'*école du Public Choice* critique l'inefficacité de l'intervention de l'État, en appliquant au domaine de la politique les principes de la microéconomie (comportement rationnel).

LES COURANTS DE LA PENSÉE ÉCONOMIQUE

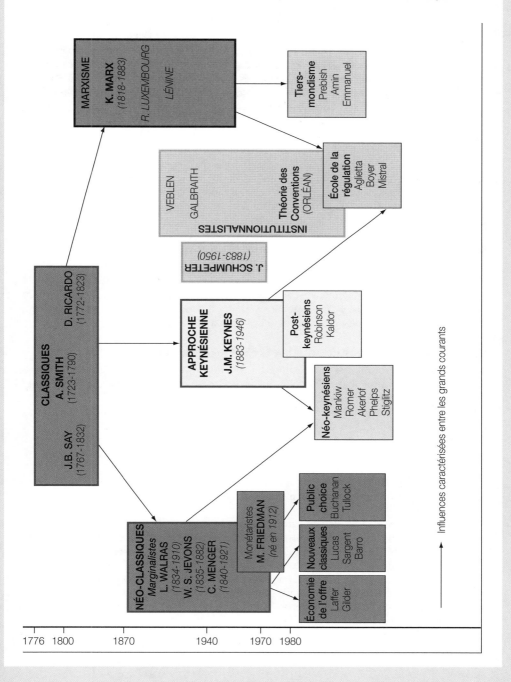

FONDEMENTS DE L'ÉCONOMIE

FONCTIONS ÉCONOMIQUES

FINANCEMENT DE L'ÉCONOMIE

LA RÉGULATION

LA MONDIALISATION

L'ENTREPRISE

Les agents économiques et leurs opérations

La comptabilité nationale fournit une représentation quantifiée du fonctionnement de l'économie nationale, qui met en jeu divers agents économiques. Ces agents économiques sont caractérisés et définis par leurs fonctions principales dans l'économie : produire, consommer, redistribuer.

● L'économie nationale

L'économie nationale est l'ensemble des unités résidentes, c'est-à-dire celles ayant effectué des opérations économiques pendant au moins un an sur *le territoire économique* : France métropolitaine, espace aérien national, eaux territoriales, DOM (départements d'outre-mer), mais hors TOM (territoires d'outre-mer). C'est donc le *critère de la résidence* qui est pris en compte, et non celui de la nationalité.

● Agents économiques et secteurs institutionnels

– Un *agent économique* (ou unité institutionnelle) est un centre élémentaire de décision économique qui jouit d'une autonomie de décision dans l'exercice de sa fonction principale.
– Les unités dont le comportement est analogue sont regroupées en catégories, appelées *secteurs institutionnels* (SI). Le comportement s'apprécie à partir de la fonction principale d'une part, et de la nature et l'origine des ressources principales d'autre part.

● Cinq secteurs institutionnels et le reste du monde

– Les *ménages* regroupent les unités dont la fonction principale est la consommation et dont les ressources principales sont obtenues par la rémunération des facteurs de production et par des transferts effectués par d'autres secteurs institutionnels.
– Les *sociétés non financières* (SNF) sont l'ensemble des unités dont la fonction principale est de produire des biens et services marchands non financiers. Leurs ressources proviennent pour l'essentiel du produit de leurs ventes. Les SNF ne comprennent pas les entreprises individuelles (classées dans les ménages car on ne peut pas distinguer le patrimoine de l'entreprise de celui du ménage dont fait partie l'entrepreneur).
– Les *sociétés financières* regroupent les unités dont la fonction principale est de financer (collecter, transformer et répartir les moyens de financement) ou de gérer ces moyens de financement.
– Les *institutions sans but lucratif au service des ménages* (ISBLSM) : autrefois nommées administrations privées, les ISBLSM sont constituées des unités produisant des services non marchands au bénéfice des ménages, et dont les ressources proviennent pour l'essentiel de cotisations volontaires.
– Les *administrations publiques* (APU) regroupent les unités dont la fonction principale est de produire des services non marchands ou d'effectuer des opérations de redistribution du revenu ou du patrimoine. Leurs ressources principales sont composées des prélèvements obligatoires (impôts et cotisations sociales).
– Le *reste du monde* correspond à l'ensemble des unités non résidentes avec lesquelles l'économie nationale effectue des opérations pendant l'année. Il s'agit d'un SI fictif car il regroupe des unités institutionnelles très diverses (ménages, entreprises, banques…).

LES SECTEURS INSTITUTIONNELS

Nom du SI	Présentation	Fonction principale	Ressources principales
Ménages	**Définition :** groupe de personnes vivant sous le même toit, qu'elles aient ou non des liens de parenté. Une personne vivant seule constitue aussi un ménage. Les ménages comprennent : • des « **ménages ordinaires** » : ensemble de personnes vivant dans un même logement ; • des « **ménages collectifs** » : population des maisons de retraite, foyers de travailleurs… Les **entreprises individuelles** sont intégrées au SI des ménages.	• Consommation • Production de biens et services marchands (pour les entreprises individuelles)	• Rémunération des facteurs de production (travail et capital) • Transferts des autres SI • Vente de la production (pour les entreprises individuelles)
Sociétés non financières	Les SNF se subdivisent en : • **SNF publiques** (contrôlées par une APU) ; • **SNF privées nationales** (contrôlées ni par une APU, ni par une unité non résidente) ; • **SNF sous contrôle étranger** (contrôlées par une unité non résidente).	Production de biens et services marchands non financiers	Vente de la production
Sociétés financières	Les SF regroupent : • **les institutions financières :** banque centrale, autres institutions de dépôts (banques) et autres intermédiaires financiers (OPCVM) ; • **les auxiliaires financiers :** conseil en placement ; • **les sociétés d'assurance** (y compris les mutuelles).	• Financement et gestion des moyens de financement • Garantie de la couverture des risques (pour les sociétés d'assurance)	• Ressources provenant de l'intermédiation ou de l'activité financière • Primes d'assurance • Cotisations volontaires (pour les mutuelles)
Administrations publiques	Les APU sont subdivisées en : • **administrations centrales (APUC) :** l'État et organismes divers d'administration centrale (ANPE, CNRS…) ; • **administrations locales (APUL) :** les régions, départements et communes et organismes divers d'administration locale (chambres de commerce par exemple) ; • **administrations de Sécurité sociale (ASSO) :** diverses unités qui distribuent des prestations sociales à partir de cotisations sociales obligatoires et organismes auxquels ces unités procurent leurs ressources principales (hôpitaux publics).	• Production de services non marchands • Redistribution du revenu et du patrimoine	Prélèvements obligatoires (impôts et cotisations sociales)
ISBLSM	**Exemples :** associations de consommateurs, partis politiques, syndicats, Églises… *Si elles reçoivent plus de 50 % de leurs ressources des APU, elles sont considérées comme APU ; si elles sont peu importantes, elles sont intégrées au SI des ménages.*	Production de services non marchands destinés aux ménages (sans but lucratif)	Cotisations volontaires et dons privés (le tout pour plus de 50 % du total des ressources)
Reste du monde	Le reste du monde regroupe l'ensemble des unités non résidentes (ménages, APU, SNF…) qui effectuent des opérations économiques avec des unités résidentes.	Tous les types d'opérations économiques	Tous les types de ressources

FONDEMENTS DE L'ÉCONOMIE

FONCTIONS ÉCONOMIQUES

FINANCEMENT DE L'ÉCONOMIE

LA RÉGULATION

LA MONDIALISATION

L'ENTREPRISE

Le circuit économique

Les agents économiques (résidents et non résidents) sont reliés entre eux par leurs multiples activités économiques. Ces relations d'interdépendance sont souvent représentées de manière schématique sous la forme d'un circuit économique, soit en économie fermée (sans tenir compte du reste du monde), soit en économie ouverte.

● La notion de flux

Le circuit économique fournit une représentation simplifiée de l'activité économique, faisant apparaître les principales interdépendances entre les agents économiques. Les mouvements *(flux)* représentés peuvent être :
– des *flux réels* portant sur des biens ou des services ; c'est le cas quand on représente la circulation du travail fourni par un salarié à son entreprise, ou celle d'une marchandise entre le vendeur et le consommateur ;
– des *flux monétaires* représentant la circulation « immédiate » de monnaie ; ces flux sont souvent la contrepartie des flux réels (par exemple le paiement d'un salaire en échange du travail fourni par le salarié) ;
– des *flux financiers* correspondant à des paiements différés. Ils peuvent être la contrepartie d'un flux réel (dette du consommateur envers l'entreprise qui lui a fourni un bien) ou d'un flux monétaire (dette envers une banque qui a accordé un prêt à son client).

● La construction d'un circuit économique

Pour représenter les multiples relations qui existent entre les secteurs institutionnels, on utilise des flèches orientées et légendées qui relient les agents économiques concernés. Les circuits économiques sont plus ou moins complexes, selon qu'ils retracent ou non l'intégralité des opérations, et selon le nombre de secteurs institutionnels qu'ils mettent en relation : on peut construire un circuit en économie fermée (sans les relations avec le reste du monde), ou en économie ouverte (prise en compte des opérations avec l'extérieur).

● L'équilibre emplois-ressources

– Le circuit économique s'inscrit dans une *approche macroéconomique* car il met en évidence l'interdépendance des agents économiques lors des opérations qui les relient. Sur le territoire national, l'ensemble des agents économiques dispose de ressources qui peuvent être utilisées de diverses manières (les emplois).
– Les *ressources* sont de deux types : la production nationale (composée des consommations intermédiaires – CI – et de la somme des valeurs ajoutées créées par les entreprises – soit le PIB) et les importations (M).
– Les *emplois* correspondent à la manière dont vont être utilisées les ressources précédemment citées. Elles peuvent être directement utilisées par les ménages (consommation finale : CF) ; par les entreprises, les ménages ou encore les APU sous forme de CI ou d'investissement (FBCF) ; ou encore faire l'objet d'une variation de stocks (ΔS) ou être destinées à l'exportation (X).
– *L'équilibre* emploi-ressources peut alors s'écrire : **PIB + CI + M = CF + CI + FBCF + ΔS + X**
Comme les CI se trouvent à la fois parmi les ressources et les emplois, on retient l'équilibre suivant : **PIB + M = CF + FBCF + ΔS + X**

DES AGENTS ÉCONOMIQUES EN INTERACTION

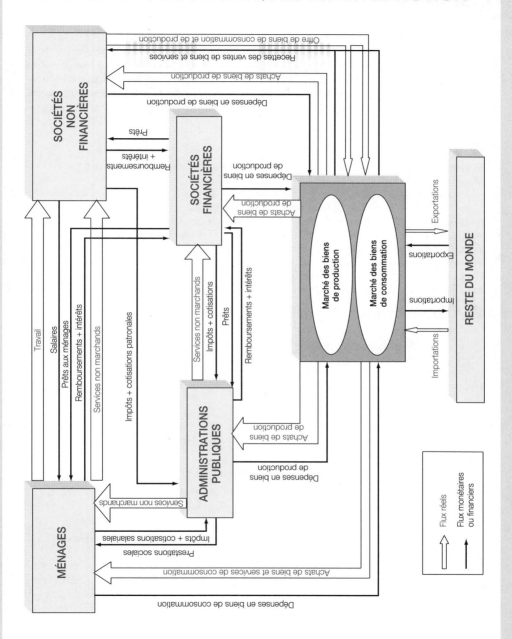

FONDEMENTS DE L'ÉCONOMIE

FONCTIONS ÉCONOMIQUES

FINANCEMENT DE L'ÉCONOMIE

LA RÉGULATION

LA MONDIALISATION

L'ENTREPRISE

La production

La production constitue une opération essentielle de l'activité économique puisqu'elle fournit les biens et services nécessaires à la satisfaction des besoins. Il s'agit donc d'une fonction économique primordiale. Elle est essentiellement le fait des entreprises, mais d'autres agents économiques y participent également.

● Qu'est-ce que la production ?

La production désigne une activité socialement organisée consistant à créer des biens ou des services qui satisfont des besoins individuels ou collectifs.

– L'activité de production fournit des *biens* (produits matériels) et des *services* (produits immatériels). Les produits peuvent être classés en fonction de leur utilisation ultérieure : les *produits de consommation* sont destinés à la satisfaction directe des consommateurs (que ces produits soient *durables* – comme un téléviseur – ou *non durables* – comme des biens alimentaires) ; les *biens de production* sont utilisés pour réaliser d'autres biens et services.

– Si la majeure partie de la production est réalisée par les entreprises (sociétés non financières et sociétés financières), il ne faut pas oublier que les administrations publiques, de même que les ISBLSM et les ménages (avec les entreprises individuelles), participent aussi à la production.

● Comment mesurer la production et son évolution ?

Si la production peut se mesurer en quantités physiques – nombre de stylos, quintaux de blé… –, elle est plus fréquemment évaluée en unités monétaires. On utilise par exemple le *chiffre d'affaires* qui mesure la valeur de la production vendue par une entreprise. Il se calcule comme suit : **nombre de produits vendus × prix unitaire**.

Toutefois, cette mesure monétaire pose des problèmes si on veut faire des comparaisons dans le temps :

– la production *en valeur* (ou à prix courants) est mesurée avec les prix de l'année ;

– la production *en volume* (ou à prix constants) est calculée en neutralisant l'effet de la variation des prix sur le pouvoir d'achat de la monnaie (en déflatant). On utilisera alors les prix d'une année de base (année t de référence).

$$\text{Production en volume} = \frac{\text{Production en valeur}}{\text{Indice des prix, base 100 l'année } t} \times 100$$

ou

$$\text{Production en euros constants de l'année } t = \frac{\text{Production en euros courants}}{\text{Indice des prix, base 100 l'année } t} \times 100$$

● Productions marchande et non marchande

– La *production marchande* est celle réalisée en vue d'être vendue sur un marché. Dans ce cas, le prix de vente doit couvrir au moins son coût de production. La production marchande est donc réalisée, dans un but lucratif, par des entreprises (privées ou publiques).

– La *production non marchande* est celle qui est fournie gratuitement ou quasi gratuitement (à un prix nettement inférieur à son coût de production). Elle est donc le résultat des activités qui ne se font pas dans un but lucratif : celles des administrations publiques, ou des ISBLSM (voir p. 14). On la mesure, par convention, à ses coûts de production.

MESURER L'ÉVOLUTION DE LA PRODUCTION

■ La prise en compte de l'inflation

• Étudier l'évolution de la production (ou de toute autre valeur d'ailleurs) lorsque celle-ci est mesurée en valeur monétaire pose toujours un problème dans la mesure où la valeur de cette unité monétaire varie avec l'évolution des prix. Il faut distinguer, dans cette évolution de la production, ce qui provient de « *l'effet quantité* » et ce qui provient de « *l'effet prix* ».

Quand on n'enlève pas l'effet prix, on parle de :	Quand on supprime l'effet prix (on déflate), on parle de :
Production en valeur	Production en volume
Production nominale	Production réelle
Production en euros courants	Production en euros constants

Prenons l'exemple d'une entreprise dont la production passe de 5 millions d'euros en 2002 à 6 millions en 2010. D'où provient cette augmentation ? De l'augmentation des quantités produites ou d'une variation des prix ? La *production en valeur* a augmenté de 1 million d'euros (soit une hausse de 20 %). Mais si on sait que, sur la période 2002-2010, les prix de cette production ont progressé de 15 %, alors le constat ne sera pas le même. Il faut *supprimer* l'« *effet prix* » de cette production pour connaître son évolution en volume :

$$\text{Production en volume en 2010} = \frac{\text{production en valeur en 2010}}{\text{indice des prix en 2010, base 100 en 2002}} \times 100, \text{ soit :}$$

$$\frac{6 \text{ millions d'euros}}{115} \times 100 \approx 5{,}217 \text{ millions d'euros constants de 2002.}$$

Ainsi, *en volume* (ou *en euros constants* de 2002) la production n'a augmenté que d'environ 4,34 %.

■ La production française par branches et son évolution

Branches d'activité	Production en 2008 (en milliards d'euros courants)	Évolution 2008/2007	
		en valeur (en %)	en volume (en %)
Agriculture	87,8	2,6	2,9
Industries agricoles et alimentaires	136,0	5,5	– 0,7
Industrie des biens de consommation	123,1	– 0,7	– 0,5
Industrie automobile	87,7	– 7,7	– 9,3
Industrie des biens d'équipement	188,5	5,5	4,2
Industrie des biens intermédiaires	291,7	0,3	– 3,1
Énergie	161,7	17,9	2,2
Commerce	344,2	3,6	1,5
Transports	164,9	3,8	0,4
Activités financières	181,5	1,3	2,7
Activités immobilières	305,1	3,3	1,0
Services aux entreprises	561,1	4,7	1,9
Services aux particuliers	185,2	3,2	0,5
Éducation, santé et action sociale	312,0	3,9	1,6
Administration	190,4	3,1	0,9
Total	**3 585,3**	**3,8**	**0,7**

Source : INSEE, comptes nationaux – base 2000.

Une branche, ou branche d'activité, regroupe des unités de production homogènes, c'est-à-dire qui fabriquent des produits (ou rendent des services) qui appartiennent au même élément de la nomenclature d'activité considérée. Ces unités de production peuvent donc être des portions d'établissements.
Au contraire, un *secteur d'activité* regroupe des établissements entiers classés selon leur activité principale.

FONDEMENTS DE L'ÉCONOMIE

FONCTIONS ÉCONOMIQUES

FINANCEMENT DE L'ÉCONOMIE

LA RÉGULATION

LA MONDIALISATION

L'ENTREPRISE

De la valeur ajoutée au Produit intérieur brut

La richesse créée chaque année par les unités de production résidentes est un indicateur essentiel de l'activité économique d'un pays. Pour une entreprise on parlera de valeur ajoutée, dont le partage est un enjeu majeur. À l'échelle d'une nation, c'est le PIB (Produit Intérieur Brut) qui mesure cette création de richesses.

La valeur ajoutée (VA)

La richesse créée par une entreprise n'est pas la « simple » valeur de sa production : **prix de vente × quantités produites**. En effet, pour réaliser cette production, l'entreprise a utilisé des biens et services qui ont été incorporés, transformés ou détruits pendant le processus de production : les *consommations intermédiaires* (CI). Il peut s'agir de matières premières, de produits semi-finis, d'énergie, ou encore de services marchands (comme des services de transport) ; coûts salariaux et investissements ne sont pas concernés.

La *valeur ajoutée* mesure cette richesse réellement créée, et se calcule par la différence entre la valeur de la production et celle des consommations intermédiaires :

VA = valeur de la production − CI

La création de richesses au plan national

– Pour connaître la richesse totale créée dans un pays (son *PIB*), on ne peut pas se contenter d'additionner la valeur des productions réalisées par l'ensemble des unités productives, sans quoi les consommations intermédiaires seraient comptabilisées plusieurs fois. Le PIB se calcule en faisant la somme des valeurs ajoutées brutes de chaque unité de production présente sur le territoire national. Cette somme est augmentée de la TVA et des droits de douane, et est diminuée des subventions à l'importation :

PIB = somme des VA + TVA + droits de douane − subventions à l'importation

– Il faut distinguer le PIB d'un autre agrégat : le *PNB (Produit National Brut)*. Ce dernier mesure la richesse totale créée par les unités de production nationales, qu'elles soient localisées sur le territoire national ou à l'étranger. Le PIB mesure, lui, les richesses créées par les unités de production sur le territoire national, qu'elles soient françaises ou étrangères. Pour passer du PIB au PNB, on ajoute donc les revenus des facteurs versés par le reste du monde et on retranche les revenus des facteurs versés au reste du monde.

La répartition de la valeur ajoutée

La valeur ajoutée créée par les unités de production permet de rémunérer principalement les éléments qui ont permis de réaliser cette production : les *facteurs de production*, travail et capital. Ainsi, la majeure partie de la valeur ajoutée sert à rémunérer les travailleurs (*salaires nets* et *cotisations sociales*), une autre partie rémunère le facteur capital grâce à l'EBE (*Excédent Brut d'Exploitation*), qui servira entre autres à rétribuer les *actionnaires* (sous forme de *dividendes*), ou encore les *prêteurs* (sous forme d'*intérêts*).

Le partage de la valeur ajoutée est donc source de conflits : si les salariés en obtiennent une part plus importante, c'est au détriment de l'entreprise ; et inversement, si c'est l'entreprise qui accroît son *taux de marge* :

$$\frac{\text{EBE}}{\text{VA}} \times 100$$

LE PARTAGE DE LA VALEUR AJOUTÉE

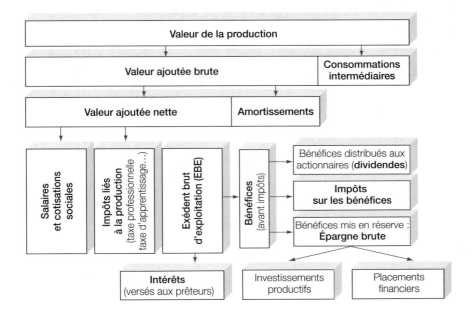

Évolution du partage de la VA des entreprises en France

D'après les données de l'INSEE, comptes nationaux.

(1) Salaires et traitements bruts + cotisations sociales à la charge des employeurs.
(2) Taux de marge = EBE / VA × 100

L'évolution du partage de la valeur ajoutée depuis les années 1970 a connu en France des évolutions assez contrastées.

La part des salaires a fortement crû jusqu'à la fin des années 1970 (les hausses de salaires se poursuivent, la crise étant encore considérée comme provisoire).

La tendance s'inverse ensuite : la part des salaires se réduit dans un contexte de montée du chômage (limitant les revendications salariales), et de politiques économiques de rigueur (instaurée par J. Delors) ayant pour objectif de juguler l'inflation et de restaurer les conditions de la croissance économique, en particulier en privilégiant les profits et la compétitivité des entreprises (hausse du taux de marge).

Au cours des années 1990, la part des salaires dans la VA est restée assez stable, mais à un niveau relativement bas, traduisant un relatif équilibre dans le rapport de force entre rémunération du travail et rémunération du capital.

FONDEMENTS DE L'ÉCONOMIE

FONCTIONS ÉCONOMIQUES

FINANCEMENT DE L'ÉCONOMIE

LA RÉGULATION

LA MONDIALISATION

L'ENTREPRISE

Les limites du Produit intérieur brut

La production nationale, évaluée à partir du PIB, se heurte à des difficultés de mesure. En effet, le PIB est un agrégat dont la construction, comme celle de tous les indicateurs, est largement critiquable. Son interprétation doit donc se faire avec précaution.

● Un indicateur incomplet

Toutes les activités économiques de la nation ne sont pas prises en compte dans la mesure du PIB, puisque ne sont pas comptabilisés :
– le *travail domestique* (femmes au foyer, bricoleurs, etc.) ;
– le *travail bénévole* (associations…) ;
– l'*activité souterraine* ou informelle (activités clandestines). Elle échappe à la comptabilisation : faute d'être déclarée, elle est donc difficile à évaluer.

● Une évaluation insuffisante de la sphère non marchande

La production non marchande réalisée par les administrations publiques (infrastructures routières, Éducation nationale, Défense nationale…) est évaluée à ses coûts de production (souvent à partir de la rémunération des fonctionnaires qui ont assuré leur production). Elle est donc sous-estimée, puisque si de telles productions étaient réalisées par le secteur privé elles seraient comptabilisées pour une valeur supérieure à leurs simples coûts de production.

● Une vision uniquement quantitative de l'activité économique

Le PIB ne doit pas être considéré comme un indicateur du bien-être de la population : il ne pose pas la question de l'utilité réelle de ce qu'il additionne, ni des conditions sociales ou environnementales dans lesquelles les richesses mesurées sont produites.
– *L'utilité des productions comptabilisées* : si l'augmentation du PIB provient en partie de productions telles que l'armement, peut-on en déduire que le bien-être des populations concernées s'est accru ? De plus, le PIB n'inclut pas un certain nombre d'activités essentielles pour le maintien des solidarités entre les membres d'une société (bénévolat, aides entre voisins…).
– *La répartition des richesses produites* : connaître le niveau du PIB d'un pays, ou son taux de croissance ne nous dit rien sur les disparités de richesses. Tous les habitants ne profitent pas de façon égale des richesses produites.
– *PIB et nuisances* : le PIB ne tient pas compte des éventuels effets néfastes de la production sur le bien-être tels que la pollution de l'air ou de l'eau, l'épuisement des ressources non renouvelables, les nuisances sonores, le trou dans la couche d'ozone, sans oublier le milieu urbain ravagé par les panneaux publicitaires… Paradoxalement, ces dégâts contribuent même à l'augmentation du PIB : les embouteillages sont source de croissance en élevant la consommation d'essence, les accidents de la route enrichissent l'économie via les activités qu'ils engendrent (hospitalisation, réparation automobile…), la pollution accroît le PIB par l'intermédiaire de certaines dépenses marchandes dans le but de limiter ou de réparer les dégâts (double vitrage, filtrage de l'eau, reforestation, etc.).

CROISSANCE ET DÉVELOPPEMENT DURABLE

Le niveau des richesses matérielles ne constitue pas un indicateur de bien-être de la population. C'est pourquoi nombreux sont ceux qui essayent de montrer que l'accroissement des richesses (la croissance) ne doit pas être une fin en soi, et que la poursuite indéfinie de ce processus n'est pas possible, ni même souhaitable. Ces réflexions se sont traduites progressivement par le biais du concept de *développement durable*.

◼ Les enjeux du développement durable

C'est en 1971 qu'émerge vraiment l'idée que le développement économique n'est pas compatible avec la protection de la planète à long terme. Face à la surexploitation des ressources naturelles liée à la croissance économique et démographique, le Club de Rome prône la *croissance zéro* dans son rapport « Halte à la croissance ». En 1972, la conférence de Stockholm, est à l'origine du premier concept de développement durable, baptisé à l'époque *écodéveloppement* : il faut intégrer l'équité sociale et la prudence écologique dans les modèles de développement économique.

Cette approche nouvelle va être légitimée par la découverte de l'existence de pollutions dépassant les frontières, de dérèglements globaux : trou dans la couche d'ozone, pluies acides, effet de serre, déforestation…

En 1987, la publication du rapport Brundtland, *Notre Avenir à tous*, consacre le terme de « *Sustainable Development* », traduit en français par « *développement soutenable* » puis « *développement durable* ». Il se définit comme : « *un développement qui répond aux besoins du présent sans compromettre la capacité des générations futures à répondre aux leurs* ». Avec la notion de développement durable, il s'agit de répondre à plusieurs questions fondamentales. Comment concilier progrès économique et social sans mettre en péril l'équilibre naturel de la planète ? Comment répartir les richesses entre les pays ? Comment faire en sorte de léguer une Terre en bonne santé à nos enfants ?

À long terme, il n'y aura pas de développement possible si celui-ci n'est pas économiquement efficace, socialement équitable et écologiquement soutenable.

◼ Une mise en œuvre difficile…

Le développement durable sera consacré à Rio en 1992, lors de la Conférence des Nations Unies sur l'Environnement et le Développement (CNUED), ou « *Sommet de la Terre* » : la plupart des États s'engagent à élaborer une stratégie nationale de développement durable. Les grandes lignes en sont définies dans l'Agenda 21 (programme d'action pour le XXIe siècle). La CNUED a aussi été à l'origine de plusieurs accords, parmi lesquels : Déclaration de Rio, Convention-cadre sur les changements climatiques (avec en 1997, le protocole de Kyoto), Convention sur la diversité biologique, Déclaration sur les principes sur la gestion des forêts… Après Rio, diverses conférences internationales ont approfondi et développé l'Agenda 21 : la Conférence Internationale sur la Population et le Développement du Caire (1994), le Sommet mondial pour le Développement Social de Copenhague (1995), la Conférence mondiale sur les femmes de Beijing (1995), la Conférence sur les établissements humains à Istanbul (Habitat II, 1996), le Sommet mondial de l'alimentation de Rome (1996).

En 1997, à New York, la Réunion de l'Assemblée Générale des Nations Unies dresse un constat d'échec : on y reconnaît que l'environnement s'est considérablement dégradé en 5 ans, mais on se contente de réaffirmer les principes définis à Rio en 1992.

En 2002, le Sommet mondial sur le développement durable de Johannesbourg tente de revigorer l'engagement de la communauté internationale envers le développement durable. En 2009 s'est tenu le Sommet de Copenhague, qui a été un demi-échec. Si les pays présents ont bien pris la mesure des problèmes, aucun objectif chiffré accompagné de sanctions en cas de non-respect n'a été pris.

FONDEMENTS DE L'ÉCONOMIE

FONCTIONS ÉCONOMIQUES

FINANCEMENT DE L'ÉCONOMIE

LA RÉGULATION

LA MONDIALISATION

L'ENTREPRISE

Le facteur travail

Le travail est l'un des deux facteurs de production utilisés par les entreprises. Il est fourni par les ménages qui « vendent » leur « force de travail » en échange d'un salaire. Il peut être analysé sous deux angles différents : quantitatif (le volume de travail disponible) et qualitatif (le travail n'est pas une donnée homogène, il varie selon la qualification des travailleurs).

● L'aspect quantitatif du travail

La quantité de travail disponible dans un pays est fonction de *la population active*, c'est-à-dire de l'ensemble des individus exerçant (*population active occupée*) ou cherchant à exercer (*chômeurs*, voir p. 100) une activité rémunérée. Sont aussi classés parmi les « actifs occupés » : les personnes aidant un membre de leur famille dans son travail (si la personne aidée n'est pas salariée), les apprentis sous contrat, les stagiaires rémunérés et les personnes qui, tout en poursuivant leurs études, exercent une activité professionnelle.

● Les facteurs de variation de la population active

Depuis la fin des années 1960, le nombre d'actifs a fortement augmenté, passant d'environ 21,5 millions à près de 27 millions aujourd'hui. Cet accroissement de la population active est dû à la conjonction de plusieurs facteurs.
– La *démographie* : la population active future dépend de l'accroissement démographique passé. Plus le *taux de natalité* est élevé, plus la population active sera importante lorsque ces classes d'âge arriveront sur le marché du travail (une vingtaine d'années plus tard). Le *baby-boom*, qui a suivi la Seconde Guerre mondiale et a duré jusqu'au milieu des années 1960, a ainsi été un facteur très important d'accroissement de la population active à partir de la fin des années 1960 jusqu'aux années 1980.
– Le *solde migratoire* a aussi un impact non négligeable : si il y a plus d'immigrés que d'émigrés (en âge de travailler) une année donnée, la population active va croître.
– Les *comportements d'activité* font également varier le niveau de la population active. L'allongement de la durée des études ou les mesures de préretraites font diminuer les taux d'activité respectivement des plus jeunes et des plus âgés. Parallèlement, depuis la fin des années 1960, les femmes sont de plus en plus actives.

● L'aspect qualitatif du travail

Le travail n'est pas une donnée homogène : il nécessite presque toujours des compétences et donc des qualifications particulières. La qualification des travailleurs peut être abordée par l'étude de la répartition de la population active en *catégories socioprofessionnelles*, puisque cette nomenclature établie par l'INSEE repose en grande partie sur la qualification des individus. L'analyse de cette nomenclature sur les cinquante dernières années fait ressortir un certain nombre de tendances : baisse de la proportion d'ouvriers, qui s'explique en particulier par l'automatisation croissante ; chute des effectifs agricoles due à la mécanisation et aux gains de productivité ; forte hausse des catégories « employés », « professions intermédiaires » et « cadres et professions intellectuelles supérieures », du fait de l'essor croissant des activités liées aux services. L'accroissement de ces deux derniers groupes souligne les besoins accrus en travail qualifié.

LA POPULATION ACTIVE FRANÇAISE

▪️ Évolution de la population active (observée et projetée)

	Observations			Projections		
	1968	1992	2005	2015	2030	2050
Nombre d'actifs (en milliers)	21 462	25 175	27 600	28 300	28 200	28 500
Part des femmes (en %)	35,9	43,8	46,4	46,7	46,2	45,9
Part des hommes (en %)	64,1	56,2	53,6	53,3	53,8	54,1
Part des 15-24 ans (en %)	20,5	11,1	9,5	9,0	9,5	9,3
Part des 25-54 ans (en %)	60,2	79,5	79,1	77,1	75,7	75,9
Part des 55 ans et plus (en %)	19,3	9,4	11,3	13,9	14,8	14,8
Taux d'activité (en %)	56,5	54,2	69,1	69,6	69,6	70,5
Rapport actifs / inactifs de 60 ans et plus	3,0	2,3	2,2	1,9	1,5	1,4

Champ : France métropolitaine, population active au 1er janvier et âge atteint en cours d'année. Source : INSEE, TEF 2010.

Depuis 1968, la population active s'est fortement accrue, sous l'effet de deux phénomènes principaux : l'entrée sur le marché du travail des générations, nombreuses, du baby-boom et l'accroissement continu du nombre de femmes exerçant une activité rémunérée (aujourd'hui plus de 45 % des actifs sont des femmes). Toutefois, les scénarios de projection de la population active laissent penser que celle-ci va se stabiliser dans les années à venir, puis diminuer à plus long terme. En effet, les nombreux départs à la retraite des générations du baby-boom ne vont pas être compensés par l'entrée des nouveaux actifs (relativement peu nombreux). C'est ce que montre d'ailleurs l'évolution (à la baisse) du rapport actifs/inactifs de 60 ans et plus : en 2020, on estime qu'il n'y aura que 1,5 actif pour un inactif de 60 ans et plus !

▪️ Évolution des taux d'activité selon l'âge et le sexe

Le *taux d'activité* mesure le rapport entre le nombre d'actifs et la population totale correspondante. Les études ont mis en évidence trois phénomènes.

• La féminisation continue de la population active : en 2003, 63,4 % des femmes de 15 à 64 ans sont actives, contre seulement un peu plus d'une sur 2 en 1975.

• La baisse du taux d'activité des plus jeunes (15-24 ans), et ce aussi bien pour les femmes que pour les hommes. L'allongement des études en est la principale explication.

• La baisse du taux d'activité des 50 ans et plus, en particulier pour les hommes. Cette baisse est particulièrement visible au début des années 1980, marquées par la baisse de l'âge de la retraite, et le développement des mesures de préretraites. Toutefois, depuis les années 1990, le taux d'activité des plus âgés est « reparti » à la hausse.

▪️ Répartition socioprofessionnelle des actifs occupés

Depuis une trentaine d'années, la structure socioprofessionnelle de la population active occupée (PAO) a connu d'importantes transformations. Ainsi, en 2003, les « employés » formaient la catégorie la plus nombreuse (avec plus de 7 millions d'actifs occupés, soit près de 29 % de la PAO) « devançant » les ouvriers (environ 6 millions de personnes, soit 24,8 % de la PAO) qui ont constitué pendant longtemps la catégorie socioprofessionnelle la plus importante en France. Les « professions intermédiaires » (23,1 %) et les « cadres » (14,2 %) ont connu une forte progression, alors que les catégories « artisans, commerçants et chefs d'entreprises » (6 %) et les « agriculteurs exploitants » (3 %) ont vu chuter leurs effectifs. Certaines catégories sont plus « féminisées » que d'autres : c'est le cas des « employés », où les femmes représentent plus des trois quarts des effectifs et des « professions intermédiaires » avec près de la moitié de femmes.

FONDEMENTS DE L'ÉCONOMIE

FONCTIONS ÉCONOMIQUES

FINANCEMENT DE L'ÉCONOMIE

LA RÉGULATION

LA MONDIALISATION

L'ENTREPRISE

Le facteur capital

Le travail ne suffit pas pour assurer la production de biens et de services. Le capital est l'autre facteur indispensable à l'activité productive. Il est constitué par l'ensemble des biens intervenant dans le processus de production. Toutefois, la notion de capital recouvre des réalités très diverses.

Le capital : une notion polysémique

Le « *capital* » est un terme ambigu qui recouvre des notions différentes selon le point de vue adopté : économique, juridique, comptable…
– Du point de vue de la production, le capital correspond à l'ensemble des biens destinés à produire d'autres biens et services : le capital est alors un facteur de production, appelé *capital technique*.
– Du point de vue de la répartition, le capital désigne un ensemble de ressources dont l'emploi permet d'obtenir un revenu. Dans cette optique beaucoup plus générale, on parle de *capital économique*. Celui-ci regroupe un ensemble très divers de ressources : machines, matières premières, bâtiments, monnaie, valeurs mobilières… Le capital économique inclut le capital technique, mais ne se réduit pas seulement à ces biens de production.
– Le *capital financier* désigne les ressources (fonds propres et fonds disponibles à long et moyen terme) qui permettent à l'entreprise de financer son activité.
– Le *capital social* d'une entreprise correspond à l'apport en nature ou en numéraire des différents propriétaires.

Les formes du capital technique

C'est la notion de capital technique qui définit le capital facteur de production. Il existe deux catégories de capital technique :
– Le *capital fixe* désigne les moyens de production durables qui participent à plusieurs processus de production. Plus précisément, ils sont utilisés pendant au moins un an et font l'objet d'un *amortissement* économique. C'est le cas des bâtiments, du matériel de transport, de la plupart des machines… L'amortissement correspond à la perte de valeur subie au cours d'une année par un bien de production durable du fait de son usure ou de son obsolescence. Il se mesure par le rapport entre le prix d'acquisition et la durée de vie du bien, et est déductible du bénéfice imposable.
– Le *capital circulant* correspond aux biens qui sont détruits ou transformés pendant le processus de production. Ils ne servent donc qu'une seule fois. Il en est ainsi des matières premières, des produits semi-finis, de l'énergie… Les capitaux circulants sont donc des *consommations intermédiaires*.

Le capital : un stock variable

Les unités de production disposent à un moment donné, d'un « stock » de capital, stock qui leur permet de produire des biens et des services.
Quand ils décident d'augmenter, pour diverses raisons, ce stock de capital, c'est-à-dire d'acheter de nouveaux moyens de production, ils investissent. Cet *investissement* (voir p. 34) réalisé par l'unité de production est un *flux* qui va venir accroître son stock de capital déjà disponible (sauf s'il s'agit uniquement de remplacer le capital usé).

LES COMBINAISONS PRODUCTIVES

■ L'intensité capitalistique

Pour obtenir un certain niveau de production, les entreprises doivent combiner leurs facteurs de production, travail et capital. Il existe en effet plusieurs combinaisons de facteurs possibles pour réaliser une même quantité de produits. L'entreprise peut utiliser beaucoup de facteur capital et relativement peu de facteur travail. Dans ce cas on parlera de *combinaison productive* (ou technique de production) *à forte intensité capitalistique*. Inversement, elle peut davantage avoir recours à la main-d'œuvre et donc utiliser relativement peu le facteur capital. Il s'agit alors d'une *combinaison à faible intensité capitalistique*.

Le choix de la combinaison se fait essentiellement en fonction du coût relatif du travail et du capital. Ainsi, lorsque les salaires sont relativement faibles, l'entreprise a intérêt à mettre en place des techniques peu intensives en capital, et inversement lorsque le coût du travail est relativement élevé.

■ Facteurs substituables, facteurs complémentaires

Le choix de la technique de production dépend aussi des types de facteurs utilisés.

Pour certaines productions, les facteurs de production sont dits *substituables*. Dans ce cas, l'entreprise peut choisir entre utiliser plus ou moins de travail et plus ou moins de capital puisque ces deux facteurs de production peuvent se substituer l'un à l'autre assez facilement. Par exemple, une entreprise de travaux publics, pour réaliser une route, a le choix entre utiliser une centaine d'hommes ne travaillant qu'avec un outillage de base (pelles, pioches…), ou n'avoir recours qu'à dix hommes travaillant avec du matériel important (pelleteuses, bulldozers…).

Pour d'autres productions, les facteurs sont *complémentaires* puisque pour atteindre un niveau de production donné, le travail et le capital doivent être combinés dans une proportion fixe. Par exemple, pour l'activité d'une entreprise de transport, à un camion correspond un chauffeur : les facteurs travail et capital sont complémentaires.

■ Fonction de production

La substituabilité et la complémentarité des facteurs peuvent faire l'objet de représentations graphiques sous forme d'isoquantes. Une *isoquante* est une courbe indiquant l'ensemble des combinaisons de travail (L) et capital (K) qui permettent d'obtenir un même niveau de production. Une *fonction de production* représente la relation technique qui relie la quantité produite (notée Y) et la combinaison des facteurs travail et capital : $Y = f(K, L)$.

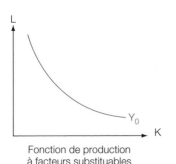

Fonction de production
à facteurs substituables

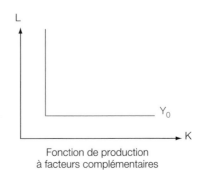

Fonction de production
à facteurs complémentaires

FONDEMENTS DE L'ÉCONOMIE

FONCTIONS ÉCONOMIQUES

FINANCEMENT DE L'ÉCONOMIE

LA RÉGULATION

LA MONDIALISATION

L'ENTREPRISE

La productivité

La productivité permet de mesurer l'efficacité d'un système productif (entreprise, secteur, pays…). Elle compare la production réalisée et les quantités de facteurs de production utilisés pour réaliser cette production. Les gains de productivité, qui résultent d'un accroissement de la productivité, ont de multiples origines. Le partage de ces gains constitue un enjeu majeur.

Les mesures de la productivité

– On distingue les mesures de *productivité unifactorielle* et de *productivité multifactorielle*. La productivité unifactorielle met en relation la production réalisée (notée Y) et un seul facteur de production, travail ou capital. Ainsi, on peut calculer la productivité du travail, soit par le rapport entre Y et le nombre d'heures de travail (*productivité horaire du travail*), soit par le rapport entre Y et les effectifs employés (*productivité par tête*, ou par travailleur). De même, on calcule la *productivité du capital*, qui est le rapport entre les quantités produites et le capital utilisé (consommations de capital fixe) pour obtenir ce niveau de production. La Comptabilité nationale utilise le concept de *productivité apparente du travail* (ou du capital) pour souligner le fait que la hausse de la production ne peut pas être attribuée uniquement au facteur travail (ou respectivement au facteur capital). La productivité multifactorielle, ou *productivité globale des facteurs*, mesure le rapport entre la production et les deux facteurs de production, travail et capital.

– La productivité peut se mesurer *en volume* ou *en valeur*. Dans le premier cas, les quantités produites sont mesurées en unités physiques. Dans le second, on mesure la production en unités monétaires, grâce à la valeur ajoutée (voir p. 20).

Les origines et la répartition des gains de productivité

La notion de productivité est au cœur des mécanismes économiques : les entreprises cherchent à être les plus efficaces possible, c'est-à-dire à produire le plus possible compte tenu des facteurs de production dont elles disposent. Elles vont chercher non seulement à avoir une productivité élevée, mais aussi à continuellement accroître cette productivité : c'est la recherche de ce que l'on appelle les *gains de productivité*, résultat de multiples facteurs :

– amélioration de *l'organisation du travail* (voir p. 146) ;

– accroissement de la qualification des travailleurs ;

– allongement de la durée d'utilisation du capital ;

– *progrès technique* (nouveaux procédés de production plus performants par exemple) ;

– *effets d'expérience* : à force de réaliser le même geste, les travailleurs en viennent à l'effectuer plus rapidement (théorie du « *learning by doing* » de K. Arrow) ;

– motivation des travailleurs (grâce à une rémunération au mérite, ou grâce à une plus grande considération de la part de la hiérarchie).

Pour les économistes keynésiens, le partage des gains de productivité doit prioritairement se faire en faveur des consommateurs, par la hausse des salaires et la baisse des prix, car l'impact positif sur la demande est alors direct. En effet, selon eux, une hausse des profits ne se transforme pas nécessairement en investissements nouveaux ; l'entreprise peut préférer réaliser des placements financiers. À l'inverse, pour les économistes libéraux, la hausse des profits est une nécessité pour les entreprises.

LE PARTAGE DES GAINS DE PRODUCTIVITÉ

• La recherche de gains de productivité est primordiale, car ces gains sont un moteur essentiel de la croissance économique, par l'intermédiaire de divers effets d'entraînement.

• En effet, les gains de productivité peuvent être distribués de plusieurs façons, et ainsi plus ou moins profiter aux différents agents économiques : travailleurs, entreprises, consommateurs.

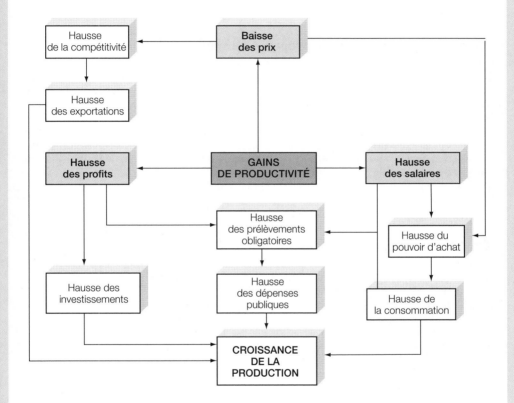

• Ainsi, les gains de productivité réalisés par une entreprise (ou une partie seulement de ces gains) peuvent profiter aux salariés sous forme de hausse de leur rémunération, ou sous forme d'une réduction du temps de travail si elle décide de ne pas produire plus malgré une efficacité accrue. L'entreprise peut aussi choisir de réduire ses prix de vente puisqu'elle aura réduit ses coûts de production. Elle peut enfin opter pour un accroissement de ses profits, en augmentant ses marges.

• Dans tous les cas, cette répartition des gains de productivité permet aux entreprises d'être plus compétitives, et est source de croissance pour l'économie dans son ensemble, essentiellement via une hausse de l'investissement, de la consommation, et des exportations, mais grâce aussi à un accroissement des dépenses publiques permises (en théorie) par un regain des prélèvements obligatoires.

FONDEMENTS DE L'ÉCONOMIE

FONCTIONS ÉCONOMIQUES

FINANCEMENT DE L'ÉCONOMIE

LA RÉGULATION

LA MONDIALISATION

L'ENTREPRISE

Progrès technique et croissance

Le progrès technique a connu une spectaculaire progression depuis le début du xxᵉ siècle. Or, sur la même période, la croissance économique a été globalement forte. Pour beaucoup d'économistes, il existe un lien de causalité entre progrès technique et croissance.

Un lien empirique entre progrès technique et croissance

– La croissance peut s'expliquer par l'augmentation des quantités de facteurs de production travail et capital utilisés dans le processus de production. On parle alors de *croissance extensive*. Cependant, des études ont montré que seule une partie de la croissance pouvait s'expliquer à partir de ces facteurs. L'autre partie, ou « résidu », est attribué au progrès technique.

– Ainsi, entre 1986 et 1990 en France, la croissance annuelle moyenne du PIB a été de 3,3 %. L'accroissement des quantités de travail et de capital utilisées explique respectivement cette croissance à hauteur de 0,6 et 1 point de %. Par conséquent, environ la moitié de la croissance observée est imputable au « résidu ».

– On parle alors de *croissance intensive*, car la hausse de la production est à mettre au compte d'une augmentation de la productivité des facteurs de production, qui est une conséquence du progrès technique. Elle peut aussi provenir d'effets d'expériences (voir p. 28).

L'impact du progrès technique sur la demande

Le progrès technique peut se matérialiser sous deux principales formes :
– des *innovations de procédés*, qui permettent d'augmenter la productivité, ce qui entraîne une augmentation de la demande, et donc de la production (voir p. 28) ;
– des *innovations de produits*, qui permettent de mieux répondre à la demande des consommateurs, ou qui génèrent de nouveaux besoins. De nouveaux marchés, au fort potentiel de croissance, se développent alors.

Schumpeter a montré que les phases de croissance économique, sur le long terme, étaient contemporaines de l'apparition d'innovations majeures (que l'on peu identifier au progrès technique).

Une relation pas toujours avérée

– Robert Solow a mis en évidence un paradoxe (appelé « paradoxe de Solow »), selon lequel l'impact du progrès technique sur la croissance économique n'est pas automatique. Selon ce paradoxe, les ordinateurs sont partout, sauf dans les statistiques, ce qui signifie qu'il faut un certain temps d'adaptation aux salariés et à l'entreprise pour tirer pleinement partie d'une innovation. Durant cette période de diffusion de l'innovation, la productivité augmente peu.

– Les innovations de procédés n'ont un impact positif sur la croissance que si les gains de productivité entraînent une augmentation de la demande. Or, cela dépend de la répartition de ces gains (voir p. 29) : si ces gains sont uniquement consacrés à augmenter les profits, et si ces profits ne sont ensuite pas investis, alors l'impact du progrès technique sur la croissance sera quasiment nul.

LA RECHERCHE & DÉVELOPPEMENT

■ La recherche, source de l'innovation

La recherche et développement (R & D) est l'ensemble du processus qui aboutit à des découvertes scientifiques, des inventions et à leurs applications économiques.

La R & D regroupe trois étapes :

– *la recherche fondamentale* : elle vise à élargir le champ des connaissances scientifiques (découverte des propriétés des particules lumineuses par exemple) ;

– *la recherche appliquée* : elle est à l'origine d'une invention, c'est-à-dire d'un procédé technique, brevetable, application pratique de la découverte scientifique fondamentale, et correspondant à un besoin (le laser par exemple) ;

– *le développement* : il s'agit de concevoir et de mettre au point un prototype pour s'assurer de sa faisabilité industrielle (conception du procédé technique de fabrication industrielle) et économique (étude du coût) ; c'est la phase initiale de l'innovation, celle-ci se poursuivant par la production en série et la mise sur le marché (mise au point d'un laser pour les opérations de la rétine par exemple).

Le progrès technique, un bien collectif

« Le progrès technique est défini de façon générale comme un accroissement de la connaissance que les hommes ont des lois de la nature appliquées à la production. Il consiste donc en l'invention de produits et procédés nouveaux, qui augmentent le bien-être des individus, soit par un accroissement soit par une transformation de la consommation.

La technologie présente nombre de traits de ce que les économistes appellent des « biens publics ». Le plan d'un bien, la formule d'un bien chimique ou la description d'un procédé nouveau sont de l'information. À ce titre, ils sont communicables à un coût qui est largement inférieur à leur coût de production (à la limite, le coût sera celui d'une simple photocopie !), et ils peuvent être utilisés simultanément par un nombre quelconque d'agents.

Si chaque chercheur peut utiliser les résultats de tous ses collègues et prédécesseurs, la réciproque est également vraie : les découvertes de chacun sont disponibles pour ses collègues et successeurs, car elles vont à leur tour s'ajouter au stock des connaissances. Cela traduit une externalité, puisque chaque chercheur contribue à accroître la productivité de ses collègues ».

D. Guellec et P. Ralle,
Les nouvelles théories de la croissance,
Éditions La Découverte.

■ Financements et incitations

• Ce statut de bien collectif pose le problème du financement de la recherche : en effet, si celui qui a subi un coût de recherche pour sa découverte voit que celle-ci est utilisée gratuitement par d'autres, il ne sera plus incité à faire d'autres recherches. Par conséquent, il faut soit que ce soit l'État (ou les administrations au sens large) qui finance la recherche sans viser à des fins de rentabilité (c'est le cas pour la recherche fondamentale), soit que l'État mette en place un système de protection de la propriété intellectuelle et industrielle (ce sont les brevets).

Dans ce dernier cas, qui correspond à la recherche appliquée et au développement, les entreprises peuvent être source de financement de la recherche.

• Ainsi, en France, une part des dépenses totales de recherche et développement est réalisée par l'État. En 2002, cette part est de 44,7 %. Cependant, l'effort global de recherche, mesuré par la part des dépenses de recherche dans le PIB, est faible en France : elle représente à peine 2,2 % du PIB, ce qui est beaucoup moins important qu'aux États-Unis par exemple.

FONDEMENTS DE L'ÉCONOMIE

FONCTIONS ÉCONOMIQUES

FINANCEMENT DE L'ÉCONOMIE

LA RÉGULATION

LA MONDIALISATION

L'ENTREPRISE

Progrès technique et emploi

L'idée selon laquelle le progrès technique est directement à l'origine de la destruction d'emplois est très répandue. Or, dans les faits, progrès technique et créations d'emplois vont souvent de paire. De plus, le progrès technique permet une évolution de la structure et de la qualification des emplois.

● Les conséquences quantitatives sur l'emploi

– L'introduction de nouvelles machines plus productives a pour conséquence de réduire le nombre d'emplois nécessaires à la réalisation du volume de production désiré : le progrès technique est donc à l'origine de la destruction d'emplois. Des révoltes ouvrières ont ainsi eu lieu contre l'introduction de machines dans le processus productif ; les plus célèbres sont celles des canuts lyonnais au XIXᵉ siècle, ou encore celle des luddistes en Grande-Bretagne. La « théorie technologique du chômage » explique, que pour un niveau donné de production, une augmentation de la productivité engendrée par le progrès technique réduit l'emploi disponible.

– Cependant, de nouvelles machines sont aussi directement génératrices d'emplois. Ainsi, il faut des travailleurs pour construire ces machines, mais aussi pour les entretenir et les réparer. Ces nouveaux emplois ne peuvent néanmoins être suffisants pour compenser les emplois directement détruits.

– La plupart des économistes pensent que le progrès technique est globalement créateur d'emplois. En effet, s'il prend la forme d'une innovation de produit, il permet l'apparition de nouveaux produits plus performants. De nouveaux marchés se créent, générateurs de nouveaux emplois. S'il prend la forme d'innovations de procédés, les gains de productivité induits peuvent entraîner une augmentation de la demande vers de nouveaux produits, elle aussi génératrice de production, et donc d'emplois.

● Les conséquences qualitatives sur l'emploi

– Le progrès technique change la nature des emplois : le processus de *déversement* des emplois (voir ci-contre) entraîne une *tertiarisation* progressive des emplois.

– Le progrès technique modifie également la qualification des emplois. À ce sujet, deux approches s'opposent. D'une part, certains estiment que le progrès technique induit une hausse des qualifications requises, car les nouvelles machines et nouvelles méthodes de production demandent de nouvelles compétences aux salariés. On assiste ainsi à une forte progression des emplois qualifiés, parallèlement à une diminution des emplois non qualifiés, même si ceux-ci n'ont pas totalement disparu. D'autre part, certaines innovations permettent de remplacer du travail qualifié en réduisant les compétences demandées aux travailleurs ; ainsi, historiquement, le développement du taylorisme a réduit les qualifications des travailleurs (voir p. 146).

– Enfin, le progrès technique peut être source d'exclusion : ceux qui ont perdu leur emploi du fait de l'introduction d'un progrès technique dans leur secteur productif n'ont en effet pas nécessairement les qualifications requises pour postuler aux nouveaux emplois créés. On parle alors de *chômage structurel*. Ce chômage est le plus souvent de longue durée et peut même devenir irréversible – et donc être source d'exclusion du marché du travail – sans la mise en place d'un processus de formation continue.

LA THÉORIE DU DÉVERSEMENT

◼︎ Le principe du déversement sectoriel

La théorie du déversement a été développée par Alfred Sauvy dans *La machine et le chômage*. Selon cette théorie, le progrès technique, lorsqu'il est introduit dans un secteur d'activité ou une branche, détruit des emplois dans ce secteur – on parle de substitution capital/travail : les « machines » remplacent les hommes. C'est l'effet direct, qui est négatif. Cependant, si le progrès technique correspond à une innovation de procédé, il est source de gains de productivité (voir p. 28). Or, le partage de ces gains de productivité va permettre l'accroissement de la demande, cette demande ne se portant pas nécessairement vers les produits du secteur dans lequel le progrès technique a été introduit. La production augmentera donc dans un secteur, ce qui sera source de création d'emplois. On parle de « déversement » car les emplois détruits sont plus que compensés par les emplois créés (le solde est positif).

Historiquement, le progrès technique est d'abord apparu dans le secteur primaire, ce qui a détruit des emplois dans ce secteur, mais en a créé dans le secteur secondaire – l'industrie –, vers où la demande s'est dirigée. Puis, le progrès technique s'est développé dans le secondaire, ce qui a entraîné selon le même processus un accroissement des emplois dans le tertiaire.

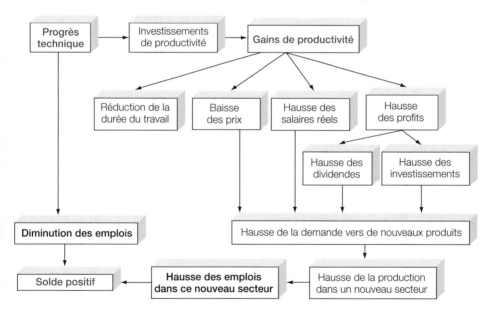

◼︎ Les limites de cette théorie

Cette théorie connaît trois limites principales :
– l'existence de gains de productivité n'entraîne pas toujours une augmentation de la demande : tout dépend de la répartition de ces gains ;
– le secteur tertiaire commence lui aussi à connaître des gains de productivité, principalement dans la distribution, la banque et l'assurance. Vers quel nouveau secteur les emplois détruits vont-ils pouvoir se déverser ?
– cette théorie suppose que ceux qui viennent de perdre leur emploi dans un secteur vont pouvoir en trouver un nouveau dans un autre secteur, d'où le problème des qualifications.

FONDEMENTS DE L'ÉCONOMIE

FONCTIONS ÉCONOMIQUES

FINANCEMENT DE L'ÉCONOMIE

LA RÉGULATION

LA MONDIALISATION

L'ENTREPRISE

L'investissement

L'investissement désigne le flux qui vient renouveler ou accroître le stock de capital déjà existant. Il peut revêtir des formes très variées. Ainsi, il existe différents types d'investissements, classés selon leur nature (matériel ou immatériel) ou selon leurs objectifs (augmenter la production, la productivité, compenser les déclassements).

● La notion d'investissement

– Quand une entreprise acquiert des biens de production, elle réalise une opération d'investissement. L'investissement se définit donc selon l'INSEE comme « la valeur des biens durables acquis pour être utilisés pendant au moins un an dans le processus de production ». Il correspond à la notion comptable de *formation brute de capital fixe (FBCF)*. La FBCF mesure *l'investissement brut*, elle englobe donc l'*investissement net* (flux positif) et l'*amortissement* (flux négatif constitué par les déclassements des biens de production durables usés ou obsolètes).
– L'effort d'investissement d'un pays se mesure grâce à son *taux d'investissement*, défini comme le rapport entre la FBCF et le PIB. Celui d'une entreprise est évalué par le rapport entre sa FBCF et sa valeur ajoutée.
– L'investissement n'est pas que le fait des entreprises. Les administrations publiques procèdent aussi à des investissements (infrastructures routières par exemple), de même que les ménages quand ils acquièrent un logement. On distingue ainsi les investissements *privés* des investissements *publics*, mais aussi les investissements *productifs* (achats de machines) des investissements *improductifs* (achats de logements en particulier).

● Les objectifs de l'investissement productif

– L'investissement de *capacité* est destiné à accroître les capacités de production : on acquiert une nouvelle machine qui permettra un volume de production plus important. L'investissement de *productivité* (ou de rationalisation) vise des gains de productivité : on pourra obtenir un volume de production plus élevé avec la même quantité de facteur qu'auparavant. La production est alors plus efficace et on pourra réduire les coûts de production. L'investissement de *remplacement* a pour but de remplacer du capital usé ou obsolète.
– Dans les faits, la distinction entre investissement de productivité et investissement de remplacement reste souvent théorique : le nouveau matériel est normalement plus productif que l'ancien.

● Les formes d'investissement

– L'investissement *matériel* correspond à l'acquisition de biens de production durables : machines, locaux,…
– L'investissement *immatériel* est constitué des dépenses de R&D (recherche et développement), de formation du personnel, de publicité, ainsi que des achats de logiciels, et de brevets et licences. Ces investissements immatériels, non comptabilisés dans la FBCF (sauf l'acquisition de logiciels depuis 1999) ne permettent pas d'accroître le stock de capital de l'entreprise. Ils sont toutefois un moyen d'augmenter ses capacités de production futures, c'est pourquoi les économistes les considèrent aussi comme des investissements. Ils constituent d'ailleurs aujourd'hui un poste de dépenses croissantes pour beaucoup d'entreprises (près d'un tiers du total des investissements en France).

LE POINT SUR L'INVESTISSEMENT EN FRANCE

▟ Qui investit ?

FBCF par secteur institutionnel en volume (milliards d'euros de 2000)

	1990	1995	2000	2005	2006	2007	2008
Sociétés et entreprises individuelles non financières	126,0	118,0	154,6	169,2	176,2	191,6	196,6
Sociétés et entreprises individuelles financières	5,8	5,9	11,9	12,2	14,5	13,7	14,5
Administrations publiques	38,5	38,9	44,5	50,8	49,4	51,6	49,4
Ménages hors entrepreneurs individuels	64,9	58,9	68,0	78,0	83,0	87,6	86,3
Institutions sans but lucratif au service des ménages	1,1	1,4	1,7	1,8	1,8	2,0	2,2
Total des secteurs résidents	**236,1**	**223,2**	**280,7**	**312,3**	**325,3**	**346,6**	**348,5**

Source : INSEE, Comptes nationaux - Base 2000.

La structure de la FBCF par secteur institutionnel, malgré quelques évolutions conjoncturelles, reste relativement stable dans le temps. Ainsi, les sociétés et entreprises individuelles non financières occupent toujours une place importante dans la FBCF totale (elles en réalisent plus de la moitié en 2008 – 56,4 %). Si les ménages (hors EI) ont vu leur part dans la FBCF reculer légèrement, ils contribuent toujours de manière significative à l'investissement national, et ce, devant les administrations publiques (14,1 %). Enfin, même si leur part reste toujours relativement faible (4,2 %), il est à noter que les sociétés non financières participent de plus en plus à la FBCF.

▟ L'investissement par objectif

Répartition des motivations économiques des investissements (en %)
(réalisation constatée en avril de l'année suivante)

	2003	2004	2005	2006	2007	2008	2009 (p)
Renouvellement	27	27	26	26	27	29	27
Modernisation, rationalisation	25	24	23	23	22	21	22
Extension de la capacité de production	14	15	14	15	17	16	14
Introduction de nouveaux produits	14	15	16	15	13	14	15
Autres (1)	20	19	21	21	21	20	22
Total	100	100	100	100	100	100	100

(p) : prévisions en avril de l'année en cours.
(1) Autres : sécurité, environnement, conditions de travail
Sources : d'après INSEE conjoncture, Informations rapides n°131, mai 2009, et INSEE, TEF, édition 2008.

Selon les chefs d'entreprise, dans l'industrie, les investissements destinés au renouvellement des équipements ont concerné 29 % des motivations économiques d'investissement en 2008, et se replieraient (prévisions de ces mêmes chefs d'entreprise) à 27 % en 2009. La part des investissements motivés par l'extension de la capacité de production des industries baisserait également de 2 points pour s'établir à 14 % en 2009. Le repli actuel de ces deux motifs d'investissement est évidemment à mettre en relation avec la faiblesse parallèle de la croissance économique et les estimations très pessimistes des entrepreneurs quant à l'évolution de leurs débouchés et leurs capacités de production.

En revanche, ils semblent vouloir consacrer une part plus grande de leurs investissements à l'introduction de nouveaux produits, à la modernisation de leur appareil productif (afin de profiter d'économies d'énergie par exemple) ou à d'autres projets d'investissement liés à la sécurité ou à l'environnement entre autres.

FONDEMENTS DE L'ÉCONOMIE

FONCTIONS ÉCONOMIQUES

FINANCEMENT DE L'ÉCONOMIE

LA RÉGULATION

LA MONDIALISATION

L'ENTREPRISE

Les déterminants de l'investissement

La décision d'investir dépend de l'entrepreneur. Il prend sa décision en fonction de multiples paramètres. Ainsi, les chefs d'entreprise semblent particulièrement sensibles à l'influence de la demande, aux profits attendus, ainsi qu'aux conditions financières de réalisation de leurs projets d'investissement.

● Le rôle de la demande anticipée

L'entreprise ne prend la décision d'investir que si les débouchés lui paraissent suffisants. Sa capacité productive doit être durablement inférieure à celle qui permet de satisfaire la demande anticipée. Si elle pense que la hausse des débouchés n'est que provisoire ou si elle a des capacités de production inemployées, elle n'investira pas. Si le *taux d'utilisation des capacités de production* (rapport entre capacités de production utilisées et capacités de production totales) augmente, elle a moins de marge de manœuvre pour ajuster sa production et va investir. Cet effet d'entraînement de la demande sur l'investissement est formalisé dans le principe de *l'accélérateur* (voir ci-contre).

● Le rôle des profits escomptés

L'entreprise a aussi pour objectif de réaliser des *profits* : elle décide d'investir en fonction du rendement qu'elle attend de son nouvel équipement (profits escomptés). D'ailleurs, on observe traditionnellement une corrélation entre taux de marge et taux d'investissement : quand le partage de la VA se fait en faveur des entreprises, elles accroissent leurs investissements.

● Le poids des contraintes financières

L'investisseur doit aussi tenir compte de sa capacité à financer son projet.
– Plusieurs modes de financement sont possibles. L'entreprise peut puiser dans ses réserves : c'est *l'autofinancement*, qui exige des profits antérieurs, mais qui ne fait pas peser de contrainte de remboursement. Elle peut faire appel à un *financement externe* : soit indirect par emprunt, soit direct par augmentation de capital.
– La notion *d'efficacité marginale du capital* (emc) – ou rendement escompté de l'investissement – permet de savoir si le financement peut se faire dans des conditions satisfaisantes. L'entrepreneur n'investit que si l'emc est supérieure au taux d'intérêt, qu'il ait ou non les fonds nécessaires. S'il a des réserves, le taux d'intérêt correspond à un coût d'opportunité (ce que l'entreprise aurait pu gagner en plaçant ses fonds sur les marchés) : s'il est supérieur à l'emc, il est plus intéressant de prêter ses réserves. S'il n'a pas les fonds nécessaires, il devra emprunter. Si le taux d'intérêt est supérieur au rendement attendu de l'investissement il vaut mieux ne pas investir.
– La *profitabilité* mesure l'écart entre la *rentabilité financière* de l'investissement : (profits – intérêts) / fonds propres et le taux d'intérêt réel. Si celui-ci s'accroît, l'entreprise renonce à des investissements jugés non rentables. L'emprunt fragilise donc l'entreprise en augmentant son endettement et la soumet à l'influence du taux d'intérêt ; mais il contribue à accroître la *rentabilité financière* (les investissements financés par emprunt permettent de dégager des profits, qui ne sont répartis que sur les capitaux propres). Si le taux de profit est supérieur au taux d'intérêt, la rentabilité des capitaux propres est accrue par l'endettement : c'est *l'effet de levier*. Dans le cas contraire il s'exerce un *effet de massue*.

LE RÔLE DE LA DEMANDE
ET DES FACTEURS FINANCIERS

◾ L'accélérateur

• L'accélérateur met en évidence qu'une variation de la demande entraîne une variation plus que proportionnelle de l'investissement. Cet effet d'amplification joue tant à la hausse qu'à la baisse : une hausse de la demande engendre une hausse plus forte de l'investissement ; un simple ralentissement de la croissance de la demande suffit à provoquer une chute des investissements (qui restent toutefois positifs), et une baisse de la demande conduit à un désinvestissement, qui se réduit avec le ralentissement de la baisse de la demande.

• **L'effet accélérateur repose sur trois hypothèses.**

– Il n'y a pas de capacité de production inemployée. L'effet ne joue à plein que si les entreprises sont obligées d'augmenter leur capital pour faire face à la hausse de la demande. Dans l'hypothèse, courante lors d'une récession, où les entreprises disposent de capacités de production inemployées, l'effet ne joue pas.

– Le *coefficient de capital* (K/Y : rapport entre les équipements nécessaires et le niveau de la demande) est stable au cours du temps, ce qui suppose l'absence de gains de productivité.

– Les entreprises cherchent toujours à répondre à une hausse de la demande en augmentant les quantités produites. On pourrait envisager que l'ajustement entre l'offre et la demande se fasse par une augmentation des prix.

◾ Rentabilité, profitabilité et effet levier

• La *rentabilité* mesure la capacité d'un capital à obtenir un revenu. On met donc en relation les profits (mesurés par l'EBE) réalisés dans une entreprise et les capitaux engagés (K) pour les obtenir : ceux-ci peuvent provenir de leurs ressources internes (fonds propres, FP), mais aussi d'emprunts (dettes financières, DF).

– La *rentabilité économique* mesure la performance, du point de vue de l'entreprise, des capitaux engagés (quelle que soit leur origine, FP ou DF) :

$$R_{\text{éco}} = EBE \ / \ K$$

– La *rentabilité financière* mesure la performance des capitaux engagés du point de vue des propriétaires. On compare donc les profits réalisés après paiement des intérêts sur les emprunts ($EBE - i \times DF$; i étant le taux d'intérêt) rapportés aux FP engagés dans la production par les propriétaires :

$$R_{\text{fi}} = (EBE - i \times DF) \ / \ FP$$

• La différence entre $R_{\text{éco}}$ et R_{fi} dépend de la différence entre i et $R_{\text{éco}}$, et du poids de l'endettement par rapport aux FP. *L'effet de levier de l'endettement* explique cette différence : si $R_{\text{éco}} > i$: l'effet de levier joue positivement en permettant à la R_{fi} d'être supérieure à $R_{\text{éco}}$, et ce d'autant plus si l'entreprise a eu davantage recours à l'endettement.

Mais l'effet levier est aussi un risque, car il peut se transformer en *effet de massue*. Si $R_{\text{éco}}$ baisse (ou que i augmente), de telle sorte que $R_{\text{éco}}$ devienne inférieure au taux d'intérêt, alors R_{fi} peut devenir inférieure à $R_{\text{éco}}$, et même être négative.

Si la *profitabilité* ($R_{\text{fi}} \times i$) est négative, il est plus intéressant de placer son argent que d'investir ; si elle est jugée suffisamment positive, il sera plus judicieux d'investir que de placer.

• En France, jusqu'au début des années 1980, l'effet de levier était positif ; la hausse, puis le maintien de taux d'intérêt réels à long terme élevés dans les années 1990 ont incité les entreprises à se désendetter et à placer leurs fonds sur le marché financier.

Ce n'est qu'après 1997 que le repli des taux d'intérêt réels les a incitées à se détourner des placements financiers pour engager de nouvelles dépenses d'investissement.

FONDEMENTS DE L'ÉCONOMIE

FONCTIONS ÉCONOMIQUES

FINANCEMENT DE L'ÉCONOMIE

LA RÉGULATION

LA MONDIALISATION

L'ENTREPRISE

Les revenus

Les revenus sont des flux de ressources (monétaires ou en nature) issus directement ou non de l'activité économique. Issus de la production, les revenus primaires sont répartis entre les différents acteurs avant d'être affectés à des emplois (consommation, investissement...). Au-delà de cette répartition primaire, la redistribution contribue aussi à la formation des revenus.

● De la valeur ajoutée aux revenus primaires

La valeur ajoutée (voir p. 20) est répartie entre les divers agents qui ont contribué, directement ou indirectement, à la création de richesses. Les *revenus primaires* (ou *revenus des facteurs*) désignent ces revenus perçus en contrepartie de la participation à l'activité économique. Ils rémunèrent donc les facteurs de production : travail et capital. Ils comprennent :
– la *rémunération des salariés*, soit l'ensemble des versements effectués par les employeurs au titre de la rémunération du travail, qui inclut les salaires nets, mais aussi les cotisations sociales, ou encore les avantages en nature ;
– les *revenus mixtes* des entreprises individuelles, dans lesquelles les travailleurs indépendants participent à la production en apportant leur travail mais aussi des capitaux ;
– les *revenus de la propriété* (ou *revenus du patrimoine*) rémunèrent ceux qui ont participé à l'activité économique en fournissant des capitaux. Ils incluent donc la rémunération des actionnaires (dividendes), des créanciers (intérêts), les revenus fonciers (loyers, fermages...)

● Des revenus primaires au revenu disponible

Les revenus primaires constituent la majorité des ressources des ménages, mais ils n'en disposent pas entièrement pour consommer et épargner. Ils doivent payer des prélèvements obligatoires qui réduisent leurs ressources, et ils reçoivent, grâce au processus de *redistribution* (voir p. 40), divers *revenus de transfert*.
– Le *revenu disponible brut* (RDB) des ménages désigne la part des revenus qui est à leur disposition pour la consommation et l'épargne :

RDB = revenus primaires + revenus de transfert – prélèvements obligatoires

– Les *revenus de transfert* (ou *revenus sociaux*) comptabilisés dans le calcul du RDB sont des prestations sociales en espèces. Les *prestations sociales* (qui peuvent aussi être en nature) correspondent aux transferts versés aux ménages dans le cadre d'un régime de protection sociale. Elles sont destinées à alléger la charge financière que représente la protection contre un certain nombre de risques ou de besoins (santé, vieillesse, maternité, famille, emploi...). La part de ces revenus de transfert dans le revenu des ménages est en constante augmentation et en représente aujourd'hui près de 30 %.
– Les *prélèvements obligatoires* pris en compte dans le calcul du RDB sont les *cotisations sociales* ainsi que les *impôts directs* (pour les ménages, il s'agit essentiellement des impôts sur le revenu et sur le patrimoine).
– Le *revenu disponible ajusté* est la somme du RDB et des *prestations sociales en nature* (remboursement des soins, valeur des services individualisables d'éducation et de santé fournis gratuitement par les administrations). Il est donc disponible pour la *consommation effective* et pour l'épargne.

LES REVENUS DES MÉNAGES EN FRANCE

🔳 Évolution de la structure du RDB des ménages

Du revenu primaire au revenu disponible brut des ménages (en % du revenu primaire)

	1960	1970	1980	1990	2000	2007	2008 (p)
Revenu primaire brut (en milliards d'euros)	34,2	92,7	340,1	753,9	1 059,3	1 394,4	1 442,0
Revenu primaire brut	100,0	100,0	100,0	100,0	100,0	100,0	100,0
Excédent brut d'exploitation et revenu mixte	33,6	27,5	20,9	20,5	19,8	20,5	20,7
Rémunération des salariés	61,3	67,1	73,3	71,0	71,2	70,6	70,4
Revenus du patrimoine	5,1	5,4	5,8	8,5	9,0	8,9	8,9
− Transferts nets de redistribution	− 5,1	− 8,5	− 11,7	− 11,8	− 12,9	− 11,0	− 11,0
Prestations sociales reçues	15,5	18,3	22,1	25,0	25,8	26,2	26,2
Cotisations sociales versées	− 16,7	− 21,2	− 27,4	− 30,3	− 27,3	− 27,3	− 27,2
Impôts sur le revenu et le patrimoine	− 4,4	− 5,5	− 6,9	− 7,6	− 12,6	− 11,4	− 11,6
Autres transferts courants	0,5	− 0,1	0,5	1,1	1,2	1,6	1,5
= Revenu disponible brut	94,9	91,5	88,3	88,2	87,1	89,0	89,0
Revenu disponible brut (en milliards d'euros)	32,4	84,8	300,1	665,0	923,0	1 240,5	1 283,2

p : données provisoires.   Source : INSEE, comptes nationaux − base 2000.

Si la rémunération des salariés constitue toujours une part essentielle des revenus primaires (plus de 70 %), sa part a toutefois diminué (− 3 points environ) depuis 1980, et ce, surtout au profit des revenus du patrimoine qui constituent aujourd'hui près de 9 % des revenus primaires des ménages.
La redistribution joue un rôle de plus en plus important dans la formation du revenu des ménages. Certes, le poids des prélèvements obligatoires (et surtout celui des impôts : + 7,2 points en 28 ans) s'est accru, mais les revenus de transfert constituent aussi une part de plus en plus importante des revenus primaires (plus de 26 % en 2008, contre seulement 15,5 % en 1960).

🔳 Prestations sociales et revenus des ménages

La part des prestations sociales dans le revenu disponible brut des ménages n'a cessé de croître depuis les années 1960 : l'augmentation a été particulièrement importante jusqu'au milieu des années 1980 (16,3 % en 1960, 20 % en 1970, pour atteindre environ 28,3 % en 1990) ; la hausse s'est ensuite poursuivie, mais à un rythme plus modéré (elle a atteint un maximum de 30,7 % en 1997) pour ensuite légèrement diminuer (elle s'élève à 29,4 % en 2008).
Les comptes de la protection sociale, publiés annuellement, distinguent cinq catégories de prestations correspondant à autant de risques :
- le risque « vieillesse − survie » est le plus important, il représente 44,9 % du total des prestations en 2007. L'essentiel concerne les pensions de retraite, mais il inclut aussi la prise en charge de la dépendance avec l'allocation personnalisée d'autonomie ;
- le risque « santé » inclut la maladie, l'invalidité, les accidents du travail et les maladies professionnelles, et représentait en 2007 35,5 % des prestations ;
- le risque « maternité − famille » comprend notamment les indemnités journalières, l'allocation jeune enfant, les allocations familiales, l'allocation de parent isolé, l'allocation parentale d'éducation... Avec les aides au logement (prises en charge par la Caisse d'allocations familiales), ce risque représente près de 9,2 % des prestations ;
- le risque « emploi » correspond à l'indemnisation du chômage, aux aides à la réadaptation et la réinsertion professionnelle, aux mesures de préretraites, et équivaut à environ 6,3 % du total ;
- le risque « pauvreté − exclusion » concerne essentiellement la prise en charge du RSA (80 % de ce poste) et représente environ 4 % du total.
Le montant des prestations de protection sociale versées aux ménages en 2007 s'est élevé à 549,6 milliards d'euros, soit 29 % du PIB, en progression de 3,9 % en valeur (et de 1,8 % en euros constants) par rapport à 2006.

FONDEMENTS DE L'ÉCONOMIE

FONCTIONS ÉCONOMIQUES

FINANCEMENT DE L'ÉCONOMIE

LA RÉGULATION

LA MONDIALISATION

L'ENTREPRISE

Les fondements de la redistribution

Les situations des individus sont inégalitaires. Leurs revenus primaires sont différents, de même que les risques auxquels ils sont exposés. Aux revenus primaires s'ajoutent des revenus de transferts. Ils sont censés répondre, au moins en partie, à un objectif de réduction des inégalités économiques.

Qu'est-ce que la redistribution ?

– La *redistribution* correspond à l'ensemble des prélèvements et des réaffectations des ressources opérées par les administrations publiques qui influent sur les revenus des ménages. Pour ce qui est des prélèvements, il s'agit principalement des cotisations sociales et des impôts ; les réaffectations concernent surtout les prestations sociales.
– Elle consiste généralement à faire porter l'essentiel des prélèvements sur les agents économiques aux revenus les plus élevés, et à faire majoritairement profiter des prestations sociales les agents économiques aux revenus faibles. Ces prestations constituent les revenus de transferts (voir p. 38). Le système français de protection sociale est principalement bismarckien, au sens où il est majoritairement financé par les cotisations sociales.

La justification sociale et éthique de la redistribution

– Le libre jeu du marché aboutit à une certaine distribution des revenus qui, dans l'idéal, est fondée sur l'idée de mérite. Il existe donc des inégalités, mais elles sont justes, car elles récompensent des différences de mérite, et elles sont efficaces, car elles motivent chacun à faire plus pour monter sur l'échelle des revenus.
– Cette approche est valable s'il existe une égalité des chances. Or, dans la réalité, c'est loin d'être le cas : le milieu social d'origine joue sur la réussite scolaire, et par extension sur la réussite professionnelle. La redistribution peut donc se justifier au nom de la *justice sociale* : elle est un instrument que se donne la collectivité afin de remédier à certaines des carences de l'organisation sociale.
– La redistribution permet d'accroître la solidarité existante entre les individus. De même, en réduisant les inégalités, elle permet une meilleure *cohésion sociale*.

Les arguments économiques keynésiens

– La redistribution permet d'accroître la demande, ce qui est source, dans une perspective keynésienne, de production accrue, et donc de création d'emplois.
– La redistribution permet de réduire l'incertitude sur l'avenir : en effet, dans une situation où il n'existerait pas de processus de redistribution, un agent économique échouant dans son projet se retrouverait sans ressources. Cela inciterait les agents économiques actifs à se constituer une « épargne de précaution », ce qui est, dans une optique keynésienne, néfaste pour la demande.
– Enfin, cette redistribution entraîne un accroissement du bien-être et de la santé des individus – en cas de maladie, ils ne sont en effet pas contraints par leurs revenus pour pouvoir se soigner –, ce qui accroît leur *capital humain* (défini par Gary Becker comme étant l'ensemble des capacités physiques et intellectuelles d'un individu), c'est-à-dire à terme leur productivité.

REDISTRIBUTION ET DEMANDE SELON KEYNES

■ La loi psychologique fondamentale

D'après Keynes, les politiques de redistribution permettent l'accroissement de la demande. Pour justifier cette conclusion, il s'appuie sur la « loi psychologique fondamentale ».

• La *propension moyenne à consommer* mesure la part de la consommation d'un individu par rapport à son revenu (consommation/revenu). La *propension marginale à consommer* (*pmc*) mesure elle la variation de la consommation d'un individu suite à une variation de son revenu. Par exemple, si elle est égale à 0,4, cela signifie qu'à chaque fois qu'un individu voit son revenu augmenter de 1 euro, sa consommation n'augmentera que de 0,40 euro, le reste étant épargné.

• La loi psychologique fondamentale énonce que la *pmc* est décroissante avec le revenu. Lorsqu'une personne a un revenu faible, elle le dépense quasiment intégralement pour subvenir à ses besoins vitaux : sa *pmc* est proche de 1. À l'inverse, une personne aux revenus élevés consomme plus, mais il reste malgré tout une somme qu'elle ne dépense pas ; sa *pmc* est donc plus faible, même si ses dépenses sont plus élevées.

■ L'effet de la redistribution

• Soit un pays fictif dans lequel la population se divise en deux : les personnes « aisées », au revenu élevé (population A), égal à 10 000 € mensuels ; et les personnes à la condition plus modeste, au revenu plus faible (population B), égal à 1 000 € mensuels. Chacune des personnes constituant chacun des groupes gagne le même revenu. 10 personnes constituent le premier groupe, et 100 le second. Dans le premier groupe, la propension moyenne à consommer est de 0,5, et dans le second, elle est de 1.

En l'absence de politique de redistribution, la consommation globale est de 150 000 €.

• Imaginons à présent qu'un gouvernement mette en place un impôt (égal à 30 % du revenu net) ne portant que sur la population A. Le produit de cet impôt est intégralement également redistribué aux individus de la population B. On pose l'hypothèse que dans chaque groupe la *pmc* est égale à la propension moyenne à consommer. La consommation globale est alors de 165 000 €, elle est donc plus élevée que dans le premier cas. Cet exemple illustre la position keynésienne selon laquelle la redistribution a un impact globalement positif sur le revenu.

En euros	Population A	Population B
Avant redistribution		
Revenu mensuel individuel net	10 000	1 000
Consommation individuelle	5 000	1 000
Consommation de l'ensemble des personnes du groupe	50 000	100 000
Après redistribution		
Impôt payé par les membres de la population A	3 000	0
Somme redistribuée à chacun des membres de la population B	0	300
Nouveau revenu mensuel net après impôt et redistribution	7 000	1 300
Consommation individuelle	3 500	1 300
Consommation de l'ensemble des personnes du groupe	35 000	130 000

FONDEMENTS DE L'ÉCONOMIE

FONCTIONS ÉCONOMIQUES

FINANCEMENT DE L'ÉCONOMIE

LA RÉGULATION

LA MONDIALISATION

L'ENTREPRISE

Les formes de la redistribution

Pour qu'il y ait redistribution, il faut mettre en place des prélèvements progressifs, et que la majorité des cotisants ne reçoive pas une somme équivalente au montant qui leur a été prélevé. Il doit forcément y avoir des « gagnants », ceux qui perçoivent plus qu'ils ne cotisent, et des « perdants », dans la situation inverse.

Redistribution horizontale et verticale

Les prestations sociales versées par les organismes de protection sociale répondent à deux grandes logiques de redistribution.

– La *redistribution horizontale* correspond à une logique *d'assurance* : c'est un système de protection sociale reposant sur des mécanismes de transfert du type contribution/rétribution. Les travailleurs versent une cotisation qui est fonction de leur revenu, et s'ouvrent ainsi un droit à recevoir des prestations dont le montant est en rapport avec leur revenu, en cas d'interruption ou de privation d'emploi par exemple. Les pensions retraite et les allocations chômage fonctionnent sur ce principe.

– La *redistribution verticale* fonctionne sur le principe de *l'assistance* : pour recevoir des aides, il n'est pas nécessaire d'avoir cotisé au préalable. Ainsi, on peut toucher le RMI sans jamais avoir travaillé. La redistribution verticale est considérée comme un outil de réduction des inégalités, alors que ce n'est pas forcément le cas de la redistribution horizontale.

Des prélèvements obligatoires différenciés

Les prélèvements obligatoires, qui sont à la base du processus de redistribution, se subdivisent en deux types : les impôts et les cotisations sociales.

– Les *impôts* peuvent être de deux ordres : les impôts *proportionnels* et les impôts *progressifs*. Les impôts uniformes proportionnels sont ceux dont le taux est équivalent, quelle que soit la personne devant s'en acquitter. Par exemple, la TVA, dont le taux normal est de 19,6 %, touche également tous les consommateurs : un rmiste ou un millionnaire sera prélevé du même montant sur chaque produit acheté. Dans ce cas, il n'y a pas d'effet redistributif, car le taux d'imposition est le même pour tous. Les impôts progressifs, à l'inverse, sont ceux dont le taux augmente à mesure que les personnes concernées ont un revenu plus élevé. Ainsi, les taux d'imposition de l'impôt sur le revenu sont croissants avec les revenus déclarés, jusqu'à un taux plafond, pour ne pas désinciter les agents économiques à travailler.

– Les *cotisations sociales* (CS) comprennent les CS salariales et les CS patronales. En effet :

Coût du travail = salaire brut + CS patronales
et
Salaire brut = salaire net + CS salariales

– La distinction entre les deux est conventionnelle, car il est difficile de déterminer qui paie réellement les CS. Les CS concernent les travailleurs salariés, et sont prélevées à partir d'un pourcentage uniforme. Cependant, les bas salaires sont exonérés d'une partie des CS, ce qui fait qu'ils sont moins prélevés que les autres. De même, passé le « plafond de la Sécurité sociale » (2 516 euros bruts par mois en 2005), les CS ne sont plus prélevées ; par conséquent, les salariés ayant un salaire supérieur à ce plafond sont donc relativement moins prélevés que les autres.

L'IMPÔT SUR LE REVENU (IRPP)

• L'impôt sur le revenu des personnes physiques (IRPP) est l'impôt le plus connu. Il suffit qu'il diminue pour que l'on parle de baisse « des » impôts, tant il est devenu le symbole du système d'imposition. Pourtant, il représente une part relativement faible des recettes de l'État (moins de 20 %).

• C'est un *impôt progressif*, car son taux augmente à mesure que les revenus déclarés par les agents économiques sont plus élevés. Pour cette raison, il est souvent présenté comme le plus juste, car il fait participer chaque contribuable aux dépenses publiques en fonction de ses moyens, c'est-à-dire de ses revenus.

• Son mode de calcul est assez complexe. Le taux d'imposition réel d'un ménage est en effet inférieur au taux correspondant à son niveau de revenu. Ce paradoxe s'explique par l'existence d'un certain nombre de possibilités d'abattements et de retranchements.

– Les ménages ne sont pas imposés sur la totalité de leurs revenus. En effet, au montant déclaré, il faut d'abord retrancher 10 % de frais professionnels (on estime que les frais engagés dans le cadre de sa profession – s'habiller, se déplacer, se restaurer… – ne doivent pas être imposés), ou déclarer ses revenus aux frais réels.

– Certaines dépenses spécifiques (garde d'enfants, cotisations syndicales, emploi d'un salarié à domicile, certains placements financiers…) peuvent aussi être retranchées des revenus déclarés.

– Le nombre d'enfants encore à la charge des parents joue aussi : c'est ce que l'on appelle le « quotient familial ». Ainsi, une personne ayant un enfant à charge voit son revenu imposable divisé par 1,5 (pour un couple avec un enfant à charge, le revenu est divisé par 2,5) ; avec deux enfants, on divise par deux ; avec trois enfants, par trois… Cette division est plafonnée, pour éviter de trop favoriser les hauts revenus.

– Enfin, on applique à chaque tranche de revenu un taux marginal d'imposition croissant, qui ne porte que sur la tranche d'imposition correspondante.

Barème d'imposition pour la déclaration de revenus 2010 (applicable sur les revenus de 2009)

Tranche de revenus	Taux
Jusqu'à 5 875 €	0 %
de 5 875 € à 11 720 €	5,5 %
de 11 720 € à 26 030 €	14 %
de 26 030 € à 69 783 €	30 %
Plus de 69 783 €	40 %

• Ainsi, une personne sans enfant (une seule part) déclarant 70 000 € de revenus annuels ne devra pas payer 70 000 x 40 % = 28 000 €. En effet, ce *taux marginal* de 40 % ne porte que sur la partie des revenus touchés supérieure à 69 783 €. Ainsi, la personne en question ne sera donc taxée à 40 % que sur 217 € (70 000 – 69 783).

La personne en question sera donc taxée :

- à 0 % sur les 5 875 « premiers » euros ;

- à 5,5 % sur les revenus compris entre 5 875 € et 11 720 €, soit 0,005 x (11 720 – 5 875) = 321 ;

- à 14 % sur la tranche de revenu comprise entre 11 720 et 26 030 €, soit 0,14 % x 14 310 = 2 003 ;

- à 30 % sur la tranche de revenu comprise entre 26 030 et 69 783 €, soit 0,30 x 43 753 = 13 125 ;

- à 40 % sur les revenus au-delà de 69 783 €, soit 0,4 x 217 = 86,8.

Au total l'impôt sur le revenu de cette personne s'élèvera donc à 15 535,8 € (321 + 2 003 + 13 125 + 86,8).

FONDEMENTS DE L'ÉCONOMIE

FONCTIONS ÉCONOMIQUES

FINANCEMENT DE L'ÉCONOMIE

LA RÉGULATION

LA MONDIALISATION

L'ENTREPRISE

L'efficacité de la redistribution

La mise en place de mesures systématiques et globales visant à une redistribution des revenus date du milieu du XXᵉ siècle, avec l'avènement de l'État-providence. Or, sa remise en cause progressive depuis les années 1970 révèle un questionnement sur la légitimité et l'efficacité des politiques redistributives.

Des résultats mesurables

– Depuis la mise en place de la Sécurité sociale (1945), les mesures de redistribution ont porté leurs fruits, puisque le niveau des inégalités a diminué. Ce niveau est mesuré grâce au *rapport interdécile*, qui exprime l'écart de salaire ou de revenu existant entre les 10 % de la population les plus aisés et les 10 % les moins fortunés. Ainsi, en France, le rapport interdécile des salaires est passé de 4,1 en 1951 à 3 au début des années 2000. Il est d'environ 2 dans les pays scandinaves, moins inégalitaires, mais de 4,5 aux États-Unis.
– Cependant, l'inégalité des revenus est supérieure à celle des salaires (rapport interdécile de 5,7 en France), à cause des fortes inégalités de patrimoine : en effet, les individus aux revenus les plus faibles reçoivent des revenus inférieurs au salaire des salariés les moins biens nantis (le RMI est inférieur au SMIC), et les revenus du patrimoine (intérêts, plus-values…), qui ont beaucoup augmenté durant les années 1990, profitent avant tout à la tranche la plus aisée de la population. D'ailleurs, le rapport interdécile a légèrement crû depuis la fin des années 1990, remettant en cause une tendance longue de réduction des inégalités.
– Les transferts sociaux profitent plus aux bas revenus qu'aux hauts revenus : ainsi, les 10 % de la population aux revenus les plus faibles reçoivent l'équivalent d'environ 35 % de leurs revenus sous forme de transferts sociaux, alors que ce taux est proche de 0 % pour les 20 % de la population aux revenus les plus élevés.
– De plus, la pression fiscale (rapport entre le montant des impôts acquittés par un individu et le montant de son revenu) est d'autant plus élevée que les revenus sont eux-mêmes élevés : le taux de pression fiscale est de plus de 20 % pour les 10 % de la population aux revenus les plus élevés, contre seulement près de 5 % pour les 10 % de la population aux revenus les plus faibles.

Une redistribution inefficace ?

– Selon les économistes libéraux, la redistribution entraînerait le développement d'un « assistanat » incitant les ménages aux revenus les plus modestes à l'oisiveté. Les mesures redistributives seraient à la source d'une *trappe à inactivité* : une fois qu'ils bénéficient de l'assistance, les agents économiques ne chercheraient plus à sortir de leur situation. Soit ils gagnent plus en ne travaillant pas, soit le revenu supplémentaire perçu suite à la reprise d'un emploi est trop faible comparé aux désagréments liés à cette reprise.
– De même, la théorie du *Job search* avance que la durée moyenne du chômage est liée au montant des allocations chômage. Plus le montant des allocations consécutives aux politiques de redistribution sera élevé, et plus le niveau de chômage sera important.
– Enfin, selon ces mêmes économistes, les politiques de redistribution découragent les plus méritants à travailler, car ces derniers voient une part de leurs revenus leur être prélevée par les pouvoirs publics.

MESURER LES INÉGALITÉS ÉCONOMIQUES

◼ Le rapport interdécile

Pour mesurer l'inégalité des revenus, l'une des méthodes existantes est de ranger les ménages par groupe de 10 %, en commençant par les 10 % percevant les plus faibles revenus et en allant jusqu'aux 10 % des ménages percevant les plus hauts revenus. Les groupes de 10 % sont délimités par les déciles, notés D1, D2… jusqu'à D9, qui partagent donc l'effectif total en sous-ensembles égaux. Par exemple, dans le tableau ci-dessous, *le salaire annuel net des 10 % des salariés hommes aux salaires les plus faibles en 2001 était inférieur à 11 500 euros nets*. Ce tableau présentant la répartition des salaires par décile permet de calculer le rapport interdécile, égal à D9/D1, qui est une mesure de l'inégalité des salaires. En 2001, ce rapport est égal à 3, il se lit ainsi : *« pour faire partie des 10 % des salariés au salaire les plus élevés, il faut gagner au moins 3 fois plus que les 10 % des salariés recevant les salaires les plus faibles »*.

Distribution des salaires nets en 2004 montants annuels en euros

Déciles*	Hommes	Femmes	Ensemble
D1	12 511	11 114	12 055
D2	14 018	12 335	13 466
D3	15 409	13 405	14 753
D4	16 892	14 571	16 166
Médiane	18 622	16 002	17 802
D6	20 805	17 748	19 813
D7	23 850	19 951	22 498
D8	28 769	23 005	26 788
D9	38 832	28 877	35 513
D9/D1	3,1	2,6	2,9

* en 2004, 10 % des salariés à temps complet ont perçu un salaire net inférieur à 12 055 €.

Source : TEF 2005-2006, INSEE.

◼ La courbe de Lorenz

À partir d'un tableau de répartition du revenu par décile, il est possible de construire un graphique pour évaluer au premier coup d'œil l'ampleur des inégalités.

Pour construire la *courbe de Lorenz*, on met en abscisse les déciles et en ordonnée le revenu global en pourcentage (le montant total du revenu des ménages correspond à 100 %). *Si la répartition effective des revenus donne la diagonale, alors cela signifie que la répartition est totalement égalitaire* : 10 % des ménages toucheraient 10 % des revenus, 50 % des ménages toucheraient 50 % des revenus, etc. *Plus la courbe est éloignée de la diagonale (bissectrice), plus les inégalités sont grandes*. En effet, cela signifie qu'une forte proportion des ménages ne dispose que d'une faible proportion du revenu global (par exemple, si 80 % des ménages ne disposent au total que de 30 % du revenu global, cela signifie que 20 % des ménages disposent de 70 % du revenu global et on a donc une forte inégalité). Le *coefficient de Gini*, compris entre 0 et 1, qui se calcule en rapportant l'aire comprise entre la bissectrice et la courbe de Lorenz (appelée surface de concentration) à celle du demi-carré constitué par les axes et la bissectrice (triangles OAB), permet de mesurer l'ampleur des inégalités dans un pays. Quand ce coefficient est égal à 1, la situation est la plus inégalitaire qui soit ; quand il est égal à 0, il n'y a pas d'inégalités.

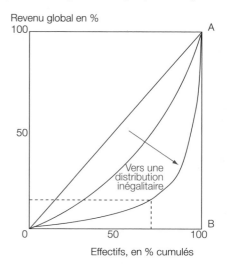

Revenu global en %

Effectifs, en % cumulés

FONDEMENTS DE L'ÉCONOMIE

FONCTIONS ÉCONOMIQUES

FINANCEMENT DE L'ÉCONOMIE

LA RÉGULATION

LA MONDIALISATION

L'ENTREPRISE

La notion de consommation

La consommation consiste en l'achat de biens et de services, dont l'utilisation entraîne la disparition, plus ou moins rapide, par destruction ou par transformation. La notion de consommation n'est pas homogène et peut être décomposée selon diverses caractéristiques.

La consommation dans le cadre du processus de production

Pour produire, les unités de production utilisent des facteurs de production : le capital et le travail. Elles consomment aussi des biens et des services dans le cadre de leur activité productive. Ce sont les *consommations intermédiaires*, qui correspondent à la valeur des biens et services transformés (exemple : pommes de terre pour des chips) ou détruits (exemple : électricité) au cours du processus de production.

Par convention, un bien ou un service, acquis par une unité productive auprès d'une autre unité productive, qui est utilisé durant moins d'un an dans le processus de production est comptabilisé comme une consommation intermédiaire (ou *capital circulant*) ; sinon, c'est un capital fixe, dont l'acquisition correspond à un investissement (voir p. 34).

La consommation des ménages

La *consommation effective* des ménages prend en compte les dépenses de consommation des ménages, mais aussi les consommations individualisables incluses dans la dépense de consommation finale des administrations.

– La dépense de consommation des ménages comprend les dépenses que les ménages supportent directement, mais aussi la part des dépenses de santé, d'éducation, de logement, restant à leur charge, après remboursements éventuels. On y inclut aussi les loyers imputés, que les ménages propriétaires de leur résidence principale se versent implicitement à eux-mêmes.

– Les *consommations individualisables* incluses dans la dépense de consommation finale des administrations sont celles dont les bénéficiaires peuvent être précisément définis. C'est le cas en particulier des dépenses pour l'éducation et pour la santé. En effet, ces services sont consommés par les ménages sans qu'ils n'aient à en payer directement le coût (en fait, ils le payent indirectement par l'intermédiaire des impôts). Comme il est possible d'identifier précisément qui a reçu ces services, on peut donc imputer aux personnes correspondantes le niveau de consommation considéré.

Consommation individuelle et consommation collective

Dans la consommation effective des ménages, sont incluses les consommations collectives individualisables. Il existe cependant aussi des services collectifs non individualisables (tels que la police ou la Défense nationale par exemple) qui ne peuvent être nommément imputés à telle ou telle personne, puisque c'est l'ensemble de la population qui, indistinctement, en profite. Cette *consommation collective* (correspondant à des biens publics, voir p. 82) n'est donc pas incluse dans la consommation effective des ménages ; par convention, on l'inclut dans la consommation effective des administrations publiques.

LA FONCTION DE CONSOMMATION

Une fonction de consommation formalise la relation existant entre l'évolution de la consommation globale des ménages et le revenu disponible de ces mêmes ménages. La fonction de consommation mise en évidence par Keynes découle de sa loi psychologique fondamentale, selon laquelle la consommation augmente avec le revenu, mais dans des proportions moindres (voir p. 41). Mais la relation qu'il a mise en évidence a été remise en cause par d'autres économistes, notamment Milton Friedman.

■ Formalisation de la fonction de consommation keynésienne

• Le revenu courant (Y) se partage entre la consommation (C) et l'épargne (S). La fonction de consommation keynésienne est de la forme suivante :

$$C = c . Y + d$$

c représente la propension marginale à consommer, c'est-à-dire la variation de consommation induite par une variation du revenu (c = variation de C / variation de Y) ; d désigne une consommation dite incompressible, qui ne dépend pas du revenu. Cette consommation incompressible correspond au niveau nécessaire à la survie d'un individu. Passé ce niveau, sa consommation augmentera donc en fonction de l'accroissement de son revenu (cY).

• Dans son raisonnement, Keynes prend en compte le *revenu courant* des agents économiques, c'est-à-dire le revenu reçu à chaque période de la vie. Selon lui, l'avenir étant incertain, ces derniers raisonnent uniquement à court terme. Ainsi, les agents économiques consomment à chaque période de leur vie en fonction du revenu perçu au cours de cette période, sans prendre en compte leurs perspectives de revenus.

• Pour Keynes, le moteur de l'économie est la demande, qui est la somme de la consommation et de l'investissement. Il était donc partisan de politiques qui visent à accroître la consommation en agissant sur le revenu (politiques de redistribution, voir p. 41).

■ Théorie du revenu permanent

Milton Friedman a cherché à montrer que la fonction de consommation keynésienne n'était pas valable sur le long terme, aussi bien sur le plan empirique que théorique.

• Selon lui, ce n'est pas le revenu courant qui détermine la consommation d'un agent économique, mais la richesse de cet agent mesurée par son *revenu permanent*, qui peut être défini comme la somme totale qu'un agent peut utiliser pour sa consommation en maintenant constante la valeur de son capital. C'est en quelque sorte l'intérêt de son patrimoine.

• Le revenu permanent Yp peut se formaliser sous la forme suivante :

$$Yp = i . W$$

avec W la richesse de l'agent, et i le taux d'intérêt (ou le taux de rendement de son patrimoine)

• Le revenu courant (Y) est alors la somme du revenu permanent et du revenu transitoire (YT) :

$$Y = Yp + YT$$

Les agents économiques connaissent donc des périodes où leur revenu courant est inférieur à leur revenu permanent (dans ce cas, YT est négatif).

• Selon Friedman, les agents économiques déterminent leur niveau de consommation à partir de leur revenu permanent, suivant la fonction de consommation suivante :

$$C = Cp + CT$$

avec C représentant le niveau de la consommation courante, Cp celui de la consommation permanente, et CT celui de la consommation transitoire.

Le seul lien stable existant est celui qui lie la consommation permanente au revenu permanent. Il n'existe pas de relation stable entre la consommation et le revenu courant. Selon lui, une variation du revenu n'affectera la consommation que si elle modifie le revenu permanent. Une politique de relance de type keynésienne, basée sur l'accroissement des revenus distribués est donc inefficace selon Friedman.

FONDEMENTS DE L'ÉCONOMIE

FONCTIONS ÉCONOMIQUES

FINANCEMENT DE L'ÉCONOMIE

LA RÉGULATION

LA MONDIALISATION

L'ENTREPRISE

Les déterminants de la consommation

Les agents économiques consomment pour satisfaire des besoins. Les choix qu'ils sont amenés à faire dans le cadre de leur consommation sont influencés par des variables économiques (prix, revenu, etc.) mais également par des variables d'ordre plus qualitatif.

⬤ Les déterminants économiques

– L'évolution de la consommation est directement corrélée avec celle du *pouvoir d'achat*, qui est égal au rapport entre l'évolution des revenus et celle des prix. Ce calcul est réalisé en euros constants (voir p. 18). La consommation en volume augmente donc lorsque les revenus s'accroissent plus rapidement que les prix.

– Dans la majorité des cas, une augmentation du prix d'un produit induit une diminution de la demande, dans des proportions variables. C'est cette proportion que calcule l'*élasticité prix* de la demande :

$$\varepsilon_p = \frac{\Delta Q}{Q} \Big/ \frac{\Delta P}{P}$$

Si ε_p est égale à – 1, cela signifie que, suite
à une augmentation du prix du produit de 1 %, la consommation de ce produit diminue de 1 %. En général, l'élasticité prix de la demande est négative : toute augmentation du prix entraîne une diminution de la consommation. Il y a cependant des exceptions : pour certains biens essentiels à la survie, l'élasticité prix est nulle ; pour certains biens de luxe, elle est au contraire positive.

– De même, un accroissement du revenu entraîne le plus souvent un accroissement de la demande. L'élasticité revenu de la demande est la variation de la demande d'un bien induite par l'augmentation du revenu du consommateur :

$$\varepsilon_r = \frac{\Delta Q}{Q} \Big/ \frac{\Delta R}{R}$$

En général, l'élasticité revenu est positive (la consommation augmente avec le revenu).

⬤ Les déterminants non économiques

– *L'effet mimétisme* : la consommation n'a pas pour seule finalité la recherche d'une satisfaction personnelle, par l'usage du bien acheté. Elle est aussi un acte qui permet aux individus d'exister aux yeux des autres. L'individu peut se forger une identité, en exprimant, par des atours extérieurs, ce qu'il est au fond de lui. Ainsi, par sa consommation, un individu peut chercher à s'intégrer dans un groupe social en arborant les normes de consommation de ce groupe. La consommation exprime alors un « effet de signe » : c'est une manière de revendiquer son appartenance à une collectivité.

– *L'influence du marketing et de la publicité* : les phénomènes de mode ne sont pas étrangers aux stratégies de vente des entreprises. Par le développement de la publicité et du marketing, elles créent des besoins qui influenceront les choix de consommation. C'est la théorie de la « filière inversée » de Galbraith : les entreprises, créent la demande par leur offre.

– *Consommation et éthique* : par ses modes de consommation, un individu peut aussi chercher à respecter certaines valeurs. On passe ainsi de l'image du consommateur influençable à celle du « consomm'acteur » : un consommateur responsable qui obéit à des priorités

UN CONSOMMATEUR RAISONNABLE ET COMPULSIF

◾ Un calcul coûts/avantages

Pourquoi consommons-nous ? Qu'attendons-nous de l'achat de biens et de services ? Avant tout une satisfaction, un plaisir, qui compense le prix payé pour acquérir le bien ou le service en question. Évidemment, la satisfaction varie en fonction du type d'achat effectué, et aussi en fonction de chaque individu. Ainsi, une personne ne sera satisfaite que si le prix de vente est faible, même si le produit est de piètre qualité, alors qu'une autre sera prête à payer cher en échange d'une meilleure qualité…

Les économistes libéraux considèrent que les consommateurs sont des agents économiques rationnels qui n'achètent pas « à l'instinct ». Au contraire, ils se posent systématiquement les questions suivantes : quel est le « plaisir » que va m'apporter la consommation de tel bien ? Quel est son prix ? Si le prix est supérieur au niveau de « bien-être » attendu, le consommateur n'achètera logiquement pas le produit. Ainsi, les agents économiques choisissent leur « panier de biens », c'est-à-dire la structure de leur consommation, en comparant les différents paniers possibles, et en retenant celui qui apporte le plus de satisfaction par rapport à son coût.

◾ Le plaisir d'acheter

Si l'existence d'un comportement rationnel est indéniable, on ne peut pour autant oublier que le consommateur est aussi mû par d'autres motivations, telles que le plaisir immédiat, symbolisé par l'achat compulsif.

Raison et passion

De plus en plus, la raison et la passion, le rationnel et l'irrationnel, la logique et l'émotion coexistent. N'avons-nous pas vu, placardée sur les panneaux d'affichage, lors du lancement de la Renault Mégane, la phrase suivante : « Soyez raisonnable, faites-vous plaisir ». À notre avis, cette phrase illustre très bien l'état actuel de la consommation où le rationnel et le plaisir se rejoignent inexorablement. Un autre exemple va dans le même sens : c'est le comportement de certains acheteurs en supermarché qui vont jusqu'à diviser leurs temps d'achat en deux périodes. En premier lieu, l'acheteur suit une liste de courses « à effectuer » et il s'alloue un temps d'achat (souvent le plus court possible). Il ne retient généralement que les premiers prix dans chaque catégorie de produits. Puis, dans un second temps, l'acheteur, arrivé au bout de ses courses, va s'allouer un temps pour faire du « shopping » à l'intérieur du supermarché, se faire ainsi plaisir. Il va acquérir éventuellement quelque chose en plus, pour le simple plaisir d'acheter. Il y a dans cette attitude la volonté, au sein d'une même entité spatio-temporelle, de faire coexister l'utile et l'agréable, la rationalité économique avec l'irrationalité ludique et émotionnelle. Le consommateur n'est pas uniquement mû par une rationalité économique, il est aussi un être sensible et c'est pourquoi il sait accueillir favorablement des offres intégrant cette dimension de son être. De ce fait, le consommateur est de plus en plus en quête d'inattendu et veut se laisser surprendre. Un autre exemple montre que le consommateur est à la recherche d'émotions : c'est le marché du sport. Pendant très longtemps, la règle qui dominait l'univers du sport et des pratiques sportives était celle de la performance. Or, de plus en plus, une nouvelle règle a tendance à s'imposer : celle de la sensation. Pour s'en convaincre, il suffit de regarder le développement de sports dits « de glisse » qui mettent plus l'accent sur la sensation, le vécu, que sur la performance en tant que telle.

Patrick Hetzel, « Les entreprises face aux nouvelles formes de consommation », *Revue française de gestion*.

FONDEMENTS DE L'ÉCONOMIE

FONCTIONS ÉCONOMIQUES

FINANCEMENT DE L'ÉCONOMIE

LA RÉGULATION

LA MONDIALISATION

L'ENTREPRISE

L'évolution de la consommation

La consommation a connu dans les pays développés une transformation radicale au cours du xxᵉ siècle. Une transformation quantitative, avec la hausse du niveau de vie, mais également une transformation qualitative, avec l'évolution de la structure de consommation des ménages.

Une évolution quantitative

Si, jusqu'au xixᵉ siècle, le niveau de consommation moyen par habitant a relativement peu évolué, le xxᵉ siècle a quant à lui connu une augmentation significative de la quantité de biens et de services à la disposition des agents économiques. Ainsi, depuis les années 1950, la consommation en volume des ménages français a été multipliée par 5.

Une évolution qualitative

Nous consommons plus, mais nous consommons aussi autrement : la structure de la consommation évolue avec le niveau des revenus et de la consommation.

– Dans un premier temps, les agents économiques cherchent à répondre à leurs besoins primaires, c'est-à-dire ceux qui sont essentiels à la survie : se nourrir, se vêtir, se loger, s'éclairer, se chauffer.

– Ensuite, une fois ces besoins satisfaits, le surplus de revenus restant sera consacré à la satisfaction des besoins dits secondaires, à savoir non nécessaires à la survie, comme par exemple les services (dont les loisirs).

– Cette idée a été confortée par Ernst Engel, économiste et statisticien allemand (à ne pas confondre avec Friedrich Engels, ami de Karl Marx) qui a observé empiriquement, à partir de 1857, l'évolution des dépenses de consommation en fonction du niveau de revenu. Il a énoncé la loi suivante : « *La part du revenu affectée aux dépenses d'alimentation est d'autant plus faible que le revenu est élevé* ».

– Par la suite, deux autres lois, dans la lignée de celle d'Engel, ont été établies par d'autres statisticiens. De façon abusive, elles sont aussi appelées « lois d'Engel ».

« *La part affectée aux dépenses de vêtements, logement, chauffage et éclairage est sensiblement identique, quelle que soit l'importance du revenu* » constitue la deuxième loi.

« *La part affectée aux besoins d'éducation, santé, voyage s'accroît avec le revenu* » constitue la troisième loi.

Société de pénurie ou d'abondance ?

Marshall Sahlins, dans son ouvrage *Âge de pierre, âge d'abondance*, a développé une idée originale : nos sociétés de consommation de masse seraient des sociétés de pénurie. En effet, nous transformons (du fait en particulier de l'environnement publicitaire) des besoins secondaires en besoins primaires. Par exemple, peu de nos contemporains s'imaginent vivre sans téléviseur, radio ou encore téléphone mobile. Nous entrons alors dans une frénésie de nouvelles dépenses sans fin : à peine une nouvelle consommation effectuée, le plaisir ressenti laisse vite place à la frustration de ne pas posséder d'autres biens nouvellement apparus sur le marché.

LES GRANDS INDICATEURS DE LA CONSOMMATION

◼ La hausse du niveau de vie

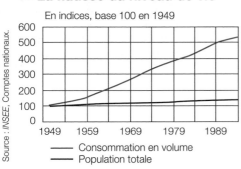

En indices, base 100 en 1949

Source : *INSEE*, Comptes nationaux.

—— Consommation en volume
—— Population totale

En 50 ans, le nombre de biens et de services consommés en moyenne par les Français a été multiplié par 5, ce qui montre une élévation de leur *niveau de vie* (c'est-à-dire de la quantité de biens et de services qu'une personne peut se procurer), et l'entrée dans l'ère de la *consommation de masse*.

La consommation « en volume » se calcule en euros constants : la hausse des dépenses de consommation ne provient pas d'une hausse des prix, mais bien d'une augmentation des quantités consommées.

◼ L'évolution du panier de la ménagère

Structure de la consommation des ménages	Coefficients budgétaires en % pour 1960	Coefficients budgétaires en % pour 2008
Alimentation et boissons non alcoolisées	23,2	13,5
Boissons alcoolisées et tabac	5,4	2,9
Articles d'habillement et chaussures	9,7	4,4
Logement, chauffage, éclairage	10,7	25,4
Équipement du logement	8,4	5,9
Santé	1,5	3,6
Transports	9,3	4,6
Communications	0,5	2,7
Loisirs et culture	6,2	9,0
Éducation	0,5	0,8
Hôtels, cafés et restaurants	6,5	6,2
Autres biens et services	5,7	11,6
Dépenses de consommation des ISBLSM	1,1	2
Dépenses de consommation des APU	11,1	21,6

Source : *INSEE,* TEF 2010.

Note : un coefficient budgétaire mesure le rapport existant entre un certain type de consommation et le total des dépenses de consommation.

Ce tableau illustre bien « les » lois d'Engel : en effet, l'augmentation des revenus en France depuis 1960 a entraîné la diminution de la part des produits alimentaires dans la consommation des ménages, et la hausse des dépenses de loisirs. Cela montre une évolution du *mode de vie* (c'est-à-dire de la structure de la consommation) des ménages.

◼ L'évolution du taux d'équipement des ménages

L'évolution des niveaux et des modes de vie des ménages entraîne un accroissement de leur taux d'équipement pour un certain nombre de produits manufacturés. De nos jours, une innovation se diffuse dans les couches de la population de manière beaucoup plus rapide qu'avant (exemples du micro-ordinateur ou du téléphone portable).

FONDEMENTS DE L'ÉCONOMIE

FONCTIONS ÉCONOMIQUES

FINANCEMENT DE L'ÉCONOMIE

LA RÉGULATION

LA MONDIALISATION

L'ENTREPRISE

L'épargne

L'épargne est la partie temporairement non consommée du revenu. Elle est donc principalement définie négativement comme étant une « non-consommation ». Elle peut prendre différentes formes. Le choix opéré par les ménages entre consommation et épargne est influencé par plusieurs variables économiques.

Les différents types d'épargne

L'épargne peut prendre deux formes essentielles :
– la *thésaurisation* : c'est la somme gardée par les agents économiques sous forme de liquidités, c'est-à-dire sous la forme d'encaisses monétaires utilisables ;
– les *placements financiers* : d'une part, les placements « sûrs », sans risque, à capital garanti, dont la rémunération (les intérêts versés) est assurée ; d'autre part, les placements risqués, censés générer des revenus ou des plus-values, dont le capital n'est pas garanti.

L'impact de l'inflation sur l'épargne

L'inflation a deux effets contraires possibles sur le niveau de l'épargne :
– d'une part, elle peut inciter les agents économiques à réduire leur épargne, car la valeur réelle de l'épargne diminue : toute somme épargnée perdant de sa valeur du fait de l'inflation, l'épargne appauvrit ;
– d'autre part, « l'effet Pigou », ou « effet d'encaisses réelles », avance que les agents économiques désirent maintenir une certaine valeur réelle de leur épargne. Comme l'inflation réduit cette valeur, cela les incite à accroître leur niveau d'épargne pour « reconstituer leurs encaisses réelles » (de même, une baisse des prix les incite à consommer).

L'impact des taux d'intérêts sur l'épargne

– Une augmentation des taux d'intérêts a deux effets potentiels : *l'effet revenu* entraîne une diminution de l'épargne puisque, si les agents économiques se fixent un montant attendu d'intérêts à recevoir, ils pourront l'obtenir en épargnant moins (puisque les taux d'intérêts ont augmenté) ; à l'inverse, *l'effet substitution* induit une augmentation de l'épargne, car une augmentation des taux d'intérêts rend l'épargne plus attractive, le sacrifice de la consommation présente consécutive à l'épargne permettant d'escompter une consommation plus élevée dans l'avenir.
– Selon les libéraux, le partage consommation/épargne dépend du niveau des taux d'intérêt. Les agents économiques ont selon eux une *préférence pour le présent* : ils désirent consommer immédiatement leur revenu. Cependant, comme ils sont rationnels, ils cherchent à maximiser leur consommation sur la durée de leur vie. Or, selon eux, l'effet substitution l'emporte sur l'effet revenu : lorsque les taux d'intérêts sont élevés, les agents économiques préfèrent épargner.
– À l'inverse, selon la *loi psychologique fondamentale* (voir p. 41) de Keynes, tout accroissement du revenu entraîne un accroissement plus que proportionnel du niveau d'épargne. Autrement dit, la propension marginale à épargner est croissante avec le revenu. Par conséquent, le partage entre la consommation et l'épargne dépend du montant du revenu, et non du montant des taux d'intérêts.

LA THÉORIE DU CYCLE DE VIE

Francesco Modigliani s'est appuyé sur la théorie du revenu permanent de Friedman (voir p. 47) pour développer une « théorie du cycle de vie » du consommateur, qui avance que le partage entre la consommation et l'épargne dépend de l'âge des agents économiques.

■ Emprunter, épargner, puis « déséparger »

Selon cette théorie, la vie d'un agent économique est principalement découpée en trois périodes.

• La première période correspond à la jeunesse : l'agent économique dispose de faibles revenus, inférieurs à son niveau désiré de consommation (on retrouve ici l'idée de la théorie du revenu permanent développée par M. Friedman, selon laquelle les agents économiques préfèrent disposer d'un niveau de consommation relativement stable à chaque période de leur vie).

Cette période sera marquée par des emprunts, afin de disposer d'un montant de ressources nécessaire à l'obtention du niveau de consommation désiré.

• La seconde période correspond à la maturité professionnelle, durant laquelle le niveau de revenu est cette fois-ci supérieur au niveau de consommation permanent.

Cette période se subdivise en deux : dans un premier temps, suite à son entrée dans la vie active, l'agent économique voit ses revenus régulièrement augmenter ; puis, arrivant sur la fin de sa vie active, son niveau de productivité diminue, ce qui entraîne une diminution progressive de ses revenus.

L'agent économique va alors en profiter pour rembourser ses emprunts, mais aussi pour épargner une somme qui lui sera nécessaire lors de sa troisième période de vie.

• La troisième période est celle de la retraite, où les revenus diminuent ; l'agent économique, pour maintenir son niveau de consommation, doit utiliser les ressources financières épargnées lors de la seconde période.

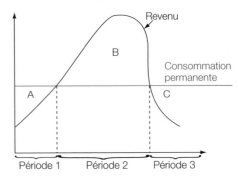

Si l'agent économique désire mourir sans dettes et en ayant pleinement profité de ses ressources, on doit avoir B = A + C (cependant, l'agent économique désire généralement laisser un patrimoine en héritage).

Ainsi, le montant de l'épargne dans un pays dépend de la pyramide des âges de la population : un baby-boom, ou un accroissement de la population retraitée va entraîner une diminution de l'épargne.

■ Les limites du modèle

Ce modèle repose sur des hypothèses contraignantes, qui en réduisent la portée :
– les agents économiques doivent savoir anticiper sans trop d'erreurs leurs revenus ;
– ils doivent pouvoir trouver sur les marchés financiers les ressources dont ils ont besoin, ceux-ci doivent donc être « parfaits » ;
– ils doivent savoir anticiper leur durée de vie ;
– le système de retraite doit fonctionner par capitalisation (voir p. 95).

FONDEMENTS DE L'ÉCONOMIE

FONCTIONS ÉCONOMIQUES

FINANCEMENT DE L'ÉCONOMIE

LA RÉGULATION

LA MONDIALISATION

L'ENTREPRISE

La monnaie

Vecteur de cohésion sociale, la monnaie est un actif liquide qui sert à l'évaluation et aux règlements des échanges. Les formes sous lesquelles elle peut se présenter varient selon les structures économiques et sociales, elles ont donc fortement évolué selon les lieux et les époques.

Des fonctions spécifiques

– La monnaie *facilite les transactions* en permettant des échanges multilatéraux : si un individu m'achète mon produit, je ne suis pas obligé de lui acheter quelque chose en échange.
– La monnaie est un *étalon de mesure* qui permet de comparer tous les produits et ainsi de donner des rapports de prix. Exprimés en unités monétaires, les prix sont un indicateur de la valeur des biens.
– La monnaie est *une réserve de valeur*, elle permet de différer un achat dans le temps. C'est donc un actif liquide, car elle doit pouvoir être conservée et ensuite convertie en biens ou services sans coût de transformation.
– La monnaie joue aussi un *rôle social*. Son utilisation repose sur la confiance qu'ont les utilisateurs envers les institutions émettrices : elle permet donc la cohésion sociale en créant des liens entre les individus. De même, elle est un élément de *souveraineté* : un État (ou groupe d'États) affirme son pouvoir en imposant sa monnaie.

Les formes de la monnaie

La monnaie peut se présenter sous diverses formes qui ont évolué, et évoluent encore, dans le sens de la dématérialisation.
– La *monnaie marchandise* correspond aux moyens de paiement qui prenaient la forme de biens, et qui avaient par ailleurs une autre utilité que l'usage monétaire. Il pouvait s'agir de bétail, d'aliments, de bijoux…
– La *monnaie fiduciaire* (celle en laquelle on a confiance, car garantie par des organismes responsables) comprend la monnaie métallique et la monnaie papier. La *monnaie métallique* correspond aux pièces et a pris diverses formes selon les époques. À l'origine, il s'agissait de *monnaie pesée* : les métaux circulaient sous forme brute et étaient pesés pour pouvoir régler des échanges. Par la suite, on a donné une forme et un poids précis aux métaux qui servaient de monnaie (*monnaie comptée*), facilitant ainsi l'estimation de leur valeur. Aujourd'hui la valeur d'une pièce est sa valeur faciale, celle inscrite sur la pièce et qui n'a pas de correspondance avec la valeur du métal : on parle de *monnaie frappée* (ou *monnaie divisionnaire*). La monnaie papier désigne les billets, émis par la Banque centrale, qui garantit leur valeur faciale.
– La *monnaie scripturale* se présente sous forme d'écritures sur les comptes bancaires ou postaux : il s'agit des *dépôts à vue* des agents sur ces comptes. Mais il ne faut pas confondre la monnaie scripturale (dépôts à vue), et *les instruments* qui permettent sa circulation : chèques, cartes bancaires, virements…
Depuis la fin du XIXᵉ siècle, on assiste à un processus de *dématérialisation de la monnaie* : les billets se sont d'abord développés au détriment des monnaies métalliques ; puis au XXᵉ siècle, avec l'essor des chèques, la monnaie scripturale a supplanté pièces et billets. Enfin, de nos jours, l'usage des chèques régresse fortement devant le développement de modes de règlements automatisés (virements, prélèvements, etc.).

LES MOYENS DE PAIEMENT SCRIPTURAUX EN FRANCE ET EN EUROPE

■ Le chèque, un moyen de paiement très utilisé en France

L'utilisation des *moyens de paiement scripturaux* est très développée en France : en 2003, chaque Français réalisait en moyenne 235 paiements scripturaux par an. L'usage de ce moyen de paiement est même croissant (182 paiements scripturaux en 1998).

L'offre de moyens de paiement scripturaux est très large, mais le chèque demeure très utilisé en France : en 2003, près de 3,5 milliards de chèques ont été échangés soit en volume plus de 32 % des paiements réalisés. Toutefois, son usage a tendance à diminuer (en 1999, il représentait encore 41 % des paiements). Il semble que cette baisse profite surtout aux paiements par cartes bancaires, qui représentent environ 34 % des transactions en France. Enfin, on observe en 2003 une progression du *virement* et du *prélèvement automatique*. L'utilisation des systèmes de *monnaie électronique* est à ce stade marginale (inférieure à 0,1 % du volume des paiements).

Évolution des moyens de paiement en France
(nombre d'opérations par instrument de paiement)

En millions d'opérations et en %	1999		2003		Évolution en % (2003/1999)
	Volume	% du total	Volume	% du total	
Chèques	3 685	*41 %*	3 467	*32,6 %*	− 5,9
Virements*	1 383	*15,4 %*	1 681	*15,8 %*	21,5
Effets de commerce	121	*1,3 %*	107	1 %	− 11,6
Avis de prélèvement	1 219	*13,6 %*	1 585	*14,9 %*	30,0
Titres interbancaires de paiement	132	*1,5 %*	142	13 %	7,6
Télépaiements	0,42	–	1,69	–	307,2
Paiements par cartes	2 443	*27,2 %*	3 660	*34,4 %*	49,8
Total	8 983	*100 %*	10 644	*100 %*	18,5

* Virements de masse. Les virements de montant élevé ne sont pas pris en compte.

Source : Banque de France.

■ Un usage croissant de la monnaie scripturale en Europe

Dans la zone euro, le volume des moyens de paiement scripturaux utilisés a cru à un rythme d'environ 5 % par an de 1998 à 2002. Cette hausse régulière s'explique notamment par l'utilisation croissante des cartes bancaires. De manière analogue à ce que l'on peut observer en France, la carte bancaire est, en nombre de transactions, le moyen de paiement le plus utilisé en Europe. Elle devance le virement et le prélèvement. Ces trois instruments de paiement voient leurs parts relatives et absolues croître de manière continue, au détriment du chèque. La France est le pays européen où l'usage des moyens de paiement scripturaux est le plus répandu : les paiements scripturaux qui y sont réalisés représentent en effet un quart du total de l'Union européenne. Elle se distingue des autres pays européens (en particulier de l'Allemagne) par l'usage encore très important du chèque : en 2002, les chèques utilisés en France représentaient 79 % du total des chèques échangés dans la zone euro.

FONCTIONS ÉCONOMIQUES

FINANCEMENT DE L'ÉCONOMIE

LA RÉGULATION

LA MONDIALISATION

L'ENTREPRISE

Les institutions financières

Les institutions financières regroupent les unités résidentes dont la fonction principale est de financer l'économie : collecter, transformer et répartir les moyens de financement et/ou gérer des produits financiers. Outre la Banque de France, les établissements de crédit et les OPCVM en constituent les deux grandes catégories.

Les établissements de crédit

– Les *banques de second rang* sont des établissements de crédit habilités à effectuer toutes les opérations de banque. Elles sont les seules autorisées à recevoir du public des fonds à vue ou à moins de deux ans de terme, sans limitation de montant. Cette catégorie comprend les *banques commerciales*, les *banques coopératives et mutualistes* (Banques populaires, Réseau Crédit Agricole, Réseau Crédit mutuel, Réseau de crédit coopératif, Caisses d'épargne et de prévoyance, Banque fédérale mutualiste) et les *caisses de crédit municipal* (établissements publics communaux de crédit et d'aide sociale bénéficiant du monopole de l'octroi de prêts sur gages). Ces différentes banques sont regroupées depuis 2001 au sein de la FBF, *Fédération Bancaire Française*, qui regroupe plus de 500 établissements bancaires en France, soit 25 500 guichets permanents et près de 60 millions de comptes à vue.

– Les *sociétés financières et assimilées* sont des sociétés de vente à crédit, de crédit-bail, de crédit immobilier… (exemples : Sociétés immobilières pour le commerce et l'industrie (SICOMI), Sociétés de financement des télécommunications…)

– Les *institutions financières spécialisées* sont des établissements de crédit à qui l'État a confié une mission permanente d'intérêt public (participation à la politique économique et au financement des entreprises) et qui ne peuvent effectuer d'autres opérations de banque que celles afférentes à cette mission. Il s'agit par exemple des sociétés de développement régional, du Crédit Foncier de France, Sofaris, la Banque de Développement des PME (BDPME), Euronext Paris…

– D'autres établissements de crédit ont une place non négligeable dans le système bancaire français. Il s'agit de la *Caisse nationale d'épargne* (La Poste) et de la *Caisse des dépôts et consignation* (CDC). Cette dernière est une institution financière publique, en charge de missions d'intérêt général qui lui sont confiées par l'État et les collectivités territoriales (gestion de référence de l'épargne et des retraites, financement de logements sociaux et de politiques de la ville…).

Les Organismes de Placement Collectif en Valeurs Mobilières

Les *OPCVM* sont des organismes qui collectent des fonds auprès des agents économiques désirant épargner, et utilisent ces fonds pour réaliser des placements diversifiés sous forme de titres (voir p. 71). Ils sont de deux types :

– Les *SICAV* (Société d'Investissement à Capital Variable) sont des sociétés qui collectent des fonds auprès de leur clientèle et les emploient dans l'achat de valeurs mobilières de nature, durée, et risques variés (actions, obligations, titres du marché monétaire…).

– Les *FCP* (Fonds Communs de Placement) fonctionnent suivant les mêmes principes de base que les SICAV, mais à la différence de ces dernières, les FCP ne sont pas des sociétés, mais des copropriétés. Ensuite, leur taille de portefeuille est généralement plus petite et ils ont une spécialisation plus grande.

LES ÉTABLISSEMENTS DE CRÉDIT EN FRANCE

■ Un recul du nombre d'établissements de crédit

Évolution du nombre des diverses catégories d'établissements de crédit en France

	1999	2000	2001	2002	2003
Établissements de crédit agréés en France	1 087	1 026	980	924	873
• *Établissements habilités à traiter*					
toutes les opérations de banque :	*462*	*454*	*444*	*418*	*400*
– banques	286	280	277	263	252
– banques mutualistes et coopératives	155	153	147	135	128
– caisses de crédit municipal	21	21	20	20	20
• *Sociétés financières*	*601*	*553*	*519*	*490*	*458*
• *Institutions financières spécialisées*	*24*	*19*	*17*	*16*	*15*
Succursales d'établissements de crédit de l'espace économique européen relevant du libre établissement	56	59	55	51	52
Total	1 143	1 085	1 035	975	925

Source : Banque de France.

• Ces dix dernières années ont été caractérisées par de très importantes transformations du secteur bancaire. Elles se sont traduites par une diminution régulière du nombre total des établissements de crédit implantés en France (hors Monaco), qui est passé de 1 649 fin 1993 à 925 fin 2003.

• Cette diminution globale de 724 unités (– 43,9 %) résulte de deux tendances conjointes : la cessation d'activité d'établissements qui, dans un climat de concurrence accrue, n'avaient plus de perspectives de développement, d'une part ; et les regroupements d'établissements présentant des caractéristiques similaires, d'autre part.

• Ce mouvement s'est, par ailleurs, accompagné du retrait quasi-complet de l'État du secteur bancaire (112 banques étaient contrôlées par des groupes bancaires publics en 1984, soit près de 54 % du nombre total de banques, contre seulement 41 fin 1995, 8 fin 1998, et 2 fin 2001).

■ Un secteur de plus en plus concentré, mais une offre stable

• Depuis 1996, un mouvement de concentration s'est progressivement dessiné dans le secteur bancaire. On peut citer, entre autres, en 1996, la prise de contrôle d'Indosuez par le Crédit agricole ; en 1997, celle du Crédit du Nord par la Société générale ; en 1999, celle de Paribas par la BNP et celle du Crédit foncier de France par le réseau des caisses d'épargne et de prévoyance.

• Les opérations qui ont affecté en 2002 le capital du Crédit lyonnais et qui ont débouché sur le lancement de l'offre publique de Crédit agricole SA sur le Crédit lyonnais ont conduit en 2003 Crédit agricole SA à acquérir 97,45 % de sa cible.

• En 2000, l'opération transfrontière de prise de contrôle du Crédit commercial de France par le groupe britannique *HSBC* a marqué l'ouverture d'une dimension véritablement internationale dans ce mouvement de grandes restructurations.

• Ces évolutions lourdes sont néanmoins partiellement masquées par une stabilité apparente de l'offre du système bancaire. Ainsi, le nombre global de guichets bancaires permanents de plein exercice (Métropole, Monaco et Outre-Mer) est resté pratiquement constant (25 782 en 1985, 25 479 en 1995 et 25 789 en 2003) et les effectifs totaux employés dans la profession n'ont connu qu'une diminution lente et progressive.

FONDEMENTS DE L'ÉCONOMIE

FONCTIONS ÉCONOMIQUES

FINANCEMENT DE L'ÉCONOMIE

LA RÉGULATION

LA MONDIALISATION

L'ENTREPRISE

La création monétaire

La création monétaire est assurée par trois séries d'agents : les banques commerciales, la Banque centrale et le Trésor public. Elle repose sur la transformation de créances en moyens de paiement qui constituent les contreparties de cette création monétaire : créances sur l'économie, créances sur le Trésor et créances sur l'étranger.

● La création de monnaie par les banques et le Trésor Public

– Les banques sont à l'origine de la majeure partie de la création de monnaie, par l'intermédiaire de leurs opérations de crédits auprès des ménages ou des entreprises : « *ce sont les crédits qui font les dépôts* ». Quand une banque accorde un crédit de 10 000 € à l'un de ses clients, elle détient une créance de 10 000 €, qui s'inscrira à son actif. Simultanément, elle crée un dépôt à vue de 10 000 € à la disposition de son client, qui s'inscrit à son passif. La banque a donc créé, par un simple jeu d'écritures, de la *monnaie scripturale* : le dépôt à vue de 10 000 € n'existait pas avant l'octroi du crédit, il n'y a pas eu d'épargne préalable et la banque n'a pas besoin de détenir dans ses caisses la somme correspondante. Lorsque ce crédit sera remboursé, il y aura alors *destruction monétaire*.

– De façon plus générale, une banque crée de la monnaie lorsqu'elle « monétise » une créance, c'est-à-dire lorsqu'elle paie un actif (des biens, des valeurs mobilières, des devises…) en créditant le compte d'un de ses clients. Toutefois, la création monétaire est limitée par les conditions financières de *refinancement* des banques, influencées par la *politique monétaire* (voir p. 69).

– Le *Trésor public* contribue à la création monétaire en frappant les pièces (même si leur montant est faible vis-à-vis de la masse monétaire globale). Le Trésor Public crée également de la monnaie scripturale sous forme de dépôts auprès des CCP ou auprès des comptables du Trésor.

● La création monétaire par la Banque centrale

La Banque centrale d'un pays ou d'une zone a le monopole d'émission des billets et crée des dépôts au profit des banques lors des opérations de *refinancement*. Ces disponibilités représentent une part assez faible de l'ensemble, mais elles constituent la liquidité par excellence.

– La Banque centrale crée de la monnaie scripturale en gérant des comptes, en particulier ceux des banques commerciales qui doivent s'approvisionner en *monnaie centrale* (billets et monnaie scripturale gérée par la Banque centrale), pour pouvoir faire face aux retraits de leurs clients sous forme de billets et pour reconstituer leurs réserves. Pour ce faire, les banques cèdent des titres à la Banque centrale, qui va créditer leur compte en monnaie scripturale et leur procurer les billets. Elle peut leur imposer un prix d'approvisionnement (taux d'intérêt) élevé, ou des restrictions quantitatives, de manière à les contraindre à pratiquer une politique de crédit moins dynamique auprès de leur clientèle.

– La Banque centrale crée aussi de la monnaie scripturale en contrepartie des devises étrangères apportées par les banques et provenant de leurs clients. Ainsi, un excédent commercial conduit à une augmentation de la masse monétaire, puisque les exportateurs français ont des devises qu'ils veulent échanger contre des euros. À l'inverse, un déficit commercial se traduira par une sortie de devises, donc une destruction nette de monnaie.

LA MASSE MONÉTAIRE

■ Les agrégats monétaires

Afin de mesurer la quantité de monnaie en circulation dans un pays, sa banque centrale (ou la BCE pour l'ensemble de la zone euro) utilise des statistiques nommées « *agrégats monétaires* ». Ils sont au nombre de trois (M1, M2, et M3) et représentent la quantité de monnaie détenue par les agents non financiers résidents sous ses différentes formes (ou *masse monétaire*). Ils sont classés selon le degré de liquidité de la monnaie prise en compte :
– M1 est représentatif de la monnaie la plus liquide avec les pièces, billets et dépôts à vue ;
– M2 comprend, en plus de M1, les *dépôts à terme* qui sont un peu moins liquides ;
– M3 inclut, outre M2, essentiellement les instruments monétaires non négociables (*OPCVM* et *certificats de dépôts*, voir p. 71).

Les agrégats monétaires dans la zone euro

Encours bruts en fin de période en milliards d'euros	Zone euro	
	Janvier 2010	Évolution 2009/2010 (en %)
Billets et pièces en circulation	761	6,2
+ Dépôts à vue	3 788	12,7
= M1	**4 550**	**11,5**
+ autres dépôts à court terme (M2 – M1)	3 600	– 8,0
Dont : Dépôts à terme ≤ à 2 ans	*1 844*	*– 22,6*
Dépôts avec préavis ≤ à 3 mois	*1 816*	*13,7*
= M2	**8 210**	**1,9**
+ instruments négociables (M3 – M2)	1 103	– 10,8
Dont : Pensions	*307*	*– 5,0*
Titres d'OPCVM monétaires	*663*	*– 4,9*
Titres de créance ≤ à 2 ans	*133*	*– 38,7*
= M3	**9 313**	**0,1**

Source : BCE.

■ Les contreparties de la masse monétaire

On appelle contreparties de la masse monétaire les créances correspondant aux agrégats. Elles se répartissent en trois grandes catégories.
• Les *créances sur l'économie* nationale lorsque le crédit est accordé à un particulier ou à une entreprise par une avance en compte, un découvert bancaire ou une opération d'escompte, correspondent à l'essentiel des contreparties de la masse monétaire.
• Les *créances sur l'extérieur* lorsque la monnaie scripturale est créée pour compenser une opération de change. Les exportateurs français payés en devises cèdent l'essentiel de ces avoirs aux banques, qui en échange créditent leur compte en euros. Cette contrepartie répercute l'impact du solde commercial.
– Les *créances sur l'État*, lorsque la monnaie créée est destinée à l'État, soit à chaque fois que la Banque centrale accorde une avance à l'État ou que les banques ordinaires achètent des *bons du trésor*.

FONDEMENTS DE L'ÉCONOMIE

FONCTIONS ÉCONOMIQUES

FINANCEMENT DE L'ÉCONOMIE

LA RÉGULATION

LA MONDIALISATION

L'ENTREPRISE

L'inflation

La création monétaire est source d'inflation, selon les économistes monétaristes tels que Milton Friedman. Ainsi, durant les années 1970 et le début des années 1980, la hausse des prix a été forte, avant un ralentissement durable jusqu'à présent. Pour autant, l'inflation ne peut être imputée à la seule création monétaire, d'autres phénomènes peuvent en être la source.

● Qu'est-ce que l'inflation ?

– L'*inflation* est la mesure de la perte de valeur d'une monnaie, qui se traduit dans les faits par une hausse durable du niveau général des prix. Pour acheter une même quantité de biens et de services, on a besoin d'une quantité de monnaie plus grande. Cet indice permet de calculer le *taux d'inflation*, qui est égal au taux de variation de l'indice des prix sur une période donnée.

– Il y a *hyperinflation* lorsque la hausse des prix atteint un niveau exacerbé (à partir de 50 % par mois selon P. Cagan). L'hyperinflation fait perdre à la monnaie sa fonction de réserve de valeur, mais aussi d'instrument d'échange. Les individus préfèrent utiliser d'autres monnaies (dollarisation) en lesquelles ils ont plus confiance.

– La *désinflation* caractérise une décélération de la hausse des prix.

– La *déflation* exprime la diminution du niveau général des prix. Cette situation est extrêmement rare dans les pays développés depuis le milieu du vingtième siècle.

– La *stagflation* désigne une situation où coexistent de l'inflation, une stagnation de l'activité économique et du chômage. La crise de 1973 caractérise une période de stagflation.

● Les causes de l'inflation

– *L'inflation par la monnaie* : les monétaristes placent dans la hausse de la quantité de monnaie en circulation la source de l'inflation. Selon Milton Friedman, chef de file des monétaristes, « l'inflation est partout et toujours un phénomène monétaire ». Il reprend l'équation de Fisher, selon laquelle :

M . V = P . T   (M = masse monétaire en circulation, V = vitesse de circulation de la monnaie (nombre de fois qu'une unité monétaire est dépensée au cours d'une période), P = niveau des prix, et T = volume des transactions)

Cette égalité est toujours vérifiée ; elle dit simplement que la somme des dépenses réalisées (MV) est égale à la somme des ventes (PT). Friedman pose que V et T sont constants, au moins à court terme. Dès lors, tout accroissement de M entraîne une hausse de P : l'inflation a bien pour origine un accroissement de la quantité de monnaie en circulation.

– *L'inflation par les coûts* : le prix d'un bien dépend en premier lieu de son coût de production. Dès lors, toute augmentation des coûts de production entraînera un accroissement du prix de vente. Cette augmentation peut provenir d'une hausse des salaires, d'une hausse des charges sociales ou des impôts portant sur la production, mais aussi d'une perte de valeur de la monnaie.

– *L'inflation par la demande* : sur un marché libre, le prix d'un bien est déterminé par le jeu de l'offre et de la demande. Par conséquent, tout accroissement de la demande – à la suite d'une hausse générale des salaires par exemple – va avoir un effet inflationniste, au moins à court terme, c'est-à-dire le temps que les entreprises puissent adapter leurs capacités productives pour accroître leur offre.

L'INDICE DES PRIX À LA CONSOMMATION

■ Le calcul de l'indice des prix

• L'indice des prix à la consommation (IPC) est l'instrument de mesure de l'inflation. Il permet d'estimer, entre deux périodes données, la variation moyenne des prix des produits consommés par les ménages. C'est une mesure synthétique de l'évolution des prix des produits, à qualité constante. Le calcul de l'Insee se complique si l'on intègre le fait que la qualité des produits achetés augmente car l'estimation de l'évolution de la qualité d'un produit ne peut le plus souvent se faire directement.

• L'Insee calcule chaque mois plusieurs indices de prix (hors tabac, incluant le tabac…). Ainsi, un indice prend exclusivement en compte le mode de consommation des ménages urbains dont le chef de famille est ouvrier ou employé, qui sert de référence pour la révision annuelle du montant du SMIC et des minima sociaux. Cet indice s'appuie sur la structure de consommation de ces ménages, différente de la structure moyenne de l'ensemble des ménages, dont l'indice sert entre autres aux comparaisons internationales.

• Depuis juin 2005, l'Insee calcule un indice dont le panier type est limité à 135 produits, centré sur les biens alimentaires et l'hygiène, censés être représentatifs de la consommation quotidienne des agents économiques.

■ La méthodologie employée

La fiabilité d'un indice des prix dépend de l'*étendue* des produits recensés, du choix des *pondérations* et de la prise en compte des changements de consommation.

Pour déterminer un indice des prix, il faut déjà recenser l'ensemble des biens et services vendus, collecter les prix de ces produits, et s'assurer que les prix collectés reflètent la diversité des points de vente sur le territoire. La collecte des prix par des enquêteurs de l'INSEE est effectuée tout au long de chaque mois.

Le calcul de l'indice des prix peut se faire de deux manières :

1) *en glissement* : cela consiste à comparer les niveaux atteints par l'indice au mois de décembre de deux années consécutives ;

2) *en moyenne* : cela consiste à comparer la moyenne annuelle de l'indice (moyenne arithmétique simple des 12 indices mensuels) avec celui de l'année précédente.

Le plan de sondage de l'INSEE

Il est caractérisé par trois types de critères :

1. Un critère géographique : les relevés sont effectués dans 96 agglomérations de plus de 2 000 habitants dispersées sur tout le territoire et de toutes tailles ;

2. Le type de produit : un échantillon d'un peu plus de 1 000 familles de produits, appelées « variétés » est défini pour tenir compte de l'hétérogénéité des produits au sein de 161 groupes de produits.

3. Le type de point de vente : un échantillon de 27 000 points de vente a été constitué pour représenter la diversité des produits par marques, enseignes et modes d'achat des consommateurs et prendre en compte des variations de prix différenciées selon les formes de vente.

Le croisement de ces différents critères aboutit à suivre un peu plus de 130 000 séries (produits précis dans un point de vente donné) donnant lieu à près de 160 000 relevés mensuels. L'échantillon est mis à jour annuellement pour tenir compte de l'évolution des comportements de consommation et, notamment, introduire des produits nouveaux.

FONDEMENTS DE L'ÉCONOMIE

FONCTIONS ÉCONOMIQUES

FINANCEMENT DE L'ÉCONOMIE

LA RÉGULATION

LA MONDIALISATION

L'ENTREPRISE

Les conséquences de l'inflation

Les années 1980 et 1990 ont été marquées par des politiques de désinflation compétitive, dont l'objectif premier était de réduire les taux d'inflation. En effet, si certains agents économiques profitent de l'inflation, elle est néfaste pour d'autres, et est même considérée comme un frein à la croissance par certains économistes.

● L'évolution des prix

– Durant les Trente Glorieuses, l'inflation est restée globalement modérée, car l'offre (du fait d'une croissance économique exceptionnelle) et la demande évoluaient dans des proportions équivalentes.
– L'inflation devient forte à partir du milieu des années 1970, suite au choc pétrolier de 1973 et au ralentissement de la croissance, alors même que la demande continuait à croître.
– À partir du milieu des années 1980, on assiste à une désinflation quasi continue, conséquence des politiques de *désinflation compétitive* mises en places. Ces politiques, en comprimant la demande intérieure, cherchaient à limiter l'inflation, afin de rendre les produits nationaux plus compétitifs à l'exportation.

● Inflation et pouvoir d'achat

– L'inflation diminue le pouvoir d'achat des agents économiques car, avec la même quantité de monnaie possédée, ils ne peuvent se procurer la même quantité de biens et de services.
– L'inflation n'a pas les mêmes conséquences pour tous les agents économiques. Les agents pénalisés par l'inflation sont les épargnants, dont la valeur réelle des encaisses se réduit si les taux d'intérêts réels (taux d'intérêt nominal – taux d'inflation) deviennent négatifs du fait d'un accroissement de l'inflation. À l'inverse, les agents endettés et dont les dettes ne sont pas indexées parfaitement et immédiatement sur l'évolution des prix tirent parti de l'inflation, car la valeur réelle de leurs remboursements tend à diminuer avec l'inflation. L'État, par exemple, est l'un des principaux perdants de la politique de désinflation compétitive menée, car la désinflation entraîne la hausse des taux d'intérêts réels, et donc le surenchérissement des remboursements de crédits. Or, l'État est structurellement endetté (voir p. 93).

● Inflation et croissance économique

– Pour les keynésiens, inflation et croissance sont liées. En effet, toute politique de relance par la demande est source de croissance. Or, ces politiques sont inflationnistes, car elles entraînent, au moins à court terme, un accroissement de la demande supérieur à celui de l'offre.
– À l'inverse, pour les libéraux, l'inflation est un frein à la croissance : dans un contexte d'ouverture internationale, elle risque de réduire la compétitivité-prix des produits nationaux, lorsque le différentiel d'inflation avec les principaux pays partenaires est positif. Dans ce cas, les consommateurs privilégieront les produits étrangers, ce qui déséquilibrera le solde de la balance des transactions courantes et aura un effet récessif pour l'économie nationale. Cependant, lorsque la compétitivité est structurelle, c'est-à-dire par exemple qu'elle porte sur la qualité des produits échangés et non sur les prix, alors cet impact négatif de l'inflation peut être nuancé.

L'IMPACT DE L'INFLATION SUR LE CHÔMAGE

■ La courbe de Phillips

• En 1958, A.W. Phillips publie un article dans lequel il étudie la relation entre le taux de chômage et la variation du salaire nominal en Grande-Bretagne de 1867 à 1957. Il met en évidence une relation décroissante : lorsque le taux de chômage est faible, les augmentations de salaires sont importantes.

• P. Samuelson et R. Solow ont ensuite transformé cette relation, en mettant en rapport le taux de chômage et le taux d'inflation. On obtient alors la *courbe de Phillips* (voir ci-dessous), qui met en évidence une relation inverse entre chômage et inflation.

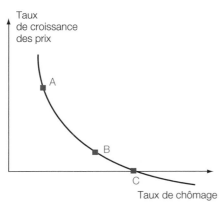

Taux de chômage

• Cette courbe montre qu'empiriquement, les périodes durant lesquelles le chômage est élevé sont celles où l'inflation est faible, et vice versa. Selon les keynésiens, l'inflation est en quelque sorte un « signal » envoyé aux entreprises. En effet, l'inflation provient d'une demande supérieure à l'offre ; face à cette demande insatisfaite, les entreprises vont produire plus, et donc embaucher. L'inflation va donc bien de pair avec une diminution du chômage.

• Par conséquent, les gouvernements seraient confrontés à un dilemme : plus d'inflation et moins de chômage, grâce à des politiques monétaires expansives ; ou moins d'inflation et plus de chômage. Cette courbe coupe l'axe des abscisses en un point (point C sur la courbe) appelé NAIRU (*Non Accelerating Inflation Rate of unemployment*) : c'est le taux de chômage garantissant la stabilité des prix.

■ La critique des monétaristes

M. Friedman a cherché à montrer que si cette courbe était valable à court terme, elle n'était pas vraie à long terme. En effet, selon lui, l'inflation provient d'un accroissement de la masse monétaire (voir p. 60).

• Les anticipations des agents économiques sont adaptatives (les prévisions se font en tenant compte des informations disponibles sur les grandeurs passées de la variable), ils ne prennent donc pas immédiatement en compte cette nouvelle information (hausse des prix). Ils anticipent donc une inflation plus faible que celle qui prévaudra.

• Comme le taux d'inflation va augmenter, les salaires réels – calculés en euros constants (voir p. 18) – vont diminuer. La demande de travail des entreprises va augmenter suite à cette diminution des salaires réels (voir p. 76) : le chômage va donc diminuer. Lorsque les salariés s'apercevront de leur erreur, ils réclameront des hausses de salaires nominaux pour retrouver leur ancien salaire réel. Cette hausse va réduire la demande de travail, ce qui nous ramènera à l'ancien taux de chômage…

• Par conséquent, *toute politique de relance par création monétaire n'a aucun effet à long terme*. La courbe de Phillips est verticale à long terme : quel que soit le niveau de l'inflation, le taux de chômage reste le même. Ce taux de chômage auquel revient toujours l'économie est appelé *taux de chômage naturel* : c'est le taux qui découlerait du système walrassien d'équilibre général si les caractéristiques structurelles effectives des marchés des biens et du travail y étaient intégrées, notamment les imperfections du marché, le coût de la collecte de l'information sur les emplois vacants…

Le taux de chômage effectif « gravite » autour du taux de chômage naturel, que l'on estime généralement autour de 5 %.

FONDEMENTS DE L'ÉCONOMIE

FONCTIONS ÉCONOMIQUES

FINANCEMENT DE L'ÉCONOMIE

LA RÉGULATION

LA MONDIALISATION

L'ENTREPRISE

Les circuits de financement

Toute activité économique nécessite la mobilisation de capitaux. Certains agents disposent d'une capacité de financement, alors que d'autres ont eux un besoin de financement. Il s'agit donc de mettre en relation ces deux types d'agents, ce qui peut se faire sous différentes formes.

Capacité et besoin de financement

Le solde du *compte de capital* d'un agent, ou d'un secteur institutionnel, permet de préciser sa situation financière.

– Si ce solde est positif (l'épargne brute est supérieure aux investissements), les agents en question bénéficient d'une *capacité de financement*, c'est-à-dire d'un excédent de ressources non employées. Ils sont donc en mesure de prêter ce « surplus » aux agents à besoin de financement. Il s'agit principalement des *ménages*.

– Inversement, si ce solde est négatif (l'épargne brute est inférieure aux investissements), les agents sont en *besoin de financement*. Ils vont alors faire appel aux agents qui disposent d'une capacité de financement pour obtenir les fonds nécessaires à leur activité économique. Les *sociétés non financières* et les *administrations publiques* sont les deux principaux secteurs institutionnels qui ont un besoin de financement.

Financements monétaire et non monétaire

– Le *financement non monétaire* repose sur des ressources préexistantes, à savoir l'épargne constituée par les différents agents. Il s'agit donc d'un mécanisme de *transformation* : les fonds déposés par les épargnants sont utilisés (transformés) pour accorder des crédits aux agents à besoin de financement. Mais les besoins de capitaux étant immenses, l'épargne des agents se révèle largement insuffisante ; une autre forme de financement (monétaire) doit donc le plus souvent avoir lieu.

– Le *financement monétaire* correspond à la création de ressources monétaires nouvelles (voir p. 58) par les établissements de crédit lorsqu'ils consentent des crédits bien supérieurs aux dépôts placés.

Financements interne et externe

Le *financement interne* correspond à l'*autofinancement* : les agents ont recours à leur propre épargne brute pour se financer.

Le *financement externe* peut prendre deux formes : directe et indirecte.

– Le *financement externe direct* consiste à mettre en relation « directe » les agents à capacité et ceux à besoin de financement par le biais du *marché des capitaux* (voir p. 66). Les entreprises s'adressent « directement » aux agents en capacité de financement en leur proposant des titres (emprunts de capitaux sous forme d'obligations ou vente de parts de la société sous forme d'actions, voir p. 70). On parle de *financement désintermédié*, ou de *désintermédiation bancaire* pour caractériser ce type de financement puisque les entreprises ne passent pas par l'intermédiaire d'institutions financières pour obtenir les capitaux dont elles ont besoin.

– Le *financement externe indirect* s'appuie sur l'existence d'intermédiaires (les *établissements de crédit*, voir p. 56), entre les prêteurs et les emprunteurs. On parle alors de *financement intermédié* ou d'*intermédiation bancaire*.

UNE DÉSINTERMÉDIATION CROISSANTE

■ Capacité (+) et besoin (–) de financement des secteurs institutionnels

En milliards d'euros	1970	1975	1980	1985	1990	1995	2000	2005	2006	2007	2008
Entreprises non financières	– 6,2	– 7,1	– 6,6	– 22,6	– 27,7	– 11,8	– 28,4	– 49,4	– 54,4	– 56,8	– 71,3
Entreprises financières	1,3	1,9	5,4	10,2	17,8	26,9	4,7	13,2	8,1	7,6	13,8
Administrations publiques	0,3	– 6,3	– 0,5	– 22,5	– 25,2	– 65,2	– 21,2	– 51,1	– 41,9	– 51,7	– 66,2
Ménages (y compris entrepreneurs individuels)	4,4	12,2	12,2	20,7	15,3	56,1	61,6	56,3	55,6	58,9	58,2
Institutions sans but lucratif au service des ménages	– 0,2	– 0,7	– 0,9	– 0,5	– 0,4	0,8	0,7	0,1	0,0	0,5	1,3
Nation	– 0,4	– 0,1	– 10,3	– 14,7	– 20,1	6,8	17,4	– 30,8	– 32,6	– 41,5	– 64,2

Source : Comptes nationaux - Base 2000, INSEE.

On constate, et ce de manière quasi structurelle, que les secteurs qui disposent d'une capacité de financement sont pour l'essentiel les ménages et, de manière plus marginale, les entreprises financières ainsi que les ISBLSM.

Les autres secteurs se trouvent logiquement dans une situation de besoin de financement : les sociétés non financières, et surtout les administrations publiques pour plus de 66 milliards d'euros en 2008.

Ajoutons que la majeure partie du besoin de financement des APU provient des APU centrales, avec – 56,7 milliards d'euros. Si le besoin de financement des administrations de Sécurité sociale régresse depuis 2004 (« seulement » – 0,9 milliard d'euros en 2008), les APU publiques locales se retrouvent, quant à elles, depuis 2004, en situation de besoin de financement (– 8,6 milliards d'euros en 2008).

■ L'évolution du système financier français

• La désintermédiation se traduit par le passage d'une situation qualifiée d'« *économie d'endettement* », dans laquelle les entreprises sont essentiellement financées par les banques au moyen de crédits bancaires classiques, à une situation de « *finance directe* », dans laquelle les entreprises se financent davantage par apport de fonds propres ou par émission de titres de créances négociables, sur les marchés financiers. C'est globalement ce qui s'est passé en France : jusqu'au début des années 1980, la France était assez proche d'une *économie d'endettement*, dominée par la finance indirecte, le marché des titres jouant un rôle résiduel. Depuis, la France s'est considérablement rapprochée d'une *économie de marché des capitaux*. Les financements désintermédiés se sont fortement développés grâce à l'émergence de nombreuses innovations financières. Le même constat est valable dans les autres pays développés.

• La désintermédiation s'est développée avec l'essor des marchés des capitaux, et les nombreuses réformes qui ont secoué l'ensemble des marchés financiers (voir p. 66).

Ainsi, les conditions d'accès au financement externe direct ont été améliorées par l'ouverture internationale du *marché primaire* en 1984, et l'ouverture d'un *second marché* en 1983. Le système financier français a également profité d'innovations sur le marché des actions (certificats d'investissement, titres participatifs…) et sur celui des obligations (obligations à taux variables, à taux révisables, convertibles, à bons de souscription…). En outre, la Bourse a été réformée techniquement (marché en continu, règlement mensuel) et réglementairement (création des sociétés de bourse en 1988, réforme des autorités de marchés et renforcement des pouvoirs de la COB – Commission des opérations de bourse). Enfin, la mise en place d'instruments de couverture des risques de marché a été réalisée, sous l'impulsion des pouvoirs publics, pour permettre aux intervenants de limiter l'impact des fluctuations des taux d'intérêt (création du *MATIF*), des cours des actions ou de l'indice boursier (*MONEP*).

FONDEMENTS DE L'ÉCONOMIE

FONCTIONS ÉCONOMIQUES

FINANCEMENT DE L'ÉCONOMIE

LA RÉGULATION

LA MONDIALISATION

L'ENTREPRISE

Le marché des capitaux

Le marché des capitaux est le lieu de rencontre de l'offre et de la demande de fonds. C'est donc le lieu privilégié de la finance directe. On distingue deux marchés des capitaux selon l'échéance des titres : le marché financier pour les titres longs et le marché monétaire pour les titres courts.

Le marché financier

C'est le lieu d'émission et d'échange des titres à long terme (l'échéance supérieure à 3 ans), essentiellement des actions et des obligations (voir p. 70).
– Le marché financier est d'abord scindé en deux parties interdépendantes.
Le *marché primaire* est le lieu d'émission des nouveaux titres, d'où son surnom de « marché du neuf ».
Le *marché secondaire* (ou plus couramment « *la Bourse* ») constitue le « marché de l'occasion ». On y échange chaque jour des titres déjà émis, et c'est donc ici que se forment les cours des divers titres en fonction des offres et demandes.
– La Bourse comprend elle-même plusieurs marchés : le *premier marché* regroupe les plus grandes entreprises en fonction de leur capitalisation boursière. Le *second marché*, créé en 1983, accueille des sociétés de taille plus modeste, avec des conditions d'admission moins sévères. Enfin, le *nouveau marché*, créé en 1996, permet aux jeunes entreprises innovantes de se financer selon le modèle du *Nasdaq*. À noter toutefois que ces trois sections de la bourse disparaissent en 2005 pour être fondus dans un *marché réglementé unique*.

Le marché monétaire

C'est le marché des capitaux à court et moyen terme. Il est subdivisé en deux parties depuis les réformes de 1985-1986.
– Le *marché interbancaire* est réservé aux seules institutions financières (établissements de crédit, et Banque centrale en particulier) qui vont s'y prêter entre elles les liquidités nécessaires pour faire face à leurs engagements à très court terme. Notamment, les banques doivent approvisionner leur compte à la Banque centrale, qui ne peut descendre en dessous d'un seuil appelé « *réserves obligatoires* ». Les taux d'intérêt de ces prêts interbancaires à très court terme (au jour le jour ou à 7 jours par exemple) résultent de l'offre et de la demande mais aussi du niveau des *taux directeurs*. Ainsi, la Banque centrale oriente l'évolution des taux d'intérêt à très court terme et donc le taux des crédits aux entreprises et aux particuliers, et elle régule la liquidité des établissements financiers et, indirectement, la quantité de monnaie et de crédit dans l'économie.
Elle peut donc influer sur le niveau d'inflation, principal objectif de la politique monétaire, et, secondairement, sur le niveau d'activité économique.
– Le *marché des titres de créances négociables* (TCN), créé en 1985, est un marché ouvert à tous les agents économiques (même non financiers). On y échange divers TCN : les *certificats de dépôt* (émis par les établissements de crédit ; durée : de 1 jour à 1 an) ; les *billets de trésorerie* (émis par les entreprises ; durée : de 1 jour à 1 an) ; les *bons du Trésor* (émis par le Trésor Public ; durée : de quelques semaines à 5 ans), et les bons à moyen terme négociables (BMTN) avec une durée minimale d'un an.

LA BOURSE

🔳 Le premier marché

Il regroupe les plus grandes entreprises françaises et étrangères, sélectionnées notamment selon leur capitalisation. Les plus grandes capitalisations boursières françaises qui composent l'indice « vedette » CAC 40 (base 1 000 le 31/12/1987) y figurent toutes.

• *Les règles d'admission :* en théorie, seules les entreprises fortes d'une capitalisation boursière d'environ 1 milliard d'euros peuvent être cotées sur ce marché. *Euronext Paris*, responsable de l'admission de nouvelles valeurs à la cote parisienne, impose un pourcentage du capital dans le public d'au moins 25 %.

• *Les documents à fournir :* présentation des comptes annuels consolidés sur trois ans, assortis d'une certification par les commissaires aux comptes et d'un prospectus visé par l'AMF ; obligation de livrer une information périodique avec la publication de leur chiffre d'affaires trimestriel, de leurs comptes semestriels et annuels ; obligation de diffuser une information préalable aux opérations financières et de communiquer tout élément susceptible d'avoir un impact sur le cours de la bourse.

🔳 Le second marché

Créé en 1983, il permet aux entreprises moyennes de faire appel à l'épargne publique. Les fluctuations quotidiennes de cours sont « encadrées », afin d'éviter les écarts trop importants.

• *Les règles d'admission :* les entreprises candidates ont la possibilité de ne diffuser que 10 % de leur capital dans le public.

• *Les documents à fournir :* présentation de deux ans d'historique de comptes consolidés et certifiés ; rédaction d'un prospectus établi conformément aux instructions de la COB ; mêmes obligations légales d'information des investisseurs que sur le premier marché.

🔳 Le nouveau marché

Créé le 14 février 1996, le nouveau marché permettait aux jeunes entreprises innovantes et à forte croissance de se financer selon le modèle du *Nasdaq*. Il a fait l'objet d'une spéculation effrénée pendant la bulle Internet, suivie d'une chute brutale. Il a été réformé en 2003.

• *Les règles d'admission :* depuis 2003, les sociétés introduites sur ce marché doivent disposer d'un historique de trois années de comptes et avoir fait la preuve de leur rentabilité au cours des douze mois précédant la demande d'admission. Les conditions concernant le montant des fonds propres ont été maintenues : au moins 1,5 million d'euros. Le flottant ne doit pas représenter moins de 20 % du capital, avec au moins 100 000 actions diffusées pour un montant minimal de 5 millions d'euros. Par ailleurs, l'introduction doit s'effectuer par augmentation de capital, avec au moins 50 % de titres offerts au public. Les dirigeants actionnaires s'engagent à conserver pendant un an 80 % des parts détenues lors de l'introduction.

• *Les documents à fournir :* publication des informations légalement requises de la part des sociétés cotées (comptes annuels, semestriels). Euronext Paris se charge de publier des avis à l'occasion d'opérations ou d'événements particuliers comme les franchissements de seuil, les suspensions de cotation…

🔳 Les réformes de 2005

En 2005, ces trois marchés se fondent dans un *marché réglementé unique* comprenant près de 700 valeurs. Cette réforme concerne d'abord Euronext Paris, avant d'être étendue aux marchés d'Amsterdam, de Bruxelles et de Lisbonne. Les sociétés cotées sont classées par ordre alphabétique et identifiables grâce à un critère de capitalisation pour distinguer facilement les petites valeurs (capitalisation boursière inférieure à 150 millions d'euros), les moyennes (entre 150 millions et 1 milliard d'euros) et les grandes valeurs (au-delà de 1 milliard d'euros). Les sociétés regroupées dans ce marché répondent aux mêmes obligations d'information financière, et les critères sont harmonisés pour les nouvelles introductions. À noter parmi les nouvelles règles d'admission, la nécessité pour les sociétés d'avoir 25 % de leurs actions détenues par le public et de présenter trois années de comptes.

FONDEMENTS DE L'ÉCONOMIE

FONCTIONS ÉCONOMIQUES

FINANCEMENT DE L'ÉCONOMIE

LA RÉGULATION

LA MONDIALISATION

L'ENTREPRISE

La Banque centrale européenne

La « zone euro » est composée de douze pays : **Allemagne, Autriche, Belgique, Espagne, Finlande, France, Grèce, Irlande, Italie, Luxembourg, Pays-Bas, Portugal.** Ces pays ont confié à la Banque centrale européenne les missions autrefois dévolues aux banques centrales nationales : émission de monnaie, politique monétaire.

● Le système européen des banques centrales

Les banques centrales nationales des 25 pays membres de l'UE constituent le *système européen des banques centrales* (SEBC). À l'intérieur de ce système, la Banque centrale européenne (BCE) et les banques centrales nationales des pays de la « zone euro » forment « *l'eurosystème* ».

L'objectif principal du SEBC est de maintenir la stabilité des prix au sein des pays de l'Union européenne. Cependant, il est précisé dans ses statuts que « sans préjudice de l'objectif de stabilité des prix, le SEBC apporte son soutien aux politiques économiques générales [dans l'Union], en vue de contribuer à la réalisation des objectifs [de l'Union] ». L'Union s'est aussi donnée pour objectifs d'obtenir un niveau d'emploi élevé et une croissance durable. Néanmoins, priorité est donnée à la lutte contre l'inflation, entre autres sous l'influence de l'Allemagne qui n'a accepté de perdre sa monnaie nationale qu'en échange de conditions strictes sur la politique monétaire menée dans le cadre de la monnaie unique.

● Les missions de la BCE

La BCE, instituée par le Traité de Maastricht et installée à Francfort, a été créée en juin 1998 pour introduire et gérer la monnaie unique européenne (l'euro, créé le 1er janvier 1999). C'est une instance *indépendante* du pouvoir politique : la politique monétaire européenne n'est donc à présent plus du ressort des gouvernements européens. La BCE est chargée :
– de définir et mettre en œuvre la politique monétaire de l'UE ;
– de détenir et gérer les réserves officielles de change des pays de la zone euro ;
– de promouvoir le bon fonctionnement des systèmes de paiement ;
– d'autoriser ou non l'émission de billets de banque dans la zone euro ;
– de coordonner les actions des banques centrales nationales, dont elle reprend les fonctions.

● Le fonctionnement de la BCE

La BCE prépare et exécute les décisions arrêtées par ses principales instances dirigeantes que sont le Directoire et le Conseil des gouverneurs.
– Le *Directoire* comprend le président de la BCE, le vice-président et quatre autres membres, tous désignés d'un commun accord par les chefs d'État ou de gouvernement des pays de la « zone euro ». Il est chargé de mettre en œuvre la politique monétaire et donne les instructions nécessaires aux banques centrales nationales.
– Le *Conseil des gouverneurs* est l'organe de décision suprême de la BCE. Il comprend les six membres du Directoire et les gouverneurs des 12 banques centrales nationales des pays de la « zone euro ». Sa mission première consiste à définir la politique monétaire de la zone euro et, en particulier, à fixer les taux d'intérêt directeurs.

LA POLITIQUE MONÉTAIRE EUROPÉENNE

L'objectif clairement assigné à la BCE est de maintenir la stabilité des prix (qui, par convention, correspond à un taux d'inflation compris entre 0 et 2 %). C'est donc une politique monétaire restrictive d'inspiration monétariste (voir p. 60), qui est mise en œuvre au sein de l'Union européenne, en opposition avec une politique monétaire expansive d'inspiration keynésienne.

■ Les moyens mis en œuvre

Pour juguler l'inflation, la BCE doit limiter la quantité de monnaie en circulation, et donc encadrer le processus de création monétaire. Or, ce n'est pas la BCE qui crée directement la monnaie, mais les banques de second rang (voir p. 58), l'ensemble des banques hiérarchiquement inférieures à la banque centrale dans le système financier. Cependant, la BCE peut indirectement influer sur la création monétaire, par deux types d'intervention.

• *La fixation des taux directeurs :* lorsqu'une banque a émis beaucoup de crédits (et donc créé de la monnaie, voir p. 58), ses réserves en monnaie banque centrale, qu'elle utilise pour régler ses transactions avec les autres banques, se réduisent progressivement (en effet, les banques n'acceptent entre elles comme moyen de paiement que la « monnaie banque centrale »). Elle doit alors demander à la BCE des prêts en monnaie banque centrale pour se refinancer. Or, si la BCE veut limiter l'émission de crédits par les banques, elle va renchérir le coût du refinancement, en augmentant ses taux directeurs, qui sont les taux d'intérêt que doivent supporter les banques en échange d'un prêt.

Le document ci-après permet de comparer la politique monétaire de la BCE avec celle de la Fed (banque centrale américaine).

La diminution globale des taux directeurs depuis 2001 s'explique par le maintien durable de taux d'inflation bas. Les banques centrales peuvent alors « détendre » leur politique de taux si elles estiment que les risques d'inflation sont éloignés. Cependant, la Fed a une vision plus keynésienne que la BCE : une telle baisse de son taux directeur s'explique par son désir de relancer l'activité économique par la création monétaire, alors que la BCE a limité la baisse de son taux, privilégiant la stabilité des prix à la relance de l'activité.

Taux d'intérêt à court terme dans l'UEM et aux États-Unis depuis 2000 (en %)

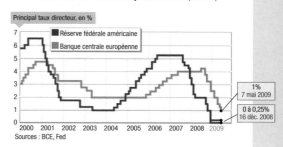

Sources : BCE, Fed

• *La politique d'open-market :* pour « contourner » les taux directeurs de la BCE, les banques peuvent avoir recours au marché interbancaire, sur lequel elles s'échangent de la monnaie banque centrale. Comme les liquidités déposées à la banque centrale ne rapportent aucun intérêt ou un intérêt faible, les banques ont souvent intérêt à prêter les liquidités en excédent qu'elles détiennent. Le taux de ces intérêts est le taux interbancaire, et résulte du rapport entre offre et demande de monnaie banque centrale par les banques. Si ce taux est inférieur au taux directeur, alors toute hausse du taux directeur, afin de limiter la création monétaire, sera sans effet. Si la BCE veut parvenir à son objectif, elle va emprunter elle-même de la monnaie banque centrale présente sur ce marché, afin de réduire l'offre, ce qui aura pour effet la hausse du taux interbancaire. Les banques seront alors moins incitées à émettre des crédits.

FONDEMENTS DE L'ÉCONOMIE

FONCTIONS ÉCONOMIQUES

FINANCEMENT DE L'ÉCONOMIE

LA RÉGULATION

LA MONDIALISATION

L'ENTREPRISE

Les produits financiers

Les marchés boursiers sont en plein développement depuis le milieu des années 1980. Ils mettent en relation des agents économiques à besoin de financement (les sociétés), et d'autres en capacité de financement (les épargnants). Ce développement est à relier avec les nombreuses innovations qui ont touché les produits financiers depuis les années 1980.

● Les actions

– Une action est une *valeur mobilière* (titre de propriété négociable). Elle représente une part de capital d'une société constituée en société anonyme : en possédant x % des actions émises, l'acquéreur de ces actions devient donc propriétaire de l'entreprise à hauteur de x %.

– Être propriétaire d'une action donne quatre principaux droits : le droit de vote au conseil d'administration pour influer sur les décisions stratégiques de la société, au *prorata* des droits de vote détenus grâce aux actions possédées ; le droit de recevoir une partie du bénéfice de la société sous forme de dividendes, payés généralement en espèces une fois par an ; le droit de revendre ses actions quand l'on veut, à qui l'on veut, et ainsi pouvoir profiter de plus-values ; le droit de priorité d'achat dans le cas d'émission de nouvelles actions émises par l'entreprise.

En cas de faillite, les actionnaires ne sont pas responsables sur leurs biens propres des dettes, mais ils perdent la totalité des sommes investies.

– L'avantage de l'émission d'actions pour l'entreprise est de pouvoir disposer d'argent frais grâce à leur vente. Lorsqu'une entreprise a besoin de liquidités, il est financièrement plus intéressant pour elle d'émettre des actions que de s'endetter, car emprunter est coûteux, et pour que ce soit rentable, il faut pouvoir bénéficier d'un effet de levier (voir p. 36). Cependant, pour que l'émission d'actions soit avantageuse, il faut nécessairement que des agents économiques soient effectivement intéressés par l'achat de ces actions. Par ailleurs, si les actions émises représentent une part trop importante de l'entreprise, il y a un risque de modification des rapports de force et de perte d'indépendance.

● Les obligations

– Une obligation est une *valeur mobilière* (titre de créance ou reconnaissance de dette) de la part d'une société, représentant un emprunt. Lorsqu'une entreprise a besoin d'argent et qu'elle ne veut (ou peut) accroître son capital, elle doit réaliser des emprunts, soit auprès d'une institution financière, soit directement sur les marchés financiers auprès d'agents économiques en capacité de financement.

Une obligation est donc un emprunt à long terme auquel sont attachés une date de remboursement et une rémunération fixée à l'avance, qui peut être variable en fonction de l'évolution de grandeurs économiques déterminées au préalable.

– Le possesseur d'une obligation peut revendre son obligation avant terme sur les marchés financiers, mais il n'est alors pas sûr de récupérer la totalité de la somme prêtée, car le cours des obligations peut évoluer (il varie en sens inverse des taux d'intérêt). Par contre, s'il attend l'échéance, il est assuré de récupérer la totalité de la somme prêtée plus la rémunération afférente, sauf en cas de faillite de la société.

LES OPCVM

Les agents économiques peuvent placer leur épargne sur les marchés financiers, sans pour autant devoir nécessairement acheter directement des actions ou des obligations. Ils peuvent passer par l'intermédiaire des sociétés spécialisées dans la gestion de l'épargne : les OPCVM (organismes de placement collectif en valeurs mobilières).

■ Que sont les OPCVM ?

• Les OPCVM sont des organismes collectant des fonds auprès des agents économiques désirant épargner, et utilisant ces fonds pour réaliser des placements diversifiés sous forme de titres. Il en existe deux grands types :
– les SICAV (sociétés d'investissement à capital variable), créées en 1964. Ce sont des sociétés anonymes qui collectent des fonds auprès de leur clientèle et les investissent en valeurs mobilières ;
– les FCP (fonds communs de placement), qui sont généralement de taille plus petite que les SICAV, et qui réalisent une gestion plus spécialisée et plus risquée de l'épargne, mais avec des perspectives de plus-value potentiellement élevées. Les FCP ne sont pas des sociétés comme les SICAV, mais des copropriétés ; ils résultent d'un contrat passé entre des épargnants et un gérant.

• Les différents OPCVM proposent des produits financiers « profilés », c'est-à-dire que la nature des titres financiers achetés grâce à l'épargne collectée est prédéterminée en fonction de priorités affichées à l'avance et acceptées, au moins implicitement, par les épargnants. Ce profilage peut être :
– géographique : une SICAV peut ne proposer que des achats d'actions européennes ;
– temporel : l'horizon de rentabilité attendu est à plus ou moins long terme ;
– lié au risque encouru : généralement, les OPCVM proposent trois grands types de produits : « prudent, équilibré et dynamique ».
Dans le premier cas, l'OPCVM investit l'épargne en produits « sûrs » (obligations d'État par exemple) : la rentabilité attendue est faible, mais le risque quasi nul ; dans le dernier cas, ce sont majoritairement des actions d'entreprises innovantes à fort potentiel qui sont privilégiées.

■ Le fonctionnement d'un OPCVM

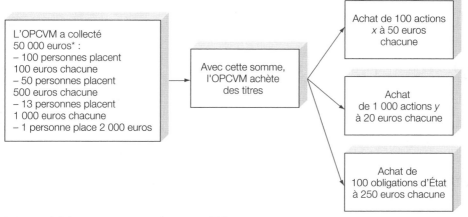

L'OPCVM a collecté 50 000 euros* :
– 100 personnes placent 100 euros chacune
– 50 personnes placent 500 euros chacune
– 13 personnes placent 1 000 euros chacune
– 1 personne place 2 000 euros

Avec cette somme, l'OPCVM achète des titres

Achat de 100 actions x à 50 euros chacune

Achat de 1 000 actions y à 20 euros chacune

Achat de 100 obligations d'État à 250 euros chacune

* dans la réalité, les sommes collectées par les OPCVM sont bien supérieures.

FONDEMENTS DE L'ÉCONOMIE

FONCTIONS ÉCONOMIQUES

FINANCEMENT DE L'ÉCONOMIE

LA RÉGULATION

LA MONDIALISATION

L'ENTREPRISE

Les krachs boursiers

Les marchés financiers, s'ils ont globalement connu une crois-sance forte au cours du XXᵉ siècle, n'ont pas été marqués par une évolution continue, mais par des phases de hausse et de dimi-nution des cours. Parfois, cette diminution est si forte que l'on parle de « krach boursier ».

● Qu'est-ce qu'un krach boursier ?

Un krach boursier désigne une diminution importante du cours de l'ensemble des actions cotées. Il existe deux types de krachs.

– Le *krach classique* correspond à une forte chute des cours sur une ou plusieurs journées. La baisse est très brutale et semble irréversible. Les trois principaux krachs de ce type ont eu lieu en 1929 (le « jeudi noir » de Wall Street), en 1987 et en 2008.

– Le *krach larvé* est lui aussi marqué par une baisse des cours, mais elle se déroule sur plu-sieurs semaines ou plusieurs mois. La chute des indices boursiers (portée surtout par l'ef-fondrement du cours des actions des entreprises des nouvelles technologies : « e-krach ») entre 2000 et 2003 s'apparente à cette situation.

– Selon les économistes libéraux, la cause première des krachs est un retournement de conjoncture économique. Les perspectives de profits des entreprises étant faibles, voire nulles, les épargnants préfèrent se séparer de leurs actions pour se tourner vers d'autres produits financiers à court terme plus rentables, tels que les obligations. Le krach boursier est alors une conséquence directe d'une situation de dépression économique.

– À l'inverse, les économistes raisonnant avant tout en terme d'anticipations expliquent qu'un krach correspond à un dégonflement de la « bulle financière » (ou « bulle spécula-tive »). On parle de « bulle » lorsque, suite à une période d'euphorie, les cours des actions ont connu une progression bien plus élevée que celle qui aurait dû découler des simples résultats liés à l'activité économique des entreprises. Lorsque cette période d'euphorie se ter-mine, les anticipations se retournent et les agents économiques craignent une diminution rapide des cours ; ils vendent donc en masse leurs actions… ce qui entraîne mécaniquement un effondrement des cours. Le krach boursier n'est alors que la conséquence de ce retour-nement.

● Les conséquences des krachs boursiers

– En théorie, les krachs boursiers peuvent avoir des effets récessifs. D'une part, ils entraînent un effet revenu négatif : les moins-values subies par les épargnants les amènent à réduire leur consommation. D'autre part, les épargnants se détournent de la bourse ; les entreprises ont plus de mal à financer leurs investissements. Enfin, le climat général est à la déprime, ce qui réduit la demande, et donc la production.

– Cependant, les krachs peuvent aussi être des « rétablisseurs d'équilibre » : ils ramènent le marché à de plus justes proportions, ils permettent de compenser les excès précédents. La confiance en l'avenir est ainsi restaurée, ce qui est potentiellement source de croissance.

– En pratique, il est difficile de déterminer à l'avance les conséquences d'un krach. Ainsi, en 1929, le krach boursier a débouché sur une dépression économique, alors que, suite au krach de 1987, la croissance économique est repartie à la hausse…

LES DÉTERMINANTS DE LA BOURSE

■ Les résultats financiers

Selon les économistes libéraux, la sphère financière n'est que le reflet de la sphère réelle. La valeur de l'action reflète la valeur réelle de l'entreprise, c'est-à-dire sa valeur de revente. En effet, nul n'imaginerait acheter un bien plus cher ou le vendre moins cher qu'il ne vaut. Si donc on peut donner une valeur à l'entreprise (qui dépend de son capital, de son image de marque, de ses brevets déposés…), alors le prix de l'action dépendra directement de cette valeur ; quand l'entreprise voit ses profits augmenter, sa valeur financière augmente, ce qui incite les agents économiques à acheter ses actions… et ce d'autant plus que des profits élevés peuvent laisser espérer des dividendes importants.

■ Les phénomènes collectifs

• D'autres économistes, d'inspiration keynésienne, avancent à l'inverse que les sphères financière et réelle sont déconnectées. Les décisions d'achat ou de vente d'actions, au moins à court terme, sont indépendantes des résultats financiers de l'entreprise. Les agents économiques désirent acheter une action lorsqu'ils anticipent que le cours de l'action va augmenter. Or, ce cours augmente si la demande qui se porte sur cette action est supérieure à son offre… c'est-à-dire si l'ensemble des agents économiques anticipe eux aussi un accroissement du cours de l'action. Chacun a intérêt à faire comme les autres, de suivre ce que Keynes appelait un « comportement moutonnier ». L'évolution du cours des actions dépend donc de phénomènes collectifs.

• Selon le concept des *anticipations autoréalisatrices*, quand les agents économiques sont optimistes sur l'évolution de la valeur d'une action, ils sont incités à acheter cette action, ce qui va augmenter la demande, et donc la valeur de cette action… *L'anticipation de la hausse se sera donc autoréalisée*, en incitant les agents économiques à adopter un comportement engendrant cette hausse. La réalité, selon cette approche, n'est donc que la conséquence de l'image que nous nous en faisons ; et l'évolution des cours de la bourse peut être très éloignée des évolutions de l'activité économique.

• Les théoriciens de l'équilibre par taches solaires avancent eux que l'optimisme ou le pessimisme des agents économiques sont déterminés par des informations souvent peu, ou pas du tout pertinentes sur le plan économique, mais qu'à partir du moment où elles sont prises comme référence, elles deviennent décisives pour comprendre l'évolution des cours de la Bourse.

Les variables influant sur le cours des actions

La valeur de l'action à un moment donné dépendra de l'offre et de la demande de cette action, [qui] sont influencées par de nombreux facteurs […].

• **La valeur intrinsèque de l'entreprise** est supposée influer sur sa valeur financière. Si une entreprise émet 10 actions de 100 euros, la valeur boursière de l'entreprise de 1 000 euros est censée refléter sa valeur comptable. Dès lors, si celle-ci tend à s'accroître, les cours tendront à faire de même. […] Si l'entreprise annonce une augmentation des bénéfices, cela peut avoir un effet positif sur le cours de ses actions dans la mesure où les agents s'attendent à des dividendes plus importants. […]

• **L'activité de la branche** dans laquelle l'entreprise intervient influe aussi sur la valeur de ses actions. Si l'entreprise exerce son activité dans une branche qui connaît globalement une expansion importante, les cours de l'entreprise en profiteront. Les agents anticiperont une augmentation des profits et donc des dividendes versés, et inversement. […]

• **La conjoncture nationale** influe aussi sur le cours des actions. Si, dans un pays, la conjoncture se retourne, cela tend à faire baisser les cours. Si, dans ce pays, le gouvernement annonce des mesures de politique économique ou monétaire, cela influe sur les cours boursiers [déficit budgétaire en hausse ou en baisse, lutte ou non contre l'inflation…].

• **La conjoncture internationale** influe aussi sur le cours des actions. […] Les marchés sont fortement influencés par l'évolution des marchés financiers américains […].

Marie Delaplace,
Monnaie et financement de l'économie, Dunod.

FONDEMENTS DE L'ÉCONOMIE

FONCTIONS ÉCONOMIQUES

FINANCEMENT DE L'ÉCONOMIE

LA RÉGULATION

LA MONDIALISATION

L'ENTREPRISE

L'économie de marché

L'économie de marché désigne un mode de fonctionnement de l'économie qui accorde un rôle central aux mécanismes de marché pour assurer la régulation des activités économiques. Dans la logique libérale, chaque marché s'autorégule par l'intermédiaire des prix, ce qui permet d'atteindre une situation d'équilibre qui satisfait tous les agents.

● Le marché

– Un *marché* désigne un lieu de rencontre, souvent fictif, entre l'offre et la demande d'un produit (bien, service, monnaie, travail…). Il existe autant de marchés que de produits.
– La *demande* émane des acheteurs et correspond à la quantité de produits qu'ils sont prêts à acquérir à un prix donné.
– L'*offre* émane des producteurs et correspond à la quantité de produits que les vendeurs sont prêts à céder à un prix donné.

● Le marché de concurrence pure et parfaite

Le marché de concurrence pure et parfaite (CPP), défini par les néoclassiques, respecte les cinq conditions suivantes.
– *Atomicité du marché* : un nombre important d'agents intervient sur le marché, aucun n'étant ainsi en mesure, à lui seul, d'influencer significativement la formation des prix.
– *Homogénéité des produits* : les produits d'une même catégorie sont supposés similaires, on doit pouvoir comparer les produits sous le seul angle de leur prix.
– *Fluidité du marché* : c'est le principe de libre entrée sur le marché ; celui-ci doit être ouvert à tout agent qui souhaiterait s'y implanter, et à tout acheteur potentiel.
– *Transparence du marché* : tous les agents doivent pouvoir avoir accès immédiatement et gratuitement à toutes les informations nécessaires aux décisions : nature des produits, quantités offertes et demandées aux différents prix…
– *Mobilité des facteurs de production* : le travail et le capital doivent être parfaitement mobiles. Les trois premières conditions caractérisent une concurrence « pure », les deux dernières une concurrence « parfaite ».

● La formation des prix sur un marché concurrentiel

En situation de CPP, les mécanismes du marché aboutissent à un prix d'équilibre stable.
– Si le prix est trop élevé, de telle sorte que l'offre est supérieure à la demande, alors le jeu de la concurrence va engendrer une baisse des prix. En effet, les producteurs n'arrivant pas à écouler leur production, ils vont alors accepter de vendre moins cher.
– Si, inversement, les prix sont trop bas, de telle sorte que la demande est supérieure à l'offre, les vendeurs vont augmenter leurs prix et le nombre d'acheteurs va diminuer jusqu'à ce que la demande égalise l'offre.
Par conséquent, la flexibilité totale des prix permet d'aboutir à une situation d'équilibre où l'offre égalise la demande. Pour les libéraux, cette situation est la meilleure possible car, à ce prix d'équilibre, tous les agents économiques sont satisfaits : tous les acheteurs acceptant ce prix vont satisfaire leurs besoins, et tous les producteurs acceptant ce prix trouveront à écouler leur production.

LA RÉGULATION CONCURRENTIELLE

À la fin du XIXe siècle, l'économiste français Léon Walras a proposé une représentation du mécanisme d'ajustement qui conduit au prix d'équilibre. Celui-ci serait similaire à celui qui résulterait d'un tâtonnement organisé par un commissaire-priseur dans une bourse de marchandises ou de valeurs mobilières.

Walras décrit ainsi ce mécanisme d'ajustement :
- Un prix (par exemple P_0) est d'abord annoncé par le commissaire-priseur. En se basant sur ce prix, les agents transmettent leurs propositions d'échanges : les acheteurs formulent une quantité demandée (D_0), les entreprises une quantité offerte (O_0). Si la demande totale est supérieure à l'offre totale, alors le commissaire-priseur révise le prix à la hausse ; il le revoit à la baisse dans le cas contraire (voir ci-dessous).
- Un nouveau prix (P_1) est annoncé par le commissaire-priseur. Les agents expriment alors de nouvelles propositions d'échanges qui conduiront à une nouvelle modification du prix par le commissaire-priseur (P_2 et ainsi de suite).
- Un tel processus d'ajustement devrait conduire à un prix qui fasse en sorte que l'offre totale et la demande totale s'égalisent. Ce prix est le prix d'équilibre (P^*).

Représentation graphique du tâtonnement walrasien

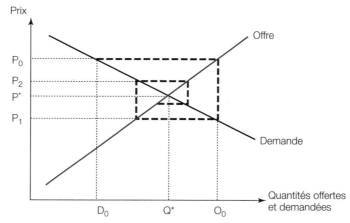

- Selon Walras, le mécanisme d'ajustement des prix sur un marché de concurrence pure et parfaite est donc équivalent à celui qui existe dans une bourse : les acheteurs et les vendeurs n'y sont pas individuellement responsables de la formation du prix mais ils considèrent ce prix comme une donnée qui leur est communiquée par le commissaire-priseur. On dit alors qu'ils sont *preneurs de prix* (ou *price takers*).

- Dans la réalité, les marchés où un agent bien identifié jouerait le rôle de commissaire-priseur sont très rares.
Cependant, l'hypothèse de concurrence parfaite conduit à supposer que le marché fonctionne « comme si » ce commissaire-priseur existait et permettait l'obtention d'un prix d'équilibre avant que les transactions aient effectivement lieu.

FONDEMENTS DE L'ÉCONOMIE

FONCTIONS ÉCONOMIQUES

FINANCEMENT DE L'ÉCONOMIE

LA RÉGULATION

LA MONDIALISATION

L'ENTREPRISE

Le marché du travail

Dans une perspective libérale, le marché du travail n'est pas différent des autres marchés. C'est un lieu de rencontre entre l'offre et la demande de travail, qui aboutit automatiquement à l'équilibre via la formation du prix du travail (le salaire). Dans cette logique, seul le chômage volontaire devrait exister.

● Un marché comme les autres

Le marché du travail fonctionne comme n'importe quel autre marché : il représente le lieu de confrontation entre l'offre et la demande de travail, le « prix » du travail étant le salaire.
– L'*offre de travail* émane des actifs qui « vendent » leur force de travail ; elle est une fonction croissante du salaire réel.
– La *demande de travail* émane des entreprises qui sont prêtes à « acheter » du travail ; elle est une fonction décroissante du salaire réel.

● La vision libérale du plein-emploi

– Si le marché du travail fonctionnait sans entraves, il n'y aurait pas de chômage, puisque, à l'équilibre, l'offre de travail égalise la demande de travail pour un salaire donné. Concrètement, cela signifie que tous les actifs qui acceptent de travailler pour ce salaire trouvent un emploi ; et que toutes les entreprises qui acceptent de payer ce salaire trouveront de la main-d'œuvre. Il n'y a donc pas de chômage subi : seuls les individus qui ne sont pas prêts à travailler pour le salaire d'équilibre sont au chômage. Dans ce cas, celui-ci est qualifié de *volontaire*. En situation de CPP, la flexibilité des salaires est garante du plein-emploi.
– Cependant, même en situation de plein-emploi, un chômage *transitoire* (ou *frictionnel*) peut persister : il résulte des délais nécessaires pour atteindre l'équilibre entre l'offre et la demande de travail.

● Les entraves à l'autorégulation du marché du travail

En théorie, le marché du travail s'autorégule par les mécanismes d'ajustement entre offre et demande de travail, grâce à une flexibilité totale des salaires. Dans la pratique, plusieurs phénomènes font obstacle à cet ajustement naturel, ce qui explique, selon les néoclassiques, l'apparition d'un chômage autre que volontaire ou transitoire.
– La *rigidité des salaires à la baisse* : elle peut provenir par exemple de l'existence d'un salaire minimum (comme en France le SMIC), qui interdit aux entreprises de rémunérer leurs salariés en dessous de ce salaire, et empêche donc de parvenir à un équilibre de plein-emploi. Cette rigidité peut aussi provenir d'institutions et de réglementations : conventions collectives, syndicats, grilles de qualification…
– Les *trappes à inactivité* : l'indemnisation du chômage par les pouvoirs publics et la mise en place de minima sociaux (comme le RMI en France) sont considérées, dans l'optique libérale, comme néfastes pour le marché du travail. En effet, non seulement ces mesures renchérissent le coût du travail (par l'intermédiaire des charges sociales), mais elles n'encouragent pas les actifs au chômage à accepter de travailler au salaire d'équilibre, et ce d'autant plus que les allocations sont élevées.

L'ÉQUILIBRE DU MARCHÉ DU TRAVAIL

◼ Offre de travail et salaire

• Les individus, *maximisateurs*, vont arbitrer entre le travail et les loisirs. Le travail étant considéré comme une activité pénible, et supposant un sacrifice de temps libre, ils ne vont accepter ce sacrifice que si la rémunération leur permet d'accéder à la consommation.

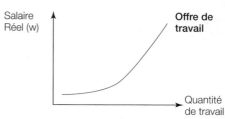

• Plus l'individu choisit le travail, plus il sacrifie du temps de loisirs. Inversement, plus il choisit les loisirs, moins il travaille, et moins il peut acquérir de biens et de services. Par conséquent, plus le salaire (réel) est élevé, plus il est intéressant pour les agents économiques de substituer le travail aux loisirs. En fonction de ses préférences, l'individu va choisir un « optimum » entre temps de loisirs et temps de travail (donc un certain niveau de revenu et de consommation). C'est pourquoi *l'offre de travail est une fonction croissante du salaire réel.*

◼ Demande de travail et salaire

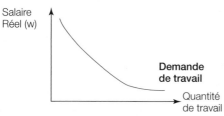

• L'entrepreneur qui cherche à maximiser ses profits ne va décider d'embaucher une personne supplémentaire que si elle lui coûte moins cher qu'elle ne lui rapporte. Or, dans les hypothèses néoclassiques, la *productivité marginale* du travail est décroissante (la productivité marginale est la variation de la production résultant de l'emploi d'une personne supplémentaire).

• Par conséquent, un employeur va être prêt à embaucher une personne supplémentaire jusqu'au moment où la productivité marginale cesse de couvrir le coût marginal de cette embauche (accroissement des dépenses correspondant au salaire d'un employé supplémentaire). Ainsi, les effectifs de l'entreprise vont se fixer au niveau où la productivité marginale est égale au salaire fixé par le marché. C'est pourquoi *la demande de travail est une fonction décroissante du salaire réel* car plus les salaires vont être élevés, moins les entreprises vont être prêtes à embaucher.

◼ Salaire minimum et chômage

Si l'État impose un salaire minimum supérieur au salaire d'équilibre (w^*), cela « crée » du *chômage involontaire* : un nombre (q_2) d'individus est disposé à travailler pour le salaire minimum fixé par l'État, mais les entreprises ne sont prêtes à embaucher à ce prix qu'un nombre plus faible (q_1) de travailleurs.

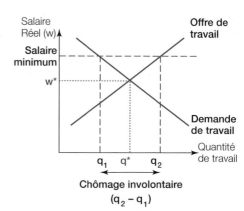

FONDEMENTS DE L'ÉCONOMIE

FONCTIONS ÉCONOMIQUES

FINANCEMENT DE L'ÉCONOMIE

LA RÉGULATION

LA MONDIALISATION

L'ENTREPRISE

Les nouvelles théories du marché du travail

L'approche néoclassique conventionnelle se fonde sur un marché de concurrence pure et parfaite. Ce modèle reposant sur des hypothèses pour le moins éloignées de la réalité, d'autres théories plus récentes ont cherché à le dépasser, tout en reprenant la dichotomie entre chômage volontaire et chômage involontaire.

● Les théories néoclassiques

– Selon la théorie du *Job search*, la durée moyenne du chômage est liée au montant des allocations chômage. Lorsqu'un individu se retrouve sans travail, il ne va pas nécessairement directement retrouver le type d'emploi correspondant exactement à ses attentes. Il va donc soit accepter un emploi qui ne correspond pas à ce qu'il cherche, mais en retirer une faible satisfaction ; soit refuser cet emploi, et « perdre » le salaire correspondant. Si le montant des allocations chômage est faible, la seconde solution sera coûteuse : l'individu préférera donc opter pour la première solution, et inversement si le montant des allocations est élevé.

– La théorie du *cycle économique réel* avance que les agents économiques font des choix intertemporels. Le choix entre travailler et être au chômage ou inactif (l'arbitrage travail/loisirs) dépend des perspectives de revenus futurs. Si un agent économique anticipe que le niveau des salaires va augmenter dans six mois (suite à un choc de productivité positif par exemple), il préférera ne pas travailler aujourd'hui, et travailler deux fois plus dans six mois. Ainsi, son temps de travail sur l'année sera le même, mais il aura reçu un revenu supplémentaire à celui qu'il aurait perçu s'il avait réparti équitablement ses heures de travail sur l'année. Le chômage résulte alors d'un choix optimal de répartition entre travail et loisirs sur toute la durée de sa vie. Cette théorie n'est valable que s'il n'existe pas de loi qui limite la durée hebdomadaire du travail.

● Les théories néokeynésiennes

– Les *néokeynésiens* cherchent à montrer que les rigidités présentes sur le marché du travail (rigidité des salaires nominaux à la baisse, par exemple), sources de chômage, ne résultent pas forcément de l'intervention de l'État, mais bien du comportement rationnel des agents économiques.

– Ainsi, la théorie du *salaire d'efficience* avance que ce n'est pas le niveau de la productivité qui fixe celui des salaires (approche néoclassique), mais que c'est l'inverse. La productivité est une fonction croissante du salaire réel, car les travailleurs ne donnent le meilleur d'eux-mêmes que lorsqu'ils sont motivés par un salaire élevé.

Les entreprises ont donc rationnellement intérêt à proposer des salaires plus élevés (on parle alors de *salaire d'efficience*) que le salaire d'équilibre, afin d'augmenter la productivité de l'entreprise, de recruter le personnel le plus productif, de le fidéliser et de limiter l'absentéisme. Comme toutes les entreprises agissent ainsi (elles se font concurrence pour avoir les travailleurs les plus productifs), le salaire du marché devient supérieur au salaire d'équilibre, ce qui entraîne un chômage involontaire car, même en période de chômage, les entreprises ne réduisent pas les salaires proposés, et donc n'augmentent pas le nombre d'embauches pour résorber le chômage.

LES RIGIDITÉS DU MARCHÉ DU TRAVAIL ET LEURS CONSÉQUENCES

◼️ La théorie du déséquilibre de Malinvaud

La théorie du déséquilibre postule l'existence d'une rigidité des prix et des salaires, sans réellement l'expliquer, et cherche à montrer que plusieurs types de chômage peuvent se succéder, voire coexister, et qu'ils doivent être traités de manière différente. Voici les situations possibles :

		Marché du travail	
		Offre > demande (chômage)	Demande > offre (pénurie de main-d'œuvre)
Marché des biens et services	Offre > demande (surproduction)	① Chômage keynésien	④
	Demande > offre (pénurie)	② Chômage classique	③ Inflation contenue

① **Le chômage keynésien**
L'origine du chômage se trouve sur le marché des biens et services : la demande est insuffisante, ce qui n'incite pas les entreprises à produire, et donc à embaucher. Dans cette situation, le prix des biens et services devrait baisser, afin que la demande augmente ; mais comme les entreprises refusent de baisser les prix, la régulation ne se fait pas.
Pour lutter contre le chômage, il convient donc de stimuler la demande de biens et services adressée aux entreprises, en particulier en augmentant les salaires.

② **Le chômage classique :** il résulte d'un coût du travail trop élevé. En effet, comme la demande est supérieure à l'offre sur le marché des biens et des services, les entreprises devraient augmenter le niveau de leur production. Or, elles ne le font pas, parce que, le coût du travail étant trop élevé, la réalisation de cette production supplémentaire n'est pas rentable. Dans une situation de CPP, les salaires devraient diminuer afin de rendre l'embauche rentable. C'est donc bien la rigidité des salaires à la baisse qui est la cause du chômage. Dans cette approche, la solution serait de rétablir la flexibilité du marché du travail en permettant une diminution du coût du travail.

③ **L'inflation contenue**
Lorsqu'il y a un excès de demande sur tous les marchés (marché des biens et services, mais aussi marché du travail : pénurie de main-d'œuvre), on parle de période de « surchauffe » inflationniste : l'excès de demande de biens se traduit par une hausse des prix, car les entreprises ne peuvent répondre à cet excès de demande par une hausse de la production, la main-d'œuvre étant insuffisante.

④ **Excès de demande de travail et d'offre de biens**
Cette situation n'est pas concevable dans la réalité : les entreprises qui ne peuvent écouler toute leur production ne vont pas chercher à embaucher.

◼️ La théorie « insiders / outsiders »

Cette théorie postule que le marché du travail est « segmenté ». Suite aux travaux des économistes Piore et Doeringer, on distingue traditionnellement deux marchés du travail : le marché primaire, celui des *insiders*, dans lequel se trouvent les salariés les plus qualifiés, les mieux payés, indispensables à l'entreprise, et qui possèdent un emploi stable (CDI) ; et le marché secondaire, celui des *outsiders*, dans lequel se trouvent les salariés les moins qualifiés, facilement remplaçables, les moins payés, et qui possèdent un emploi instable (CDD ou intérim).

Les *insiders* sont en position de force ; ils se savent indispensables à l'entreprise, qui est exposée à des coûts de *turn over* importants (coûts de licenciements, de recrutement, d'adaptation au poste de travail, de formation…). Les *insiders* vont en profiter pour demander des salaires encore plus élevés. L'entreprise va donc faire subir cette hausse des coûts aux autres salariés, soit en les licenciant, soit en les précarisant. Le chômage résulte de l'impossibilité de diminuer les salaires des *insiders*.

FONDEMENTS DE L'ÉCONOMIE

FONCTIONS ÉCONOMIQUES

FINANCEMENT DE L'ÉCONOMIE

LA RÉGULATION

LA MONDIALISATION

L'ENTREPRISE

Les marchés de concurrence imparfaite

Dans la réalité, les marchés ne sont jamais en situation de concurrence pure et parfaite, toutes les conditions étant difficilement remplies simultanément. La concurrence est alors dite « imparfaite », la régulation par les prix ne pouvant pas avoir lieu de manière optimale.

De multiples situations de marché

Les marchés sont traditionnellement classés selon le nombre de vendeurs et d'acheteurs présents (voir le tableau de Stackelberg ci-contre). La CPP apparaît alors comme une forme de marché parmi d'autres. Les autres marchés sont dits « imparfaits » car les agents en présence peuvent influencer, plus ou moins significativement, la formation des prix. On distingue particulièrement :
– le *monopole* : pour un produit donné, il n'y a qu'un seul producteur, l'acheteur étant obligé d'avoir recours à cet unique fournisseur. Le monopole est caractérisé par un pouvoir important du producteur sur l'acheteur, il contrôle le prix et la quantité ;
– l'*oligopole* : pour une production donnée, il n'y a qu'un petit nombre de producteurs face à une multitude d'acheteurs. Avec un nombre restreint de producteurs, la tentation est alors forte de limiter la concurrence de façon plus ou moins formalisée.

La « concurrence monopolistique »

La concurrence ne s'exerce pas uniquement par l'intermédiaire des prix. Les produits d'une même catégorie sont loin d'être homogènes : les entreprises s'efforcent de se différencier de leurs concurrents par des procédés de fabrication (brevets), par la qualité du produit, son design, sa présentation, par l'utilisation de la publicité, par les techniques de vente…
Les situations réelles de marché sont dites de *concurrence monopolistique* car il y a à la fois une multitude de vendeurs et d'acheteurs pour une même catégorie de produit (concurrence), et des éléments caractéristiques du monopole, chaque vendeur tentant de différencier son produit.

Des marchés qui manquent de fluidité et de transparence

– La concurrence est limitée par la présence de *barrières à l'entrée* qui permettent aux firmes déjà présentes sur un marché de conserver leur position. Elles peuvent résulter par exemple de coûts fixes d'installation importants, difficiles à couvrir pour de nouveaux entrants. De même, il peut y avoir des barrières stratégiques : des entreprises déjà implantées qui veulent préserver leurs profits peuvent pratiquer des prix bas, rendant ainsi non rentable l'entrée de concurrents potentiels. Les coûts de sortie générés par le désengagement d'un marché sont aussi un frein.
– Les marchés sont souvent *opaques* : l'information nécessaire aux prises de décisions n'est pas gratuite et pas disponible immédiatement. Pour les entreprises, la documentation, les enquêtes nécessitent un long traitement de l'information engendrant des charges financières importantes. Quant aux consommateurs, il leur est quasiment impossible techniquement et financièrement d'avoir accès à l'intégralité de ces informations, malgré la montée en puissance des TIC (Technologies de l'Information et de la Communication) comme Internet.

MONOPOLES ET OLIGOPOLES

■ La pluralité des formes de marchés selon Stackelberg

Nombre de vendeurs / Nombre d'acheteurs	Un seul vendeur	Quelques vendeurs	Un grand nombre de vendeurs
Un seul acheteur	Monopole bilatéral	Monopsone contrarié	Monopsone
Quelques acheteurs	Monopole contrarié	Oligopole bilatéral	Oligopsone
Un grand nombre d'acheteurs	Monopole	Oligopole	Concurrence pure et parfaite

■ Les origines des monopoles

• On parle de *monopole naturel* quand l'efficacité économique est mieux assurée si la production est confiée à un seul producteur. C'est la situation typique des activités économiques qui exigent de forts investissements et des équipements très coûteux mais dont les coûts de production par unité supplémentaire vont décroissant. Un monopole naturel exige normalement d'importants investissements fixes initiaux, d'où la difficulté pour une nouvelle entreprise, qui ne peut profiter des mêmes économies d'échelle, de pénétrer sur le marché et de vendre moins cher que l'entreprise en place.

• Les *monopoles de droit* (ou *monopoles institutionnels*) trouvent leur origine dans la protection accordée par les pouvoirs publics à une entreprise particulière. Ils sont donc créés par la loi et peuvent couvrir des secteurs ou des activités qui sont ou non des monopoles naturels. Ils n'existent que parce que la concurrence est interdite, et ce souvent parce que les besoins en matière d'infrastructures ne peuvent être correctement satisfaits (qualité ou quantité) si on s'en remet entièrement au marché.

• Les *monopoles de fait* ne résultent pas nécessairement de fondamentaux économiques ou de dispositions légales. C'est l'absence de concurrence qui en est à l'origine, due au fait, par exemple, qu'une entreprise contrôle intégralement une ressource rare, ou qu'elle dispose (temporairement) d'un brevet de fabrication.

■ Les formes d'oligopoles

L'oligopole se définit comme une situation de marché où coexistent plusieurs vendeurs, mais leur nombre est assez restreint pour que chaque vendeur pèse assez sur le marché pour ne pas laisser les autres indifférents. Le *duopole* est un cas particulier d'oligopole où il n'y a que deux vendeurs.

L'oligopole se caractérise par une tension permanente entre deux objectifs contradictoires : maximiser le profit collectif de l'ensemble des firmes et faire en sorte d'accroître sa part de marché au détriment de ses concurrents.

On peut ainsi distinguer deux formes d'oligopoles en fonction de l'objectif dominant :

• L'*oligopole « en paix »* est caractérisé par une entente, plus ou moins formalisée entre les firmes en présence.

La coordination la plus explicite est celle résultant des accords de *cartels*, où les entreprises vont tenter de s'entendre sur les prix de vente, le volume de production, ou encore les conditions d'approvisionnement. On se trouve alors dans une situation assimilable à un monopole.

• L'*oligopole « de combat »* est défini par l'absence d'entente entre les firmes en présence.

Pour améliorer sa position sur le marché, l'entreprise va menacer ses concurrents d'une guerre des prix, va développer de nouveaux procédés…

Ce type d'oligopole fonctionne alors comme en situation de concurrence.

FONDEMENTS DE L'ÉCONOMIE

FONCTIONS ÉCONOMIQUES

FINANCEMENT DE L'ÉCONOMIE

LA RÉGULATION

LA MONDIALISATION

L'ENTREPRISE

Les défaillances du marché

La régulation par le marché n'est pas seulement limitée par l'existence de situations de concurrence imparfaite. En effet, certaines productions échappent au contrôle du marché. Par ailleurs, l'agrégation des comportements individuels ne mène pas automatiquement à l'optimum économique défini par les néoclassiques.

● L'existence d'externalités et de biens collectifs

– Une *externalité* (ou *effet externe*) désigne une situation dans laquelle l'activité d'un agent influe sur celle d'un autre agent, sans que cette interaction ne transite par le marché. L'externalité est *négative* quand l'activité a des effets néfastes pour des tierces personnes qui ne peuvent pas obtenir de compensations pour le dommage subi. C'est le cas quand une industrie qui, en produisant, pollue l'atmosphère ou l'eau et engendre des nuisances pour les riverains. L'externalité est *positive* quand l'activité d'un agent améliore la situation d'un autre sans que celui-ci ait à payer pour l'avantage reçu, par exemple quand une firme s'implante dans une ville et permet « gratuitement » aux commerces environnants d'augmenter leur chiffre d'affaires, ou à la municipalité d'obtenir une taxe professionnelle supplémentaire.

– Sans intervention externe, le marché n'intègre pas ces externalités négatives ou positives, et cela conduira, dans le premier cas, à une production trop abondante ou, dans le second, à une production insuffisante. Le marché, même concurrentiel, est mis en échec car il n'assure plus une allocation optimale des ressources. L'importance des effets externes pour certains biens conduit à les mettre sous la tutelle de l'État : ils sont qualifiés de *biens tutélaires* (santé, éducation…)

– Un *bien collectif pur* se caractérise par deux propriétés : la *non-exclusion* (personne ne peut être écarté de l'utilisation d'un bien collectif) et la *non-rivalité* (un bien collectif peut être consommé simultanément par plusieurs agents, sans que la quantité consommée par les uns ne diminue les quantités disponibles pour les autres). Les utilisateurs d'un bien collectif pur ne sont pas incités à révéler leurs préférences individuelles, car ils bénéficieront de toute façon de ce bien sans rien dépenser. Il n'y a donc ni demande, ni prix pour ce bien. Pour combler cette lacune, l'État prend en charge la production de ce bien ou la confie à une entreprise privée concessionnaire.

● Une régulation par le marché pas toujours optimale

Les mécanismes du marché ne conduisent pas toujours à un équilibre stable et automatique et ne correspondant pas forcément à une situation optimale pour tous les agents présents sur le marché. En effet, l'équilibre peut être instable, comme le montre par exemple l'observation des marchés boursiers : les spéculateurs et les comportements moutonniers peuvent engendrer des crises boursières, relativisant les capacités autorégulatrices du marché. Ainsi, l'agrégation des comportements individuels ne contribue pas nécessairement à l'intérêt général. Des choix individuels rationnels peuvent ne pas être optimaux pour la collectivité. Le concept de « *main invisible* » de Smith (voir p. 7) est alors remis en question. Enfin, les décisions des agents économiques ne sont pas toujours rationnelles, ce qui peut être source de déséquilibres.

LES DÉFAILLANCES DU MARCHÉ

◼ Les biens collectifs

Deux critères sont utilisés par caractériser les biens ou services :
– la *non-rivalité (vs. rivalité) des consommateurs* : la disponibilité du bien n'est pas diminuée par la présence d'un consommateur supplémentaire, tout au moins dans la limite de capacité de l'infrastructure de production (cas d'un théâtre) ;
– la *non-exclusion (vs. exclusion)* : on ne peut exclure personne de la consommation de ce bien, même celui qui ne paie pas le prix (passager clandestin).

		Consommation	
		Rivale	*Non rivale*
Exclusion par les prix	**Possible** *(exclusion)*	Biens privatifs purs (1) *ex. : produits alimentaires, voiture…*	Biens de club (2) *ex. : autoroute à péage, chaîne TV codée, tunnel…*
	Impossible *(non-exclusion)*	Biens en commun (3) *ex. : ressources halieutiques, air propre…*	Biens collectifs purs (4) *ex. : Défense nationale, éclairage public, phare…*

• Les *biens privatifs purs* (cas n° 1) sont rivaux et excludables c'est le cas de l'ensemble des produits manufacturés, par exemple. Ils sont donc marchands.
• À l'opposé, les *biens collectifs purs* (cas n° 4) ne peuvent pas être produits par une entreprise privée : si celle-ci propose de produire un tel bien, chacun a intérêt à annoncer qu'il n'en souhaite pas car il pourra en bénéficier malgré tout gratuitement. Dans ces conditions, un bien collectif pur est un *bien hors-marché* : son financement ne peut se faire que de manière coercitive grâce à des prélèvements obligatoires imposés par l'État. Tout bien collectif pur est nécessairement un *bien public*.
• Entre ces deux cas, existent des biens intermédiaires, appelés *biens collectifs impurs* ou *mixtes* :
– Les « *biens de club* » (cas n° 2), sont *non rivaux* et *excludables par le prix*. Leur consommation est divisible quantitativement, d'où la possibilité d'exclusion par le prix en prévoyant notamment le paiement d'un droit d'accès comme un péage, mais leur offre est indivisible qualitativement – tant qu'il n'y a pas « encombrement » –, d'où l'impossibilité d'exclusion par l'usage.
– Les « *biens en commun* » (cas n° 3), sont *rivaux* et *non excludables par le prix*. Cette situation, moins fréquente, est celle par exemple d'une ressource naturelle épuisable dont l'accès est libre (ressources halieutiques). Son caractère rival fait que l'exploitation par les uns peut en dégrader la qualité et donc nuire à sa consommation par d'autres, voire épuiser la ressource. Il faut donc réglementer l'accès à ces biens.

◼ Le dilemme des prisonniers

• La théorie des jeux, avec le dilemme des prisonniers, illustre le fait que la recherche par chacun de son intérêt personnel peut conduire à une situation sous-optimale. Deux individus ayant commis un vol sont appréhendés par la police, qui n'a pas de preuves contre eux. Elle les interroge séparément, en proposant à chacun le « marché » suivant : celui qui dénonce l'autre reçoit une prime ; celui qui est dénoncé sera condamné à une lourde peine de prison ; si les deux se dénoncent mutuellement, l'un et l'autre subiront une peine de prison légère ; si les deux se taisent, ils seront tous les deux remis en liberté.

• Dans ce jeu, « dénoncer l'autre » est une stratégie dominante : elle donne un gain supérieur à celui que procure l'autre stratégie, dans toutes les éventualités possibles. Pourtant, et c'est là qu'il y a dilemme, cette stratégie n'est pas optimale (les gains des prisonniers auraient été supérieurs s'ils s'étaient tus tous les deux). Les situations du type dilemme des prisonniers sont très fréquentes dans la vie en société, où les individus ont généralement intérêt à s'entendre et à collaborer, tout en étant incités à tirer parti de cette collaboration sans en subir les inconvénients.

FONDEMENTS DE L'ÉCONOMIE

FONCTIONS ÉCONOMIQUES

FINANCEMENT DE L'ÉCONOMIE

LA RÉGULATION

LA MONDIALISATION

L'ENTREPRISE

Pourquoi une intervention publique ?

La régulation de l'activité économique par les marchés a ses limites. Ce constat a conduit de nombreux économistes à légitimer l'intervention de l'État pour combler les lacunes du marché. Au cours du XXᵉ siècle, le rôle de l'État s'est progressivement élargi à de nouvelles fonctions.

De l'État-gendarme à l'État-providence

– Les économistes libéraux préconisent l'existence d'un État qui intervient peu dans l'activité économique. Les auteurs classiques légitiment un *État-gendarme*, c'est-à-dire un État qui se limite principalement à ses fonctions régaliennes : justice, police, défense. Il se borne alors à mettre en place les conditions d'existence d'une économie de marché, et en particulier le respect des droits de propriété. Ultérieurement, les économistes libéraux ont mis en avant la nécessité pour cet État « minimum » de prendre aussi en charge les défaillances du marché au sens large.

– Cette vision a été remise en question par l'analyse keynésienne, qui mettait au contraire en avant la nécessité d'un État intervenant activement pour réguler l'économie. Cet État, qualifié d'« *État-providence* » (*Welfare state*), ne doit pas se contenter d'accompagner les marchés, mais doit influer directement sur leur nature et leur structure. Cette vision du rôle de l'État a été dominante durant les Trente Glorieuses, avant d'être progressivement remise en cause à partir des années 1970.

Les fonctions de l'État-providence

R. Musgrave a présenté une typologie de l'intervention des pouvoirs publics. Selon lui, un État-providence doit remplir trois grands types de fonction :

– *La fonction d'allocation des ressources* : les administrations publiques doivent produire ce que le marché n'est pas capable de réaliser, c'est-à-dire l'ensemble des biens publics ; elles doivent aussi prendre en compte les effets externes (voir p. 82). De même, l'État peut mettre en place des mesures antitrust pour promouvoir la concurrence et empêcher l'apparition de marchés monopolistiques ou oligopolistiques.

– *La fonction de redistribution* : la redistribution opérée par les administrations publiques, et en particulier la redistribution des revenus, vise principalement à accroître la justice sociale. Le libre jeu du marché aboutirait en effet à une distribution des revenus considérée comme injuste, car engendrant de trop fortes inégalités.

– *La fonction de régulation* : la fonction de régulation consiste pour l'État à intervenir dans l'activité économique pour influer sur son cours. Il ne se contente alors pas de pallier les limites du marché, mais il prend à sa charge des activités que le marché pourrait réaliser, mais de manière non optimale. Cela concerne l'ensemble des services publics, tels que le service postal ou les transports collectifs (malgré les remises en question actuelles liées aux directives européennes). Il met alors en place certaines entreprises publiques en position de monopole, afin d'assurer la continuité des services publics. De même, l'État peut mettre en place des politiques budgétaires pour influer sur le niveau et la structure de l'activité économique, et pour atteindre certains objectifs (réduire le chômage ou le niveau de l'inflation).

LE CARRÉ MAGIQUE

Le carré magique est une représentation graphique, imaginée par l'économiste Nicolas Kaldor, qui résume la situation conjoncturelle d'un pays à partir de quatre indicateurs : le taux de croissance du PIB, le taux de chômage, le taux d'inflation, le solde de la balance des transactions courantes (en pourcentage du PIB). Ces quatre indicateurs correspondent à quatre objectifs fondamentaux de la politique économique d'un État-providence : la croissance économique, le plein emploi, la stabilité des prix, l'équilibre des échanges extérieurs.

▪️ Une forme idéale difficile à atteindre

Le carré magique représente la situation optimale, celle où les quatre objectifs ont été simultanément atteints. Pour ce faire, on le construit de telle sorte que l'objectif à atteindre pour chaque variable corresponde au point le plus éloigné de l'origine du graphique.
Ainsi, le « Nord » du graphique, représentant le taux de croissance du PIB, doit être gradué de manière croissante (l'origine étant un taux de 0 %, et le point le plus éloigné de l'origine un taux considéré comme élevé, par exemple 10 %), alors que le « Sud » du graphique, représentant le taux d'inflation, doit être gradué de manière décroissante, car dans ce cas l'objectif est d'avoir le taux d'inflation le plus faible possible.

Pourquoi magique ?

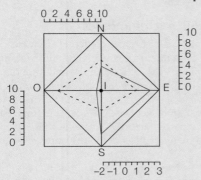

N = Taux de croissance du PIB en %
E = Solde des transactions courantes en % du PIB
S = Taux d'inflation en %
O = Taux de chômage en % de la population active
- - - - - France 1970
———— France 2000

Ce carré est qualifié de magique car l'expérience montre qu'il est très difficile d'atteindre simultanément les quatre objectifs, du moins à court terme. Plus la surface du quadrilatère correspondant aux statistiques d'un pays à une période donnée s'éloigne de la surface théorique du carré magique, plus la situation se détériore. La modification du quadrilatère dans une direction particulière fournit de plus une indication sur l'efficacité de la politique économique. Par exemple, la situation de la France présentée en 2000 montre que la France a globalement atteint ses objectifs d'inflation et de solde du commerce extérieur, mais a failli concernant la lutte contre le chômage.

Dictionnaire d'économie et de sciences sociales,
Éditions Nathan.

▪️ Les limites de l'instrument

Le carré magique est une représentation conventionnelle, qui met sur un « pied d'égalité » les quatre objectifs présentés. Or, on peut estimer que certains objectifs (le chômage ou la croissance) sont plus importants à tenir que d'autres (le solde positif des transactions courantes, par exemple), ou encore que d'autres objectifs importants (le taux de pauvreté, le degré d'inégalité, l'espérance de vie) ne sont pas pris en compte.

FONDEMENTS DE L'ÉCONOMIE

FONCTIONS ÉCONOMIQUES

FINANCEMENT DE L'ÉCONOMIE

LA RÉGULATION

LA MONDIALISATION

L'ENTREPRISE

Les politiques économiques

L'État, pour remplir ses missions de régulation, définit une politique économique générale. Le choix des objectifs retenus et des instruments utilisés a fait l'objet de nombreux débats, particulièrement entre économistes libéraux et keynésiens, qui n'assignent pas à la politique économique le même statut, ni la même importance.

● Objets et formes des politiques économiques

– Les politiques économiques recouvrent l'ensemble des mesures prises par l'État vis-à-vis de l'économie. Elles sont caractérisées par une hiérarchisation des objectifs poursuivis et par le choix des instruments mis en œuvre pour les atteindre. Réguler l'activité économique consiste ainsi, pour la puissance publique, à mettre en œuvre des mesures qui visent à influer sur les mécanismes économiques. L'État devient un « auxiliaire » du marché, en tentant, par son intervention, d'orienter l'activité économique dans un sens jugé souhaitable.
– Ces politiques peuvent prendre différentes formes : mesures législatives (exemple : assouplir les lois portant sur le marché du travail afin de faciliter l'embauche), mesures budgétaires (exemple : accroissement des dépenses publiques afin de relancer la demande), création ou réduction d'emplois publics, nationalisation ou privatisation d'entreprises publiques…

● Les fondements théoriques des politiques économiques

– *L'approche libérale* : pour les économistes libéraux, l'État doit se contenter de mettre en place les conditions de l'existence de marchés libres. Il ne doit pas chercher à influer sur le niveau ni la structure de l'activité économique. Selon eux, l'objectif de l'intervention publique doit être de mettre les agents économiques, et en particulier les entreprises, dans les meilleures conditions possibles. Par exemple, afin d'accroître la compétitivité des entreprises nationales, l'État doit mettre en place des politiques économiques dont la finalité est la lutte contre l'inflation, mais aussi libéraliser leur environnement en réduisant les règles et normes administratives qui entravent leur fonctionnement. Ils préconisent une réduction des prélèvements obligatoires.
– *L'approche keynésienne* : pour les économistes keynésiens, l'État ne peut se contenter d'accompagner le marché ; il doit au contraire intervenir activement dans l'activité économique Il faut ainsi que l'État, en période de récession, relance la demande afin de stimuler la production, source de croissance économique. Les politiques économiques doivent viser à accroître le poids de l'intervention publique dans l'économie, afin de rendre l'organisation des activités économiques plus efficace et plus juste. Les keynésiens préconisent des politiques budgétaires et monétaires expansives, c'est-à-dire dont la finalité est d'accroître la demande.
– Les politiques de régulation résultent donc d'un choix opéré par les gouvernements, en fonction du diagnostic établi et des solutions retenues :
Plus ou moins de dépenses publiques ? Plus ou moins de déficits publics ? Plus ou moins d'influence sur le niveau de salaire ?
Il n'existe pas de réponse univoque à ces questions, mais des approches théoriques différentes qui, à partir d'un ensemble de postulats et d'objectifs qui leur sont propres, apportent des éclairages différents à une même réalité.

LE BUDGET, UN INSTRUMENT ESSENTIEL DE POLITIQUE ÉCONOMIQUE

Les administrations publiques (c'est-à-dire les administrations publiques d'État, de sécurité sociale et les administrations publiques locales), pour pouvoir assurer leurs fonctions et plus particulièrement pour pouvoir réguler les activités économiques, doivent trouver des moyens de financement. Les politiques économiques induisent ainsi des dépenses qui doivent être financées à partir de recettes. Le budget des administrations publiques présente l'ensemble de ces recettes et de ces dépenses.

Les recettes publiques

• La quasi-totalité des recettes publiques provient des prélèvements obligatoires. Ils correspondent à l'ensemble des prélèvements opérés par les administrations publiques – impôts, taxes, cotisations sociales – pour financer leurs missions. Le taux de prélèvements obligatoires est égal au rapport entre le montant des prélèvements obligatoires et le montant du PIB. En France, en 2009, il est égal à 43,2 %. En 1959, il était égal à environ 32 % du PIB, et n'a cessé d'augmenter jusqu'à la fin des années 1990. Depuis 1999, où il avait dépassé les 45 %, il connaît une légère décrue.

• L'État et les collectivités territoriales se financent quasi exclusivement grâce à l'impôt, mais aussi par des recettes « non fiscales ». Ainsi, en 2007, les recettes fiscales de l'État étaient de 279 milliards d'euros, contre 6,3 milliards de recettes non fiscales.

• La Sécurité sociale, elle, est majoritairement financée par les cotisations sociales, mais aussi en partie par certains impôts tels que la CSG (Contribution sociale généralisée) et la CRDS (Contribution au remboursement de la dette sociale), créées respectivement en 1991 et 1996.

Les dépenses publiques

Ces recettes permettent de financer des dépenses.

• Les principales dépenses de l'État sont : l'Éducation nationale, la Défense, le remboursement de la dette, les Affaires sociales…

• Les principales dépenses des administrations de sécurité sociale sont : les pensions retraite, les remboursements maladie, les allocations familiales et la prise en charge des congés maternité…

• Les principales dépenses des collectivités locales sont la formation professionnelle, les aides sociales, le développement économique…

Des dépenses liées aux recettes ?

• Dans l'idéal, tout budget devrait être équilibré, au moins sur le long terme. Par conséquent, le montant des dépenses ne peut à terme constamment augmenter si le montant des recettes ne suit pas la même évolution. Le Pacte de stabilité et de croissance européen (voir p. 92) impose d'ailleurs le maintien des déficits publics dans des limites prédéterminées (moins de 3 % du PIB).

Juridiquement cependant, le budget de l'État peut être déséquilibré ; l'État se doit alors d'effectuer des emprunts pour financer son déficit. Par contre, le budget d'une collectivité territoriale doit nécessairement être présenté en équilibre. L'État participe d'ailleurs au financement de certaines charges des collectivités territoriales par des dotations financières.

Le montant des dépenses publiques, tout comme celui des recettes publiques, dépend donc d'un choix. Les pouvoirs publics peuvent choisir d'accroître les prélèvements ou les dépenses, comme ils peuvent choisir de les réduire, en fonction du montant qu'ils jugent le plus juste et le plus à même de répondre aux attentes et aux besoins de la population.

Ainsi, les keynésiens vont mettre en avant l'importance de politiques budgétaires actives, fondées sur un accroissement des dépenses publiques, alors que les libéraux vont privilégier des politiques budgétaires restrictives, fondées sur une diminution simultanée des prélèvements obligatoires et des dépenses publiques.

FONDEMENTS DE L'ÉCONOMIE

FONCTIONS ÉCONOMIQUES

FINANCEMENT DE L'ÉCONOMIE

LA RÉGULATION

LA MONDIALISATION

L'ENTREPRISE

Politiques conjoncturelles et structurelles

Les politiques économiques sont caractérisées en fonction de la nature des instruments utilisés et de l'horizon temporel : ainsi, les politiques conjoncturelles visent des objectifs de résorption des déséquilibres à court terme, tandis que les politiques structurelles ont pour objet des modifications plus profondes.

● Les politiques conjoncturelles

Les politiques conjoncturelles visent des objectifs à court terme. Elles sont essentielles dans des « situations d'urgences », en vue d'échéances électorales ou encore face à la pression de l'opinion publique. Elles peuvent prendre des formes différentes :

– *Les politiques budgétaires* : elles visent, par l'intermédiaire du niveau et de la structure des recettes et des dépenses publiques, à influer sur l'activité économique. Ainsi, par exemple, une hausse des dépenses publiques peut accroître la demande, ce qui poussera les entreprises à augmenter leur niveau de production.

– *Les politiques monétaires* : elles ont pour objectif de contrôler le niveau de la masse monétaire, et donc indirectement le niveau de l'inflation. Depuis 1993, les politiques monétaires ne sont plus de la responsabilité des États en Europe, mais des banques centrales nationales, réunies depuis au sein de la BCE (Banque Centrale Européenne, voir p. 68).

– *Les politiques de revenu* : elles cherchent à influer sur le niveau et la structure des revenus. Par exemple, une hausse du SMIC (Salaire Minimum Interprofessionnel de Croissance) peut entraîner une hausse de la consommation, et donc de la production.

● Les politiques structurelles

Les politiques structurelles sont des politiques de long terme, qui visent une modification profonde du fonctionnement de l'économie. Elles tendent à modifier le fonctionnement des institutions en charge de la régulation des activités économiques et sociales, ainsi que les comportements des agents économiques dans un sens jugé souhaitable par la collectivité. Ce sont donc des politiques qui cherchent plus à influencer les conditions d'offre que les conditions de demande.

Dans une approche libérale, elles ont pour objet la libéralisation des marchés, alors que dans une optique keynésienne elles visent à renforcer le poids de l'intervention publique sur ces marchés.

● Des politiques complémentaires

Les politiques conjoncturelles et structurelles sont complémentaires au sens où l'on ne peut mettre les unes en place sans les autres ; si seules les politiques structurelles étaient mises en place, les résultats à court terme seraient quasi nuls, voire négatifs, ce qui n'est pas tenable politiquement.

Par contre, elles peuvent parfois s'opposer ; par exemple, une politique structurelle qui viserait à limiter durablement le niveau de l'inflation afin de rendre les entreprises plus compétitives est incompatible avec une politique conjoncturelle de relance, dont l'un des effets est justement une pression à la hausse sur les prix.

POLITIQUES DE RELANCE ET POLITIQUES DE RIGUEUR

▪️ Les politiques de relance

Les politiques de relance visent à accroître la demande afin de relancer la production. Un exemple de ce type de politique est la relance opérée par le gouvernement Mauroy en 1982.

Politique de relance
- **Objectif** : accroître la demande pour augmenter le niveau de production
- **Mécanisme** : hausse des dépenses publiques + redistribution des revenus + baisse des taux d'intérêts ➜ hausse de la demande ➜ hausse de la production pour répondre à la hausse de la demande ➜ augmentation du nombre d'embauches

Le déficit public, un instrument des politiques de relance

La théorie de l'effet de stabilisateur automatique avance que, lors d'une période de récession, laisser filer les déficits publics permet de relancer la croissance économique. Cette relance entraîne ensuite, mécaniquement, la résorption du déficit. Le déficit est ainsi un mal pour un bien. C'est un instrument de politique conjoncturelle à part entière.

Effet de stabilisateur automatique

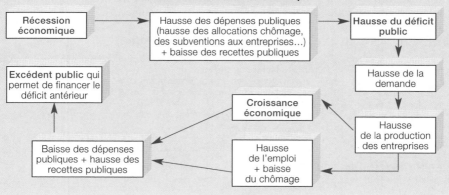

▪️ Les politiques de rigueur

Les politiques de rigueur se fondent sur l'idée selon laquelle la sortie d'une période récessive ne peut se faire qu'en luttant contre l'inflation, car l'inflation entraîne une diminution du pouvoir d'achat des consommateurs et de la compétitivité-prix des entreprises, ce qui est néfaste pour la croissance. Elles visent donc à comprimer la demande à court terme afin de réduire l'inflation. La politique de désinflation compétitive mise en œuvre en France à partir de 1983 est un exemple de ce type de politique.

Politique de rigueur
- **Objectif** : ralentir la hausse de la demande pour lutter contre l'inflation
- **Mécanisme** : hausse des taux d'intérêt + mesures pour limiter la progression des salaires + diminution des dépenses publiques ➜ ralentissement de la demande ➜ tendance à la baisse des prix ➜ hausse de la compétitivité des entreprises nationales ➜ hausse des exportations ➜ hausse de la production ➜ augmentation du nombre d'embauches.

FONDEMENTS DE L'ÉCONOMIE

FONCTIONS ÉCONOMIQUES

FINANCEMENT DE L'ÉCONOMIE

LA RÉGULATION

LA MONDIALISATION

L'ENTREPRISE

Les politiques de l'emploi

Les politiques de l'emploi ont pris de l'importance depuis l'apparition et la persistance d'un chômage de masse. Elles correspondent à l'ensemble des mesures qui visent à influer sur le niveau et la structure des emplois. Le type de mesures prises dépend de l'analyse des causes du chômage.

● Les enjeux des politiques de l'emploi

Les politiques de l'emploi ont comme premier objectif la lutte contre le chômage. La justification fondamentale de ces politiques est que les marchés ne parviennent actuellement pas à générer un niveau et une structure d'emplois permettant d'employer tous ceux qui désirent un emploi. Ces politiques peuvent donc agir :
– sur la *demande de travail*, en mettant en place les conditions à de nouvelles créations d'emplois, par exemple en flexibilisant le marché du travail (voir p. 76) pour les libéraux, ou en créant des emplois publics pour les keynésiens ;
– sur l'*offre de travail*, en augmentant « l'employabilité » des agents économiques, par des politiques de formation et/ou d'incitation à la reprise d'un emploi.

● Politiques actives et politiques passives de l'emploi

Politiques actives : elles ont pour fonction de rendre le marché du travail plus apte à créer des emplois, ou de rendre les chômeurs plus aptes à trouver un emploi.	• Dépenses de formation continue • Subventions versées aux entreprises en échange de l'embauche de certaines catégories de chômeurs (par exemple, les chômeurs de longue durée, les travailleurs handicapés) • Allègements de charges sociales afin de rendre les entreprises plus compétitives • Aides à la création d'entreprise • Création d'emplois publics • Assouplissement de la réglementation à l'embauche
Politiques passives : elles cherchent avant tout à accompagner financièrement les chômeurs, ou à réduire la population active.	• Accroissement de l'indemnisation des chômeurs • Financement des mesures de préretraite • Développement du travail à temps partiel • Allongement de la durée de la scolarité • Baisse du temps de travail

● Libéraliser le marché du travail ?

– Dans l'optique libérale, les politiques de l'emploi ont pour objectif de flexibiliser le marché du travail. Cela passe par une limitation des réglementations qui entravent la liberté d'action des agents économiques, symbolisées par le Code du travail. Il s'agit également de permettre aux entreprises d'embaucher ou de licencier plus librement. Ce sont des politiques de l'offre, qui avancent que le niveau de l'emploi se détermine sur le marché du travail.
– À l'inverse, les keynésiens mettent l'accent sur les politiques publiques de relance de la demande. Si la demande augmente, les entreprises accroissent leur volume de production, ce qui les incite à embaucher. Selon cette approche, le niveau de l'emploi se détermine sur le marché des biens et des services.

LA RÉDUCTION DU TEMPS DE TRAVAIL

■■ La RTT permet de créer des emplois

• Pour les partisans de la RTT, l'économie est comme un gâteau que se partagent les différents agents économiques. Il existe ainsi un gâteau équivalent au nombre d'heures de travail nécessaire pour réaliser la production globale. Si l'on partage ce gâteau en tranches de 39 heures, certains actifs ne trouvent pas d'emplois. Il existe alors un « partage du travail » entre ceux qui ont un emploi, et ceux qui n'en ont pas.

• Si l'on décide de découper le gâteau en parts plus petites, par exemple en parts de 35 heures, alors une partie du gâteau devient disponible pour certains chômeurs, qui peuvent à présent trouver un emploi. La RTT permet alors de créer des emplois en partageant le travail existant.

• De plus, la RTT, en donnant du temps libre aux agents économiques, leur donne du temps pour consommer, ce qui devrait entraîner une hausse de la production, et donc générer des emplois.

• L'INSEE estime d'ailleurs que les lois Aubry sur les 35 heures auraient créé entre 350 000 et 400 000 emplois.

■■ Les limites de la RTT

• Si l'on réduit le temps de travail sans réduire les salaires, le coût horaire du travail augmente. Or, une hausse du coût du travail a pour conséquence une hausse des prix, une baisse de la compétitivité-prix, donc une diminution des exportations, qui entraîne une réduction de la production et une augmentation du chômage. On entre ensuite dans un cercle vicieux, où la baisse du pouvoir d'achat et des profits entraîne un tassement de la consommation et de l'investissement, et peut amener à terme les entre-prises à délocaliser leur activité vers des pays où le coût du travail est moindre.

• La RTT est difficile à mettre en place dans les petites entreprises où, lorsque le temps de travail d'un salarié spécifique est réduit, on ne peut embaucher un autre salarié pour seulement quelques heures par semaine.

• Les emplois « libérés » par la RTT ne correspondront pas forcément aux qualifications des chômeurs.

• Bien souvent, la RTT permet aux entreprises en difficultés d'éviter les licenciements en contrepartie d'une diminution (ou d'un gel) des salaires acceptée par les salariés.

■■ RTT et productivité

• Le débat sur la RTT porte en fait sur le lien emploi/productivité. En effet, la RTT est l'une des affectations possibles des gains de productivité. Lorsque la productivité augmente de 10 %, cela signifie que, pour réaliser la même production, le nombre d'heures de travail nécessaire est réduit de 10 %. Dans ces conditions, l'entreprise peut licencier 10 % de ses salariés, mais elle peut aussi réduire leur temps de travail de 10 % sans baisser leur salaire. Le coût horaire du travail restera alors identique, et il n'y aura pas de destruction d'emplois.

• Tout l'enjeu de la loi sur les 35 heures est alors de permettre aux entreprises, en réorganisant leur production grâce par exemple à l'annuali-sation du temps de travail, d'accroître leur productivité.

• Si les gains de productivité générés par la réorganisation du travail sont inférieurs à la RTT (par exemple : hausse de la productivité de 7 % et RTT de 11 %), alors il y aura création globale d'emplois avec une petite hausse du coût du travail, qui pourra être annulée grâce à des subventions ou à un gel des salaires sur plusieurs années.

FONDEMENTS DE L'ÉCONOMIE

FONCTIONS ÉCONOMIQUES

FINANCEMENT DE L'ÉCONOMIE

LA RÉGULATION

LA MONDIALISATION

L'ENTREPRISE

Les limites financières de l'intervention publique

L'intervention publique a un coût important. Depuis le début des années 1970, les pouvoirs publics sont confrontés à des difficultés importantes pour la financer. Les causes de ces difficultés sont multiples, et les différentes mesures jusqu'alors prises pour tenter de réduire les déficits publics se sont globalement soldées par des échecs.

● Des déficits publics et une dette publique en hausse

Depuis le début des années 1970, les administrations publiques connaissent un déficit budgétaire permanent, les dépenses étant structurellement supérieures aux recettes. Ces déficits récurrents sont financés par emprunts. La somme de ces emprunts non encore remboursés forme la dette publique, qui croît de manière régulière elle aussi.

● Les origines de ces difficultés financières

– *L'évolution démographique* explique les déficits des administrations de sécurité sociale. En effet, le vieillissement de la population entraîne l'augmentation des dépenses liées au financement des retraites et des dépenses de santé.

– *La faible croissance économique* : les pouvoirs publics élaborent leur budget avec un an d'avance. Ils doivent donc anticiper le montant des dépenses et des recettes publiques pour l'année à venir. Si la croissance anticipée est forte, l'augmentation attendue des recettes fiscales sera élevée. Si, en réalité, la croissance est moins élevée que prévue, alors les recettes fiscales seront inférieures, le chômage augmentera, ce qui automatiquement élèvera les dépenses sociales… et donc le déficit public.

– *L'évolution des besoins* : avant l'émergence de l'État-providence, les conséquences liées aux aléas de l'existence (maladies, accidents du travail, chômage…) étaient entièrement supportées par les individus eux-mêmes. L'État-providence s'est en partie constitué pour prendre en charge, autant que possible, les conséquences de ces aléas par la mise en place de systèmes de solidarité qu'il faut financer.

● Les conséquences économiques et politiques

– Des charges financières croissantes : le remboursement des intérêts de la dette publique représente le deuxième poste des dépenses de l'État, ce qui réduit les marges de manœuvre des politiques publiques.

– Un *effet boule de neige* : si l'État n'est pas en mesure de rembourser ses emprunts antérieurs, il devra de nouveau emprunter… uniquement pour assurer le service de sa dette. On entre alors dans un cercle vicieux de l'emprunt, qui s'auto-entretient.

– Un *effet d'éviction* : l'État, en empruntant sur les marchés financiers pour financer son déficit, réduit l'épargne disponible pour l'investissement des entreprises. Ces dernières sont donc en partie « évincées » des marchés financiers, ce qui réduit à terme la croissance économique.

– Le non respect des engagements européens : dans le cadre de la zone euro, les pays membres, sous peine de sanctions financières, se sont engagés, en signant le *Pacte de stabilité et de croissance*, à connaître un déficit public inférieur à 3 % du PIB, et une dette publique inférieure à 60 % du PIB.

LA SITUATION DES FINANCES PUBLIQUES

◼ Des déficits croissants

Solde du budget de l'État

en millions d'euros	2007	2008	Niveau à la fin juin		
			2007	2008	2009
Solde du budget général	– 38,190	– 56,990	– 14,911	– 17,330	– 63,232
Dépenses	337,413	348,111	166,922	173,462	180,554
Recettes	299,223	291,121	152,011	156,132	117,322
Solde des comptes spéciaux	*– 213*	*403*	*– 15,638*	*– 15,484*	*– 23,359*
dont avances aux collectivités territoriales	*– 453*	*– 458*	*– 14,500*	*– 15,275*	*– 17,476*
Solde général d'exécution	**– 38,403**	**– 56,587**	**– 30,549**	**– 32,814**	**– 86,591**

p : prévisions

Source : Ministère du Budget, des comptes publics et de la réforme de l'État, 2009.

• Le déficit de l'État se mesure à partir du solde du budget de l'État, qui est égal à la différence entre les dépenses annuelles et les recettes annuelles de l'État.
• Le déficit public, lui, est égal à la somme des déficits des administrations publiques, c'est-à-dire de l'État, de la Sécurité sociale et des collectivités locales ; il représente 3,7 % du PIB en 2004. Le déficit est financé grâce à des emprunts réalisés sur les marchés financiers.
• Les comptes de la Sécurité sociale sont globalement déficitaires depuis près de 20 ans, malgré une embellie au début des années 2000. Il est à noter que les dépenses des organismes de sécurité sociale sont supérieures à celles de l'État ; en 2002, elles s'élevaient à 443 milliards d'euros, contre 280 milliards pour les dépenses de l'État. En 2003, le régime général de la branche maladie était déficitaire de 11,1 milliards d'euros.

◼ L'évolution de la dette publique

• La dette publique est égale à la somme des remboursements des emprunts effectués (y compris les intérêts afférents) par l'ensemble des administrations publiques.
Fin 2009, la dette publique a atteint 1 457 milliards d'euros (près de 75,8 % de la richesse produite par la France cette année-là), c'est-à-dire plus de 24 000 € par Français.
En 2007, la charge des intérêts de cette dette représente 11 % du budget, soit 47 milliards d'euros contre 6 % en 1984. À titre de comparaison, cette somme représente environ 75 % des recettes de l'impôt sur le revenu.
• Le ratio dette publique/PIB a fortement augmenté depuis les années 1980, ce pour deux raisons :

– la diminution des taux de croissance : lorsque le déficit public est élevé, le ratio dette publique/ PIB n'augmente pas si la croissance du PIB est elle aussi élevée. Par contre, à déficit identique, une faible croissance entraînera automatiquement une augmentation du ratio ;
– l'augmentation des taux d'intérêts réels : le taux d'intérêt réel est égal à :

taux d'intérêt nominal – taux d'inflation

Comme les taux d'inflation ont fortement décru dans les années 1990 du fait de la mise en place des politiques de désinflation compétitive, les taux d'intérêts réels ont augmenté, ce qui a automatiquement accru le montant réel des intérêts à payer.

FONDEMENTS DE L'ÉCONOMIE

FONCTIONS ÉCONOMIQUES

FINANCEMENT DE L'ÉCONOMIE

LA RÉGULATION

LA MONDIALISATION

L'ENTREPRISE

La crise de la protection sociale

Les organismes de sécurité sociale connaissent des déséquilibres financiers profonds. Mais la crise de la protection sociale va plus loin qu'une simple crise financière : comme le souligne Pierre Rosanvallon dans *La crise de l'État-providence*, c'est aussi une crise d'efficacité et une crise de légitimité.

● Une crise de financement

– Le « trou de la sécu » apparaît dans les années 1990. Si les budgets relatifs à la vieillesse et à la famille restent globalement équilibrés, malgré des perspectives très inquiétantes pour la vieillesse, ce sont ceux relatifs à l'indemnisation des chômeurs, et surtout à l'assurance maladie (déficit de 11 milliards d'euros en 2003) qui « dérapent ».
– L'évolution démographique, avec le vieillissement de la population, est l'une des principales causes de cette crise de financement. Ce vieillissement entraîne en effet l'accroissement automatique des dépenses de santé et celles liées au financement des retraites.

● Une crise de légitimité

La protection sociale est l'une des composantes de l'État-providence. Son développement est lié au maintien de la cohésion sociale, fondé sur un principe de solidarité collective. Or, aujourd'hui c'est ce principe même qui est remis en cause.
– L'une des fonctions de la protection sociale est de réduire les inégalités. Or, dans une approche libérale, les inégalités favorisent la compétition entre les agents économiques et les poussent donc à « donner le meilleur d'eux-mêmes » ; elles rendent le système économique et social plus efficace. Les mesures prises par la protection sociale seraient donc inutiles, voire négatives, car elles pousseraient les personnes concernées à devenir des assistés. D'autres analyses jugent au contraire les mesures prises insuffisantes par rapport aux objectifs visés.
– La protection sociale est un système « abstrait » : les individus ne font pas le rapport entre ce qu'ils payent (les cotisations sociales) et ce qu'ils reçoivent (les prestations). Ils ont l'impression de payer toujours plus sans compensation, sans s'apercevoir que ces cotisations sont à l'origine de leurs prestations, d'où un sentiment d'injustice. De plus, comme les prestations reçues leur semblent un « dû », ils en abusent (comportement de « passager clandestin »), sans s'apercevoir que cela induira nécessairement une hausse future des cotisations.
– La montée de l'individualisme est l'une des principales causes de cette crise de légitimité, car elle tend à remettre en question les justifications à l'existence d'un système de solidarité entre les individus.

● Une crise d'efficacité

Les interventions de la sécurité sociale sont parfois jugées inefficaces : malgré les dispositions mises en place, le chômage, l'exclusion persistent, les inégalités s'aggravent. De plus, la bureaucratie réduit l'efficacité des mesures prises (formalités de plus en plus complexes) et les prélèvements sociaux sont peu progressifs.
Par ailleurs, la mondialisation économique, avec des entreprises attirées par les coûts salariaux plus faibles (du fait en particulier de l'absence de charges sociales) des pays du Sud, remet en question l'efficacité des systèmes de protection sociale existants.

LE FINANCEMENT DES RETRAITES

■■ Un système par répartition

Le système de retraite français est fondé sur l'existence d'une solidarité intergénérationnelle. À chaque période, les pensions de retraite reçues par les retraités sont directement financées par les cotisations sociales prélevées sur les revenus des actifs. Ce sont les générations d'actifs occupés qui financent, par leurs cotisations, les revenus des retraités. Ce système a pour principal avantage de permettre aux travailleurs, quel que soit le montant de leurs revenus durant leur vie active, de pouvoir prétendre à une retraite, même si durant leur vie professionnelle ils n'ont pas eu les moyens de se constituer une épargne.

■■ L'évolution démographique à l'origine de la crise

Évolution du nombre de cotisants par retraité

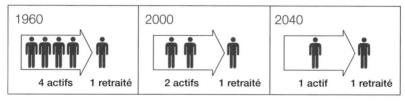

Source : Conseil d'Orientation des Retraités (COR).

Plus le nombre d'actifs par retraité diminue, plus le financement des retraites va devenir problématique : en effet, il faudra soit augmenter le montant des cotisations payées par les actifs, soit réduire le montant des retraites versées.

■■ La réforme mise en place en France en 2003

• Face à des perspectives de déséquilibres financiers croissants du système des retraites, le gouvernement a mis en place une réforme de ce système en 2003. L'objectif premier était de ne pas augmenter le montant des cotisations sociales, pour ne pas réduire le pouvoir d'achat des actifs et pour ne pas pénaliser les entreprises nationales face aux concurrents étrangers.

• La principale mesure a été d'allonger le temps de vie active nécessaire pour pouvoir toucher une retraite à taux plein : avant la réforme, la durée de cotisation était de 37,5 ans dans le public et de 40 ans dans le privé ; d'ici 2012, la durée sera progressivement portée à 41 ans pour tous. Elle augmentera ensuite en fonction de l'évolution de l'espérance de vie. En 2020, elle sera de 42 ans.

• L'âge de départ possible en retraite est toujours fixé à 60 ans (sous réserve d'avoir cotisé le nombre d'annuités nécessaires). Sous certaines conditions, les salariés ayant commencé à travailler à l'âge de 14 ans ou de 15 ans pourront dorénavant partir en retraite avant l'âge de 60 ans.

• Une surcote a été mise en place : les salariés qui travailleront au-delà de 60 ans et du nombre d'années nécessaires à l'obtention d'une retraite à taux plein bénéficieront d'une majoration de leur pension de 3 % par année supplémentaire travaillée.

• Enfin, il est dorénavant possible de « racheter » l'équivalent de trois années d'études, qui compteront alors comme des années de cotisation.

FONDEMENTS DE L'ÉCONOMIE

FONCTIONS ÉCONOMIQUES

FINANCEMENT DE L'ÉCONOMIE

LA RÉGULATION

LA MONDIALISATION

L'ENTREPRISE

Une intervention publique inefficace ?

Les Trente Glorieuses ont été marquées par un interventionnisme public croissant, lequel a ensuite été remis en cause à partir du milieu des années 1970. La légitimité même des politiques économiques et sociales est alors posée par les économistes libéraux, qui voient dans l'État un perturbateur de l'équilibre naturel du marché.

● Des politiques inadaptées et néfastes

– « *Trop d'impôts tue l'impôt* » : si les impôts sont indispensables pour permettre à l'État de remplir ses fonctions de base (justice, police, infrastructures…), un taux d'imposition trop élevé aurait, selon les libéraux, un impact néfaste sur la croissance : les agents économiques ne sont pas incités à travailler plus, car une part importante de leurs revenus est prélevée par l'État. Ils risquent par ailleurs de partir travailler à l'étranger pour échapper aux impôts (voir ci-contre). En 2004, les prélèvements obligatoires représentent près de 44 % du PIB en France.

– *Le développement de l'assistanat* : des politiques sociales trop marquées développent un « assistanat » trop important, qui n'incite pas les chômeurs à rechercher un emploi. C'est la théorie de la « trappe à inactivité » : lorsque le surcroît de rémunération consécutif à la reprise d'un emploi est faible par rapport aux revenus reçus sans travailler (RMI ou allocations chômage), les agents économiques peuvent choisir de ne pas travailler.

– *La contrainte extérieure* : dans une économie de plus en plus ouverte sur l'extérieur, des entreprises nationales supportant des charges sociales et des impôts élevés, ainsi qu'une législation rigoureuse limitant leurs marges de manœuvre, peuvent perdre en compétitivité.

– *Une pauvreté toujours importante* : les politiques sociales n'ont pas rempli leur objectif, puisque l'extrême pauvreté existe toujours. Ainsi, au début du XXIe siècle, en France, le taux de pauvreté est encore de plus de 6,5 % (il se calcule en comptabilisant la part des ménages qui ont un revenu après impôt inférieur à 50 % du revenu médian).

● Un secteur public en manque d'efficacité et en recul

Selon certains économistes, le secteur public serait moins efficace que le secteur privé. En effet, l'absence de concurrence n'incite pas à chercher à répondre au mieux aux besoins du public. Le secteur public proposerait donc un service inadapté et peu innovant.

L'Union européenne a adopté cette approche libérale de l'économie, selon laquelle la concurrence accroît le choix des consommateurs et entraîne tendanciellement une diminution des prix. Suivant cette logique, un grand nombre d'entreprises publiques ont été privatisées depuis le milieu des années 1980 (voir p. 134).

● Intérêt collectif… ou personnel ?

Selon l'école du *public choice* (Tullock et Buchanan) les dirigeants ne visent pas, par leur action, l'intérêt public, mais uniquement leur réélection. Ils n'auront donc pour seul objectif que le bien-être de leurs seuls électeurs ou de certains des lobbies les soutenant, même si cela ne correspond pas à l'intérêt général.

LA COURBE DE LAFFER

◼ « Trop d'impôts tue l'impôt »

L'objectif de Laffer est de montrer qu'il existe un lien entre le taux d'imposition et le montant des recettes fiscales, qui prend la forme d'une courbe en U inversée.

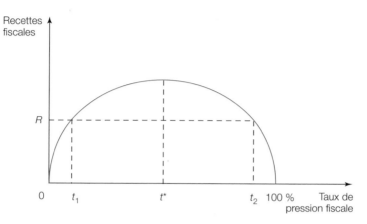

• Jusqu'à un certain taux t^*, toute augmentation du taux d'imposition a pour conséquence une hausse des recettes fiscales. En effet, sur la première partie de la courbe, les taux d'imposition sont faibles, ce qui fait qu'une augmentation du taux n'est alors pas suffisante pour décourager les agents économiques à travailler.
• Par contre, passé ce taux t^*, les recettes fiscales diminuent pour deux raisons :
– l'augmentation des taux a des effets désincitatifs sur le travail, l'épargne et l'investissement ce qui entraîne une baisse du volume de production (pourquoi travailler si la majeure partie des fruits de notre travail est prélevée par l'État ?) et donc des richesses créées ;
– elle suscite également des comportements d'évasion (départ à l'étranger) ou de fraudes fiscales.
• Les deux points extrêmes s'expliquent ainsi : si le taux d'imposition est nul, les recettes fiscales sont nulles ; s'il est égal à 100 %, plus personne ne veut travailler, car l'intégralité sera prélevée par l'État. Dès lors, l'activité économique est nulle, et les recettes fiscales aussi. Ainsi, si l'État souhaite un montant donné de recettes fiscales nécessaire R, il a le choix entre deux taux d'imposition t_1 et t_2. Selon Laffer, l'État doit choisir celui qui est le plus faible, car c'est celui qui engendrera le niveau d'activité le plus important.
Cette courbe a inspiré les politiques libérales de baisse d'impôts des années 1980 et 1990, en particulier dans les pays anglo-saxons.

◼ Les limites de la théorie de Laffer

• Aucune étude empirique n'est jamais venue justifier cette courbe. Il est en effet difficile de la tester dans la réalité.
• De plus, cette théorie sous-entend que la seule motivation des individus à travailler est le revenu. Or, il existe d'autres facteurs de motivation (recherche d'une considération sociale, passion pour un métier, etc.).

FONDEMENTS DE L'ÉCONOMIE

FONCTIONS ÉCONOMIQUES

FINANCEMENT DE L'ÉCONOMIE

LA RÉGULATION

LA MONDIALISATION

L'ENTREPRISE

Les crises économiques

L'histoire économique n'est pas linéaire : elle est traversée de périodes de croissance économique, mais aussi de crises. Les crises sont des points de retournement dans un cycle économique, qui interrompent les périodes d'expansion. Elles sont multiples : en fonction des périodes considérées, leurs causes et leurs conséquences peuvent varier.

La typologie traditionnelle des crises

– Les « crises d'Ancien Régime » sont des crises d'origines agricoles, dues à des raisons climatiques. La diminution de l'offre de produits agricoles induit l'augmentation de leur prix, ce qui réduit le pouvoir d'achat des consommateurs. Non seulement leur consommation de produits agricoles va diminuer, mais aussi celle des produits artisanaux et industriels.

– Les crises « modernes » sont des crises de surproduction, au contraire des crises d'Ancien Régime, qui sont des crises de pénurie. Elles proviennent d'un manque de demande, et non d'un manque d'offre.

Les principales crises du XXᵉ siècle

Les deux principales crises du XXᵉ siècle sortent du schéma traditionnel : elles ne rentrent dans aucune des deux catégories identifiées ci-dessus.

– La crise de 1929 a pour origine le krach boursier du « jeudi noir » (24/10/1929), qui s'est accompagné d'une dépression économique (baisse de la production en volume), d'une déflation (baisse des prix), d'une contraction du commerce international et d'un chômage massif.

– La crise de 1974 est bien différente : elle a pour déclencheur la crise pétrolière et la hausse des prix du pétrole, ce qui a entraîné une inflation forte, et un ralentissement de la croissance… et non une dépression. Si le chômage a augmenté, le commerce international a continué à croître. C'est donc une crise atypique.

Les causes des crises

Deux grands types de causes sont généralement identifiés : les causes exogènes, qui sont extérieures à la sphère économique (exemple : un aléa climatique), et les causes endogènes, qui résultent du comportement même des agents économiques.

– Pour les économistes *néo-classiques*, les crises ont deux origines possibles : soit des causes exogènes – mais alors la crise ne sera que temporaire, le système économique retournant rapidement à l'équilibre –, soit des causes endogènes, telles que l'interventionnisme étatique, l'État étant un « perturbateur d'équilibre ».

– Pour les *marxistes*, les crises sont endogènes : elles sont inhérentes au capitalisme, liées à la recherche de profit par les capitalistes (voir p. 10).

– Pour les *keynésiens*, les crises proviennent d'une insuffisance de la demande effective, et donc d'une insuffisante intervention de l'État pour réguler le système économique (voir p. 8).

– Pour les économistes de *l'École de la régulation* (Boyer, Aglietta), chaque période de l'histoire du capitalisme est marquée par l'existence d'un régime d'accumulation particulier, qui amène des régimes institutionnels particuliers pour en assurer la régulation. Lorsque ces régimes institutionnels ne remplissent plus leur rôle, il y a l'apparition d'une crise. Selon eux, la crise de 1974 est la crise du système de régulation fordiste, qui s'appuyait sur l'intervention de l'État-providence.

LES CYCLES ÉCONOMIQUES

Les cycles sont des mouvements de l'activité économique, alternés, récurrents d'amplitude et de périodicité régulière. Trois types de cycles ont été observés et étudiés.

Les cycles longs

• Nicolaï Kondratieff est le premier auteur à avoir empiriquement observé l'existence de cycles économiques d'une durée de 50 à 60 ans, à partir d'une étude réalisée sur quatre pays (France, EU, GB, Allemagne) sur la période 1770-1920.

Selon lui, un cycle comprend deux phases :
– une phase A d'expansion (20-25 ans) marquée par une hausse des prix et du volume de la production ;
– une phase B de dépression (20-25 ans), où l'on assiste à une évolution inverse.

• Il a identifié trois cycles aux XIXe et XXe siècle : 1790-1849 ; 1849-1896 ; et 1896-1945.

• Kondratieff a réalisé un constat, sans donner d'explication. Selon Schumpeter, le début des phases A coïncide avec l'apparition d'une « grappe » d'innovations majeures, qui viennent révolutionner le système économique (chemin de fer, électricité, informatique…) et permettre donc une croissance économique forte.

• De 1945 à 1974, on assiste bien à une croissance économique forte et à une augmentation des prix, ce qui correspond à une phase A d'un quatrième cycle. Après 1974, cependant, les prix et le volume de production ne diminuent pas ; au contraire, l'inflation est forte, et, si la croissance est faible, elle n'est pas négative… Cette phase n'est donc pas une phase B, mais la rupture du trend de la croissance est quand même réelle. Certains économistes ont donc estimé que la nature des phases avait changé, mais que l'existence même des cycles longs n'était pas remise en question.

Suivant la chronologie, un cinquième cycle aurait donc dû commencer dans la seconde moitié des années 1990, ce qui est corroboré par les taux de croissance durant cette période.

Les autres cycles

• D'autres économistes ont identifié des cycles de plus courte durée :
– les cycles d'affaires ou cycles majeurs, d'une dizaine d'année, découverts par Juglar vers 1860. Ils sont liés aux variations de l'activité industrielle.
– Les cycles mineurs de Kitchin, d'une durée d'environ trois ans, liés à l'évolution des stocks.

• Ces différents cycles s'intègrent les uns aux autres, comme le montre le schéma ci-dessous :

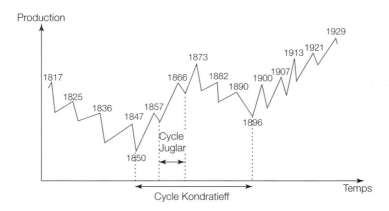

FONDEMENTS DE L'ÉCONOMIE

FONCTIONS ÉCONOMIQUES

FINANCEMENT DE L'ÉCONOMIE

LA RÉGULATION

LA MONDIALISATION

L'ENTREPRISE

Un chômage de masse

Le chômage est né avec l'apparition du salariat. Mais jusqu'aux débuts des années 1970, c'est un phénomène relativement marginal, qui semble pouvoir être combattu efficacement. Depuis, le chômage est devenu un phénomène de masse, qui prend des formes différentes et touche inégalement la population.

Les différents types de chômage

Chômage conjoncturel	Il résulte d'un ralentissement temporaire de la croissance.
Chômage structurel	Il touche les actifs dont les qualifications ne correspondent plus à celles recherchées par les entreprises.
Chômage frictionnel	Il est lié aux délais d'ajustement de la main-d'œuvre, d'un emploi à l'autre.
Chômage technique	Il est dû à une interruption de la production à la suite de panne, de grève, de pénurie.
Chômage technologique	Il est lié à la substitution de capital au travail (remplacement des salariés par des machines).
Chômage d'insertion	Il concerne les jeunes ayant achevé leurs études qui entrent sur le marché du travail.
Chômage d'exclusion	Il frappe les personnes ayant de grandes difficultés à (re)trouver un emploi, généralement souffrant de handicaps sociaux (absence de diplômes, analphabétisme, habitat dans un quartier réputé « difficile »...).
Chômage de longue durée	Chômage dont la durée excède 1 an.

L'évolution du chômage

L'apparition du chômage est un phénomène historiquement daté, qui coïncide avec la montée en puissance du salariat.
– En France, avant 1974, le taux de chômage [(nombre de chômeurs/population active) × 100] était extrêmement faible, aux alentours de 2 %. En 1974, on comptait 450 000 chômeurs.
– De 1975 au milieu des années 1990, le nombre de chômeurs a fortement augmenté dans le pays pour atteindre plus de 3 millions en 1997 (taux de chômage de 12,3 %).
– Ensuite, le chômage a amorcé une décrue pour atteindre un taux inférieur à 9 % en 2001. Depuis, et particulièrement depuis 2008, le chômage est reparti à la hausse : il y avait, en janvier 2010, environ 2,6 millions de chômeurs, soit un taux égal à environ 10 % de la population active.

Les inégalités face au chômage

– Par âge et par sexe : au 2e trimestre 2009, le taux de chômage des hommes est de 8,8 %, contre 9,4 % pour les femmes ; celui des 15-24 ans de 29,9 %, contre 6,0 % pour les 50 ans et plus.
– En fonction du diplôme : plus le niveau de diplôme s'élève, plus le risque de chômage diminue. Toutefois, l'élévation du niveau de diplôme accroît le risque de surqualification.
– Selon la nationalité : les travailleurs étrangers (ou les Français d'origine étrangère) sont plus touchés par le chômage que le reste de la population active.

COMMENT COMPTABILISER LES CHÔMEURS ?

■ Le chômage au sens du BIT

Adoptée en 1982, la définition du BIT (Bureau international du travail) constitue une norme statistique commune et permet de procéder à des comparaisons internationales. Selon cette définition, un chômeur est une personne en âge de travailler (15 ans ou plus) qui répond simultanément à trois conditions :

– être sans emploi, c'est-à-dire ne pas avoir travaillé, ne serait-ce qu'une heure, durant une semaine de référence ;

– être disponible pour prendre un emploi dans les 15 jours ;

– chercher activement un emploi ou en avoir trouvé un qui commence ultérieurement.

Cette définition est retenue par l'INSEE pour déterminer les Personnes Sans Emploi à la Recherche d'un Emploi (PSERE).

■ Le chômage au sens de Pôle emploi

Selon Pôle emploi, organisme issu de la fusion ANPE – Assedic, les demandeurs d'emploi sont les personnes inscrites à Pôle emploi qui sont sans emploi, disponibles pour travailler et à la recherche active d'un emploi.

Depuis février 2009, les données sur les demandeurs d'emploi sont présentées par Pôle emploi selon de nouveaux regroupements statistiques (catégories A, B, C, D, E – cf. tableau suivant).

La répartition entre les diverses catégories s'effectue sur la base de règles juridiques portant notamment sur l'obligation de faire des actes positifs de recherche d'emploi et d'être immédiatement disponible. L'exercice d'une activité réduite est autorisé.

catégorie A	Demandeurs d'emploi tenus de faire des actes positifs de recherche d'emploi, sans emploi
catégorie B	Demandeurs d'emploi tenus de faire des actes positifs de recherche d'emploi, ayant exercé une activité réduite courte (78 heures ou moins au cours du mois)
catégorie C	Demandeurs d'emploi tenus de faire des actes positifs de recherche d'emploi, ayant exercé une activité réduite longue (plus de 78 heures au cours du mois)
catégorie D	Demandeurs d'emploi non tenus de faire des actes positifs de recherche d'emploi (en raison d'un stage, d'une formation, d'une maladie…), sans emploi
catégorie E	Demandeurs d'emploi non tenus de faire des actes positifs de recherche d'emploi, en emploi (par exemple : bénéficiaires de contrats aidés).

■ Les difficultés des mesures

• Les deux définitions du chômage du BIT et de l'ANPE ne coïncident pas, ce qui est source de polémiques. Les chiffres obtenus ne sont pas homogènes. Par exemple, une personne travaillant quatre heures dans la semaine peut être considérée comme étant au chômage selon les critères de l'ANPE, mais pas selon ceux du BIT. Par ailleurs, certains individus renoncent par découragement à rechercher activement un emploi, et ne sont donc plus considérés comme chômeurs, alors même qu'ils souhaiteraient travailler.

• Il apparaît alors un *halo du chômage*, qui concerne toutes les personnes qui ne sont pas officiellement comptabilisées comme chômeurs, mais qui sont pourtant dans une situation effective de chômage.

FONDEMENTS DE L'ÉCONOMIE

FONCTIONS ÉCONOMIQUES

FINANCEMENT DE L'ÉCONOMIE

LA RÉGULATION

LA MONDIALISATION

L'ENTREPRISE

La mesure des échanges internationaux

La balance des paiements est un document statistique qui recense l'ensemble des échanges de toute nature entre les résidents et les non-résidents. Elle permet de mettre en évidence les soldes relatifs aux échanges extérieurs, très utiles pour analyser la situation économique d'un pays par rapport au reste du monde.

● La balance des paiements

Les échanges recensés dans la balance des paiements sont regroupés en trois comptes selon leur nature.
– Le *compte des transactions courantes* enregistre : les échanges de *biens* (opérations sur marchandises franchissant la frontière française, au sens fiscal) ; les échanges de *services* (transports, voyages, assurances, services financiers…) ; les échanges de *revenus* (rémunérations des salariés, revenus des investissements…) ; les *transferts courants*, qui constituent la contrepartie de biens et services fournis ou reçus sans contrepartie, ainsi que les dons monétaires.
– Le *compte de capital* répertorie : les *transferts en capital* (remises de dettes, aides à l'investissement des fonds structurels européens, transferts des migrants…) et les *acquisitions d'actifs non financiers* comme l'achat ou la vente de brevets.
– Le *compte financier* comptabilise : les *flux financiers* qui incluent les investissements directs, les investissements de portefeuille, les produits financiers dérivés, etc. et les *avoirs de réserve* (or, avoirs en droits de tirage spéciaux, position nette de réserve au FMI, devises étrangères).

● Les soldes extérieurs

La balance des paiements est toujours « équilibrée » au sens comptable du terme : une opération donne toujours lieu à deux inscriptions comptables (l'une au crédit, l'autre au débit). Par exemple, une exportation de biens se traduit par l'inscription d'un chiffre positif au crédit du compte des transactions courantes, et par un montant équivalent au débit du compte financier. La somme des crédits est donc égale à celle des débits.
Certains soldes extérieurs sont particulièrement significatifs.
– Le *solde de la balance commerciale* : au sens strict, il correspond à la différence entre les exportations et les importations de biens. Ce solde est calculé FAB/FAB.
– Le *solde des échanges de biens et services* (ou *balance commerciale au sens large*) se mesure par la différence entre les exportations et les importations de biens et de services.
– Le *solde des transactions courantes* s'obtient en faisant la différence entre le débit et le crédit du compte des transactions courantes (biens, services, revenus et transferts courants).
– La *capacité ou le besoin de financement de la nation* : c'est la somme du solde des transactions courantes et du solde du compte de capital. Si cette somme est positive, le pays est en capacité de financement (c'est-à-dire qu'il dégage des ressources qui permettront de financer des opérations à l'extérieur), et inversement si le solde est négatif.
– Le *solde des flux financiers* recense les mouvements de capitaux entre la France et l'étranger (hors avoirs de réserves). Si ce solde est positif, il y a une entrée nette de capitaux dans le pays, et inversement s'il est négatif.

LA BALANCE DES PAIEMENTS

En millions d'euros	Crédit	Débit	Solde
1. Compte des transactions courantes			
1.1. Biens	**319 401**	**317 833**	**1 568**
1.1.1. Marchandises générales	310 653	308 529	2 124
1.1.2. Avitaillement	720	1 486	– 766
1.1.3. Travail à façon et réparations	8 028	7 818	210
1.2. Services	**87 658**	**74 614**	**13 044**
1.2.1. Transports	19 387	19 007	380
1.2.2. Voyages	32 349	20 713	11 636
1.2.3. Services de communication	2 297	1 837	460
1.2.4. Services de construction	2 477	1 192	1 285
1.2.5. Services d'assurances	1 949	2 289	– 340
1.2.6. Services financiers	948	1 698	– 750
1.2.7. Services d'informatique et d'information	1 111	1 095	16
1.2.8. Redevances et droits de licence	3 482	2 157	1 325
1.2.9. Autres services aux entreprises	21 299	21 603	– 304
1.2.10. Services personnels, culturels et récréatifs	1 652	2 069	– 417
1.2.11. Services des administrations publiques	707	954	– 247
1.3. Revenus	**78 338**	**71 418**	**6 920**
1.3.1. Rémunérations des salariés	9 682	1 525	8 157
1.3.2. Revenus des investissements	68 656	69 893	– 1 237
1.4. Transferts courants	**21 133**	**37 824**	**– 16 691**
1.4.1. Secteur des administrations publiques	13 294	24 393	– 11 099
1.4.2. Autres secteurs	7 839	13 431	– 5 592
1.4.2.1. Envois de fonds des travailleurs	417	2 639	– 2 222
1.4.2.2. Autres transferts	7 422	10 792	– 3 370
2. Compte de capital			
2.1. Transferts en capital	**1 668**	**9 295**	**– 7 627**
2.2. Acquisitions d'actifs non financiers (brevets)	**28**	**72**	**– 44**
3. Compte financier			
3.1. Investissements directs	**70 561**	**79 685**	**– 9 124**
3.1.1. Français à l'étranger	19 521	70 272	– 50 751
3.1.2. Étrangers en France	51 040	9 413	41 627
3.2. Investissements de portefeuille	**5 426 941**	**5 436 197**	**– 9 256**
3.2.1. Avoirs à l'étranger	3 602 858	3 733 528	– 130 670
3.2.1.1. Actions et titres d'OPCVM	674 727	701 225	– 26 498
3.2.1.2. Obligations et assimilés	2 146 991	2 225 009	– 78 018
3.2.1.3. Instruments du marché monétaire	781 140	807 294	– 26 154
3.2.2. Engagements envers l'étranger	1 824 083	1 702 669	121 414
3.2.1.1. Actions et titres d'OPCVM	518 627	504 335	14 292
3.2.2.2. Obligations et assimilés	685 419	582 846	102 573
3.2.2.3. Instruments du marché monétaire	620 037	615 488	4 549
3.3. Produits financiers dérivés	**---**	**6 068**	**– 6 068**
3.4. Autres investissements	**46 514**	**22 294**	**24 220**
3.4.1. Avoirs	746	18 796	– 18 050
3.4.1.1. Crédits commerciaux	...	597	– 597
3.4.1.2. Prêts	746	18 166	– 17 420
3.4.1.3. Autres avoirs	...	33	– 33
3.4.2. Engagements	45 768	3 498	42 270
3.4.2.1. Crédits commerciaux	...	2 996	– 2 996
3.4.2.2. Prêts	45 768	502	– 45 266
3.5. Avoirs de réserve	**...**	**2 171**	**– 2 171**
4. Erreurs et omissions nettes	**5 229**	**...**	**5 229**
5. Total général	**6 057 471**	**6 057 471**	**0**

Solde commercial : 1 568 millions d'euros

Solde des biens et services : 14 612 millions d'euros

Solde des transactions courantes : 4 841 millions d'euros

Capacité (+) ou besoin (–) de financement de la nation : – 2 830 millions d'euros

Solde des flux financiers hors avoirs de réserve : – 228 millions d'euros

D'après les données Banque de France.

FONDEMENTS DE L'ÉCONOMIE

FONCTIONS ÉCONOMIQUES

FINANCEMENT DE L'ÉCONOMIE

LA RÉGULATION

LA MONDIALISATION

L'ENTREPRISE

L'évolution du commerce international

Le commerce international était déjà important au XIXᵉ siècle, mais il a particulièrement prospéré depuis 1945, tant en volume qu'en valeur. Cette explosion des échanges s'est accompagnée d'une mutation dans la structure des produits échangés, et d'une modification des courants d'échanges.

L'explosion des échanges internationaux depuis 1945

– Les échanges internationaux ont connu un essor considérable depuis 1945, progressant plus vite que la production mondiale. Ainsi, entre 1950 et 1963, les échanges de marchandises ont augmenté chaque année en moyenne de près de 8 %, contre 5 % pour la production mondiale sur la même période. Le constat est identique sur les périodes suivantes, avec même un accroissement de l'écart sur la période 1990-2003 (voir ci-contre).
– Cette explosion des échanges est à mettre en parallèle avec la création de plusieurs organisations ou accords internationaux (GATT puis OMC, FMI, Banque mondiale…) qui ont créé un climat très favorable au développement des échanges (voir p. 108).

Des mutations dans la structure des échanges

– *Les échanges de biens* ont connu un essor très rapide qui s'est accompagné d'une transformation de la structure par produits. Au XIXᵉ siècle, on échangeait essentiellement des produits bruts (environ 2/3 du commerce mondial) : produits minéraux, énergétiques et agricoles. Mais après 1945, les produits manufacturés ont pris une place prépondérante : entre 1950 et 2002, leur part est passée de 40 à 78 % des exportations mondiales de biens.
– *Les échanges de services* se sont développés plus tardivement, mais ont connu un essor très rapide : ils représentent en 2004 près de 20 % des échanges internationaux (contre 15 % en 1980). Cependant, certains services restent difficilement exportables (services non marchands, services aux personnes), et constituent ce que l'on appelle le *« secteur abrité »* de la concurrence internationale. L'importance croissante des échanges de services fait qu'ils font désormais l'objet de négociations internationales (*Accord général sur le commerce des services :* AGCS, accord cadre signé en 1994 par les membres de l'OMC).

Les courants d'échanges

– La *tripolarisation des échanges* : le commerce mondial est aujourd'hui concentré autour de trois pôles essentiels qui réalisent environ 80 % des échanges de marchandises : l'Amérique du nord (13,7 %), l'Europe occidentale (43 %), et l'Asie (26 %).
– Le *commerce intra-zone* est particulièrement important : une partie non négligeable des échanges se fait à l'intérieur même de ces zones. Par exemple, le commerce entre les pays de l'Europe occidentale représente 67,7 % des exportations de cette zone. Il en est de même pour la zone Asie (environ 50 % de commerce intra-zone) ou pour l'Amérique du Nord (40 %). Ce commerce intra-zone est à relier à l'existence, dans la plupart des cas, d'une organisation « régionale » de libre-échange (Union européenne, ALENA, ASEAN…).
– Cette polarisation marginalise certaines zones, en particulier l'Afrique ou l'Amérique Latine qui ne réalisent respectivement que 2,4 et 5,2 % des exportations de marchandises en 2003.

LES CHIFFRES DU COMMERCE INTERNATIONAL

Les mutations quantitatives et qualitatives du commerce mondial

Commerce et production de marchandises dans le monde
(variations annuelles moyennes en volume en %)

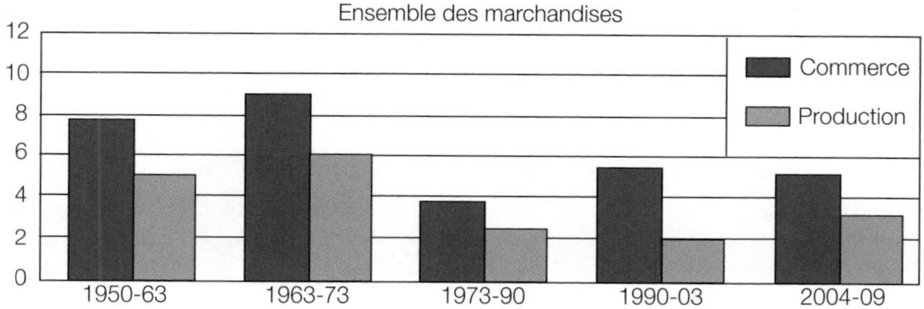

Source : OMC.

• Les échanges de marchandises ont progressé plus vite que la production de ces marchandises : par exemple, sur la période 1990-2003, les échanges de marchandises ont progressé chaque année de près de 6 % en moyenne, contre une augmentation annuelle moyenne de seulement 2 % pour la production de marchandises.

• Par ailleurs, on assiste progressivement à un remodelage de la structure des produits échangés : ainsi, les produits manufacturés représentent aujourd'hui plus des trois quarts des exportations de produits, alors que la part des produits agricoles est devenue inférieure à 10 % (ils représentaient pourtant près de la moitié des échanges de produits il y a un demi-siècle).

Le commerce mondial de marchandises par région

Commerce intrarégional et interrégional des marchandises, 2007
(en milliards de dollars et en pourcentages)

	Destination							
Origine	Amérique du Nord	Amérique du Sud et centrale	Europe	CEI	Afrique	Moyen-Orient	Asie	Monde
Valeur								
Monde	**2 517**	**451**	**5 956**	**397**	**355**	**483**	**3 294**	**13 619**
Amérique du Nord	951,2	130,7	328,7	12,4	27,3	50,1	352,1	1 853,5
Amérique du Sud et centrale	151,3	122,0	105,6	6,4	13,7	9,1	80,2	499,2
Europe	458,5	80,4	4 243,6	189,0	147,7	152,9	433,7	5 772,2
Communauté d'États indépendants (CEI)	23,6	6,3	287,5	103,2	6,9	16,2	59,6	510,3
Afrique	91,9	14,6	167,5	0,9	40,5	10,5	80,9	424,1
Moyen-Orient	83,9	4,4	108,3	4,8	27,5	93,4	397,3	759,9
Asie	756,4	92,3	714,6	79,8	91,4	150,4	1 889,8	3 799,7

Source : OMC.

FONDEMENTS DE L'ÉCONOMIE

FONCTIONS ÉCONOMIQUES

FINANCEMENT DE L'ÉCONOMIE

LA RÉGULATION

LA MONDIALISATION

L'ENTREPRISE

Les mouvements internationaux de capitaux

Parallèlement à l'essor des échanges de biens et de services, les flux internationaux de capitaux ont eux aussi connu une croissance extraordinaire. Ces mouvements de capitaux prennent des formes diverses, mais sont aujourd'hui particulièrement présents sous forme d'IDE (investissements directs à l'étranger).

Un essor considérable des mouvements de capitaux

Comme le montrent les comptes financiers de la balance des paiements (voir p. 103), les mouvements internationaux de capitaux constituent une part essentielle des échanges mondiaux.
– Les *investissements directs à l'étranger* (IDE) sont les flux de capitaux d'une entreprise vers une firme à l'étranger dont elle désire orienter la gestion.
– Les *investissements de portefeuille* correspondent à des acquisitions d'actifs dans une entreprise non-résidente, et ceci dans une logique financière (sans volonté de contrôle durable de cette entreprise).
– Les *prêts et crédits internationaux* sont du ressort du FMI et de la Banque mondiale notamment (voir p. 108).
– Les *avoirs de réserves* (en or, en devises…) sont destinés au financement des échanges extérieurs.
Ces mouvements de capitaux étaient de l'ordre de 65 milliards de dollars par an à la fin des années 1970, et de 1 600 milliards à la fin des années 1990, soit environ 25 fois plus en 20 ans.

La globalisation financière

Cet accroissement des mouvements de capitaux a été rendu possible par un processus de libéralisation quasi complète des échanges de capitaux depuis le début des années 1980, débouchant sur la création d'un marché mondial des capitaux très peu contrôlé. C'est la « *globalisation financière* », qui s'est réalisée suivant la « *règle des 3 D* » :
– *déréglementation* des mouvements de capitaux : il n'y a quasiment plus de contrôles, de réglementations, afin de favoriser une meilleure circulation internationale ;
– *décloisonnement des marchés* : les différents marchés de capitaux ne sont plus séparés les uns des autres et tous les acteurs peuvent intervenir sur tous les marchés ;
– *désintermédiation* : les entreprises ont un accès direct aux marchés des capitaux sans passer par les intermédiaires traditionnels que sont les banques.

L'explosion des IDE

– Les flux d'IDE peuvent revêtir plusieurs formes : implantation d'une unité de production à l'étranger ; acquisition d'au moins 10 % du capital d'une société étrangère déjà existante ; réinvestissement sur place des bénéfices réalisés par les entreprises sous contrôle ; opérations financières entre une maison mère et ses filiales à l'étranger (prêts, avance de fonds…).
– Depuis les années 1980, les flux d'IDE ont très fortement augmenté. Ils représentaient moins de 0,5 % du PIB mondial au début des années 1980, et ont atteint près de 5 % en 2000, avant le reflux observé en 2001. Aujourd'hui, les IDE sont, pour l'essentiel, *des investissements croisés* entre pays industrialisés : ceux-ci sont à la fois les investisseurs et les « investis » (les pays industrialisés sont à l'origine d'environ 90 % des IDE et en reçoivent plus de 70 %).

LES INVESTISSEMENTS DIRECTS À L'ÉTRANGER

■ Évolution des IDE depuis 1980

• Les investissements à l'étranger ont connu un fabuleux essor depuis les années 1980 : sur la période 1980-2002, le stock mondial d'IDE a ainsi été multiplié par plus de 12.

• Cet accroissement a été particulièrement important au cours des années 1990. Par contre, à partir de 2001 cet essor se ralentit puisqu'on constate un recul des *flux* d'IDE (– 40 % en 2001 et – 20 % en 2002).

• Si on ne raisonne plus en valeurs absolues, mais relatives, on constate aussi une forte progression de la part du *stock* mondial d'IDE, qui atteint, en 2007, 29 % du PIB mondial.

Stock mondial d'investissements directs à l'étranger

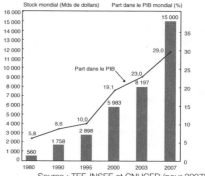

Source : TEF, INSEE et CNUCED (pour 2007).

■ Répartition géographique des IDE

Stocks d'IDE : principaux pays d'accueil et d'origine au 31/12/2002

	Entrées d'IDE		Sorties d'IDE	
	1995-2000 (moyenne annuelle)	2007	1995-2000 (moyenne annuelle)	2007
Pays développés	539,3	1 247,6	631	1 692,1
Europe	327,9	848,5	450,9	1 216,5
Japon	4,6	22,5	25,1	73,5
États-Unis	169,7	232,8	125,9	313,8
Autres pays développés	37,1	143,7	29,2	88,3
Pays en développement	188,3	499,7	74,4	253,1
Afrique	9,0	53,0	2,4	6,1
Amérique latine et caraïbes	72,9	126,3	21,1	52,3
Asie et Océanie	106,4	320,5	51,0	194,8
Europe du sud-est et CEI (pays en transition)	7,3	85,9	2,0	51,2
Monde	734,9	1 833,3	707,4	1 996,5
Part (en %) des pays développés dans les flux mondiaux d'IDE	73,4	68,1	89,2	84,8

Source : CNUCED, *World Investment Report 2008 : Transnational Corporations and the Infrastructure Challenge.*

• La répartition géographique des IDE est particulièrement inégalitaire. En effet, les pays développés (et *la Triade* en particulier) capitalisent l'essentiel des *stocks* d'IDE.

• Autour de la Triade, gravite un groupe de *pays émergents* (pour l'essentiel, des pays d'Asie orientale, d'Amérique Latine et d'Europe centrale et orientale) qui attirent de plus en plus d'IDE. Au sein de ce groupe, la Chine a réussi depuis les années 1990 à se « détacher » et

est devenue l'un des premiers pays d'accueil des *flux* d'IDE. Par ailleurs, d'autres pays (une cinquantaine de *PMA – pays les moins avancés*), en particuliers des pays africains, sont totalement délaissés par les investisseurs étrangers. Avec moins de 1 % du total mondial, leur stock d'IDE est dérisoire.

• Les dernières publications de l'OCDE montrent qu'en 2004, les IDE en direction des pays de l'OCDE ont continué de se replier.

FONDEMENTS DE L'ÉCONOMIE

FONCTIONS ÉCONOMIQUES

FINANCEMENT DE L'ÉCONOMIE

LA RÉGULATION

LA MONDIALISATION

L'ENTREPRISE

La régulation du commerce international

L'internationalisation des échanges s'est progressivement mise en place sous l'impulsion de pays choisissant volontairement de réduire leurs barrières aux échanges. Cette libéralisation a entraîné la création d'organismes de contrôle pour poser des règles et contrôler le comportement des agents économiques.

🌐 L'Organisation mondiale du commerce (OMC)

– L'*OMC* a été créée en avril 1994 par les accords de Marrakech, qui mettaient fin au GATT (*General Agreement on Tariffs and Trade*). Celui-ci, malgré un certain nombre de réussites, a en effet montré son incapacité à mener une réelle libéralisation des échanges dans tous les domaines. Entrée en fonction au premier janvier 1995, l'OMC a pour mission de libéraliser le commerce des biens et des services à l'échelle mondiale. Elle reprend tous les acquis réalisés dans le cadre du GATT, et cherche à étendre les accords de libéralisation des échanges à trois principaux domaines qui restent encore marqués par un fort protectionnisme : l'agriculture, les services et la propriété intellectuelle.

– Tout comme le GATT, l'OMC fonctionne par cycles de négociations, durant lesquels l'ensemble des pays membres se regroupe pour tenter de mettre en œuvre des mesures réciproques de libéralisation des échanges. Les dernières conférences de l'OMC, chargées de lancer de nouveaux cycles de négociation, se sont globalement soldées par des échecs (Seattle en 1999 et Cancun en 2003).

– L'OMC est actuellement confrontée à trois principaux défis : mieux intégrer les revendications des pays en développement ; prendre en compte les propositions de la société civile, et en particulier des ONG (organisations non gouvernementales) ; intégrer dans les négociations de nouveaux objectifs, tels que l'introduction du respect de normes sociales ou environnementales.

– L'OMC dispose d'un organe de règlement des différends (l'ORD), qui lui permet de sanctionner les pays ne respectant pas les accords passés.

🌐 Le Fonds monétaire international (FMI)

Le FMI a été créé en 1945 en vue de réguler le système monétaire international. Son principal rôle, surtout depuis le milieu des années 1970 et le passage à un système de changes flexibles (voir p. 118) est donc un rôle de « prêteur ». Il met à disposition des pays qui connaissent des déficits de leur balance des paiements courante les devises nécessaires. En échange de cette aide, il propose à ces pays la mise en place de plans d'ajustement structurel. Ces derniers visent à poser les conditions d'une disparition sur le long terme des déséquilibres financiers extérieurs de ces pays, *via* une libéralisation des économies, qui passe par une réduction du poids de l'intervention de l'État et par une ouverture aux échanges internationaux.

🌐 La Banque mondiale (BM)

La Banque Mondiale, créée en 1944, a pour objectif de lutter contre la pauvreté, principalement dans les pays en voie de développement, par des projets de développement ruraux, d'éducation, d'accès à l'eau, de santé, de développement urbain…

LE GATT (1947-1994)

◼ Création et fonctionnement du GATT

• Dès 1946, au lendemain de la Seconde Guerre mondiale, alors que la coopération économique internationale est considérée comme le meilleur garant du maintien de la paix, des négociations sont lancées pour amorcer la réduction des barrières douanières. Elles déboucheront sur un simple accord, l'Accord général sur les tarifs douaniers et le commerce ou GATT (*General Agreement on Tariffs and Trade*), signé en octobre 1947 par vingt-trois pays. Le GATT, qui n'aura jamais le statut d'organisation internationale, est simplement un cadre de négociation dans lequel les pays se rencontrent afin de mettre mutuellement en œuvre des mesures de libéralisation des échanges.

• De 1947 à 1994, les accords se sont réalisés lors de négociations commerciales multilatérales (NCM).

◼ Les cycles de NCM de 1947 à 1993

Cycles	Date	Membres	Décisions
1er cycle : Genève	octobre 1947	23 pays	104 accords de réduction des droits de douane
2e cycle : Annecy	avril – août 1949	33 pays	147 accords de réduction des droits de douane
3e cycle : Torquay	septembre 1950 – avril 1951	34 pays	Réduction des droits de douane de 25 % par rapport au niveau de 1948, une centaine d'accords (la RFA fait partie de la négociation)
4e cycle : Genève	janvier – mai 1956	22 pays	Réduction des droits de douane, environ 60 nouvelles concessions tarifaires
5e cycle : Dillon Round	septembre 1960 – juillet 1962	35 pays	49 accords bilatéraux de réduction des droits de douane (notamment entre la CEE et ses partenaires)
6e cycle : Kennedy Round	mai 1964 – juin 1967	48 pays	– Réduction des droits de douane de 35 % – Mesures anti-dumping (1)
7e cycle : Tokyo (ou Nixon) Round	septembre 1973 – avril 1979	99 pays	– Réduction des protections tarifaires de 34 % – Mesures de réduction des barrières non tarifaires
8e cycle : Uruguay Round	septembre 1986 – avril 1994	125 pays	– Réduction des droits de douane – Mesures de réduction des barrières non tarifaires – Négociations dans le domaine de l'agriculture, des services et des droits de propriété intellectuelle – Préférences commerciales pour les pays en développement (2) – Création de l'OMC

(1) le dumping est une situation dans laquelle une entreprise choisit volontairement de vendre son bien à l'étranger à un prix inférieur à son coût de production.
(2) Les pays en développement peuvent se voir accorder des réductions tarifaires sans être obligés d'en accorder en retour. De même, ils peuvent profiter de réductions tarifaires sans que le pays ayant accordé ces réductions ne soit contraint de les accorder à tous les autres pays.

FONDEMENTS DE L'ÉCONOMIE

FONCTIONS ÉCONOMIQUES

FINANCEMENT DE L'ÉCONOMIE

LA RÉGULATION

LA MONDIALISATION

L'ENTREPRISE

Les fondements du libre-échange

La seconde moitié du XXᵉ siècle a été marquée par une internationalisation croissante des économies. Cette internationalisation, que l'on nomme aussi « mondialisation » ou « globalisation », prend sa source dans les justifications du libre-échange, présentées dès la fin du XVIIIᵉ siècle par les économistes classiques.

● Des avantages absolus aux avantages relatifs

– Selon Adam Smith, deux pays qui commercent en se spécialisant chacun dans la production du bien dans lequel ils ont un *avantage absolu*, c'est-à-dire dans lequel ils réalisent plus efficacement la production du bien que l'autre pays, connaîtront une croissance économique plus forte qu'en restant en autarcie.

– La théorie de Smith n'est valable que dans le cas où un pays dispose d'un *avantage absolu* dans au moins un produit par rapport à un autre pays. Si ce n'est pas le cas, il n'a pas intérêt à échanger, car il serait alors perdant.

– David Ricardo a élargi la théorie de Smith, en montrant, par sa théorie des *avantages comparatifs (ou avantages relatifs)*, que, dans toutes les situations, les pays sont nécessairement mutuellement gagnants à l'échange.

● Les bienfaits du libre-échange

– Selon A. Smith, la *division du travail* est source de création de richesses, car elle accroît la productivité des travailleurs (voir p. 28). Or, le libre-échange va permettre une spécialisation internationale des pays, source d'une extension de la division du travail au niveau international. Les bienfaits de la division du travail en sont ainsi approfondis.

– Le libre-échange est source d'une *meilleure allocation des ressources*. Dans chaque pays, les différents facteurs de production sont plus ou moins performants pour accomplir telle ou telle production. En autarcie, certains facteurs de production vont devoir être alloués à des activités pour lesquelles ils ne sont pas les plus efficaces. Grâce au commerce international, les pays en question vont pouvoir abandonner ces activités, et réallouer les facteurs de production ainsi libérés à la production de biens qu'ils produisent relativement plus efficacement.

– Enfin, l'accroissement de la production engendrée par l'ouverture des marchés va permettre aux entreprises de bénéficier d'*économies d'échelles*, sources d'une plus grande efficacité des facteurs de production (cette idée est développée dans les nouvelles théories du commerce international, voir p. 112).

● La théorie Hecksher, Ohlin et Samuelson (HOS)

Ces auteurs ont prolongé la théorie ricardienne, en expliquant l'origine des avantages comparatifs. Selon eux, un pays possède un avantage comparatif dans la production du bien qui utilise le plus intensivement le facteur de production le plus abondant sur le territoire national. Ainsi, un pays en voie de développement, où la main-d'œuvre est abondante et peu chère, va se spécialiser dans la production de biens nécessitant beaucoup de travail dans sa réalisation. En effet, les salaires versés vont être plus faibles que dans un pays développé où la main-d'œuvre est plus rare (jeu de l'offre et de la demande), qui lui se spécialisera dans la production d'un bien demandant beaucoup de capital. Ce faisant, les pays s'échangeront indirectement les facteurs de production rares sur leur territoire.

LA DIVISION INTERNATIONALE DU TRAVAIL

◼ Les avantages absolus

La théorie de A. Smith s'appuie sur un tableau qui présente la situation de deux pays produisant chacun en autarcie les deux mêmes biens.

Nombre d'heures de travail nécessaires à la production d'une unité de chacun des biens

	Vin	Drap	Total
Angleterre	100	60	160
Portugal	50	80	130
Total	150	140	290

• Les coûts de production dépendant du nombre d'heures de travail nécessaires à la réalisation d'une unité du bien en question, et le prix de vente dépendant du coût de production, le prix de vente du drap sera plus faible en Angleterre qu'au Portugal, et le prix de vente du vin plus faible au Portugal qu'en Angleterre. Par conséquent, les deux pays ont intérêt à échanger : les Anglais obtiendront du Portugal du vin meilleur marché que celui produit chez eux, et les Portugais du drap anglais meilleur marché que le leur. Suite à la spécialisation, l'Angleterre va cesser de produire du vin, et le Portugal du drap.

• Grâce à la spécialisation internationale, le nombre de facteurs de production nécessaires à la production des biens a donc diminué. Par conséquent, les coûts de production diminuent, ce qui entraîne une baisse des prix de vente, donc un accroissement de la consommation, source de hausse de la production. Les facteurs de production inemployés du fait de la spécialisation sont de nouveau employés.

• Au final, grâce à la spécialisation, le nombre de facteurs de production employé est le même, mais le niveau de production est supérieur ; le libre-échange est donc source de croissance économique.

◼ Les avantages comparatifs

• D. Ricardo part d'une situation où l'un des deux pays ne possède pas d'avantage absolu.

	Vin	Drap	Total
Angleterre	120	100	220
Portugal	80	90	170
Total	200	190	390

• Malgré tout, si on calcule les avantages comparatifs, les deux pays gagnent à se spécialiser.

	Vin/Drap	Drap/Vin
Angleterre	1,2	0,83
Portugal	0,88	1,125

Le tableau se lit ainsi : en autarcie, une unité de vin s'échange contre 1,2 unité de drap en Angleterre (120/100), alors que la même unité de vin s'échange contre 0,88 unité de drap au Portugal (80/90). À l'inverse, une unité de drap s'échange contre 0,83 unité de vin en Angleterre, et contre 1,125 unité de vin au Portugal. À partir ce constat, chaque pays a-t-il intérêt à se spécialiser et à échanger ?

– Cas de l'Angleterre : à chaque fois qu'une entreprise anglaise produira sur son sol une unité de drap, elle obtiendra en échange 0,83 unité de vin de la part d'une autre entreprise anglaise. Or, si elle avait pu commercer avec le Portugal, elle aurait obtenu, en échange d'une unité de drap, 1,125 unité de vin. Elle obtiendrait donc plus de vin en situation de libre-échange.
– Cas du Portugal : à chaque fois qu'une entreprise portugaise produira sur son sol une unité de vin, elle obtiendra en échange 0,88 unité de drap de la part d'une autre entreprise portugaise. Or, si elle avait pu commercer avec l'Angleterre, elle aurait obtenu, en échange d'une unité de vin, 1,2 unité de drap. Elle obtiendrait donc plus de drap en situation de libre-échange.

• Si on fait les mêmes calculs avec la spécialisation inverse, les deux pays auraient été perdants à l'échange.

• La meilleure situation est donc celle dans laquelle les deux pays se spécialisent dans la production dans laquelle ils ont un avantage comparatif, ou un moindre désavantage relatif.

FONDEMENTS DE L'ÉCONOMIE

FONCTIONS ÉCONOMIQUES

FINANCEMENT DE L'ÉCONOMIE

LA RÉGULATION

LA MONDIALISATION

L'ENTREPRISE

Nouvelles théories du commerce international

**Si la théorie ricardienne a été à la base de l'ouverture interna-
tionale des économies, elle n'est cependant pas apte à rendre
compte de la réalité des échanges. En particulier, ses hypothèses
l'amènent à exclure de son champ d'analyse la multinationalisation des firmes et l'existence d'échanges intra-branches.**

● Les théories visant à compléter la vision traditionnelle

– L'*approche néo factorielle* : W. Leontieff, désirant valider l'approche HOS (voir p. 110), a
calculé les dotations factorielles des exportations et importations américaines en 1953. Il
s'attendait à ce que les exportations soient intensives en capital (qui est le facteur de production abondant sur le territoire américain), et les importations intensives en travail. Or, les
résultats sont exactement contraires à ceux attendus : c'est le *paradoxe de Leontieff.* Les
théories néo-factorielles vont alors tenter de sauver le modèle HOS en posant que les facteurs de production sont hétérogènes : ainsi, les États-Unis sont en fait un pays où le travail
qualifié est abondant ; et justement, les exportations américaines sont abondantes en travail
qualifié, et les importations abondantes en travail non qualifié.
– L'*approche néo-technologique* tente d'expliquer les échanges internationaux en terme
d'écart technologique : les pays en avance technologiquement possèdent un avantage comparatif dans la production de biens technologiques. Cela prolonge l'idée ricardienne selon
laquelle les différences de productivité entre pays proviennent de différences de technologie (contrairement au modèle HOS où la technologie est identique dans tous les pays, qui
ne diffèrent que par leurs dotations factorielles).

● Les théories visant à dépasser la vision traditionnelle

– L'*approche par les économies d'échelles* : la spécialisation internationale dépend de la taille
des firmes (*économies d'échelles internes*) ou de la taille des pays (*économies d'échelles
externes*). Il existe par conséquent des *effets d'agglomération*, qui incitent toutes les entreprises d'un même secteur à se localiser au même endroit ; le pays en question se spécialisera alors dans cette production.
– L'*approche par la demande* : elle vise à expliquer l'existence d'*échanges intra-branches*
(produits similaires). Alors que les théories traditionnelles expliquaient les spécialisations à
partir de l'offre des entreprises, ces nouvelles théories insistent sur l'impact de la demande
comme source des échanges internationaux.
– Enfin, certaines théories avancent que les avantages comparatifs peuvent se construire à
partir de politiques publiques (subventions, droits de douanes…). Dans la théorie ricardienne, les avantages comparatifs sont donnés une fois pour toute, et les pays doivent s'y
adapter ; c'est donc une théorie assez fataliste. De même, toutes les spécialisations se valent ;
tous les pays sont mutuellement gagnants à l'échange, et ce quel que soit le bien dans
lequel ils se spécialisent. Or, ces nouvelles théories vont mettre en avant le fait que certaines spécialisations sont plus porteuses de croissance que d'autres (produits à hautes technologies par exemple) ; les pays ont donc intérêt à se construire des avantages comparatifs
dans ces domaines. L'intervention publique, pour orienter les avantages comparatifs, est
alors légitimée comme partie prenante du commerce international.

LES ÉCHANGES INTRA-BRANCHES

■ L'existence d'échanges intra-branches

• L'expression « échanges intra-branches » désigne les importations et exportations de produits similaires entre pays, c'est-à-dire de produits relevant de la même branche d'activité. Les échanges manufacturiers intra-branches ont notablement progressé depuis la fin des années 1980 dans de nombreux pays de l'OCDE.

• Ce type d'échanges ne cadre pas avec la théorie traditionnelle du commerce international. Selon elle, les pays devraient se spécialiser dans des productions différentes, et donc s'échanger des produits différents. Or, là, les produits échangés sont proches, car compris dans la même branche d'activité.

Exportations et importations par groupe de produits en 2008 (en milliards d'euros)

	Exportations FAB	Importations CAF
Agriculture, sylviculture et pêche	**13,9**	**10,4**
Industrie	**398,7**	**469,7**
Industries agricoles et alimentaires	37,0	31,1
Biens de consommation	63,0	73,1
Industrie automobile	46,1	49,5
Biens d'équipement	101,7	93,4
Biens intermédiaires	125,1	138,7
Énergie	25,9	84,0
Services marchands	**66,8**	**68,9**
Commerce	5,2	4,4
Transports	21,1	27,8
Activités financières	8,5	3,5
Services aux entreprises	29,5	30,4
Services aux particuliers	2,5	2,9
Services administrés	**0,6**	**0,2**
Éducation, santé, action sociale	0,6	0,2
Correction CAF-FAB	**///**	**-14,4**
Correction territoriale	**35,6**	**29,0**
Total CAF-FAB	**515,6**	**563,8**

Source : Insee, comptes nationaux - base 2000.

■ Comment expliquer ces échanges ?

• *L'approche par la demande représentative :* selon S. Linder, les conditions de la production au sein d'un pays dépendent des conditions de la demande. En effet, dans un premier temps, les perspectives de vente sont avant tout nationales ; les producteurs vont donc produire des biens correspondants à ceux recherchés par la population locale. Le marché extérieur n'est alors que le prolongement du marché intérieur. Plus les pays sont semblables, et plus la gamme des produits exportables est identique à la gamme des produits importables. Les échanges s'effectuent donc entre pays semblables et concernent des produits proches, qui recherchent de nouveaux débouchés sur des marchés extérieurs où la demande pour ce type de produit existe déjà.

• *L'approche par la différenciation des produits :* les produits d'une même branche ne sont pas identiques. Ils sont hétérogènes dans leurs caractéristiques, même si leur utilité est la même (couleur, packaging, publicité…). Selon B. Lassudrie-Duchêne, la demande des consommateurs est une demande de différence dans la similarité : les agents économiques demandent en fait un ensemble de caractéristiques. Or, les produits d'une même branche diffèrent par les caractéristiques offertes. Par conséquent, un consommateur français qui désire acheter une voiture pourra très bien être attiré par une voiture allemande, car les caractéristiques de cette voiture correspondront mieux à ses besoins que celles des voitures françaises (et vice versa pour un Allemand).

FONDEMENTS DE L'ÉCONOMIE

FONCTIONS ÉCONOMIQUES

FINANCEMENT DE L'ÉCONOMIE

LA RÉGULATION

LA MONDIALISATION

L'ENTREPRISE

Le protectionnisme

L'ouverture croissante des économies tout au long de la seconde moitié du XXᵉ siècle a été de pair avec la restriction progressive des mesures protectionnistes, qui avaient justement pour fonction de limiter les échanges entre pays. Certaines conséquences, de la mondialisation considérées comme néfastes, ont remis en lumière les théories justifiant le protectionnisme.

Les différentes formes du protectionnisme

Le protectionnisme correspond à toutes les mesures prises pour protéger l'économie d'un pays contre la concurrence exercée par les entreprises étrangères.

– Le *protectionnisme tarifaire* : il vise, par l'instauration de droits de douanes frappant les produits étrangers, à accroître le prix de vente de ces biens, afin d'en limiter la consommation nationale.

– Le *protectionnisme non tarifaire* : ce sont les restrictions quantitatives (quotas, contingentements) ; le commerce administré (accords conclus entre deux pays pour limiter « volontairement » les exportations de l'un vers l'autre) ; l'imposition de normes diverses, techniques, sanitaires ou autres (*protectionnisme gris* ou *administratif*).

– Le *protectionnisme monétaire et financier* : il s'agit de manipuler le taux de change (voir p. 118) pour accroître la compétitivité-prix des entreprises nationales.

La théorie du « protectionnisme éducateur » de F. List

Si un pays désire développer sur son sol une nouvelle activité, il devra temporairement la protéger. En effet, une entreprise doit atteindre un certain volume de production pour être rentable, afin de compenser ses coûts fixes. Sans protectionnisme, les produits étrangers, déjà rentables du fait du volume de production déjà réalisé sur leur sol, arriveraient en masse dans le pays à un prix inférieur à celui de la production locale. Les entreprises du pays disparaîtraient rapidement. Il faut donc protéger cette production jusqu'au moment où les entreprises nationales auront atteint un volume de production suffisant pour devenir compétitives. Cette théorie a été mise en avant au XIXᵉ siècle par Friedrich List dans le cadre du Zollverein.

Les autres arguments en faveur du protectionnisme

– La *théorie de l'industrie sénescente* : l'objectif est de protéger temporairement les industries vouées à disparaître, afin de donner le temps aux entreprises concernées et aux pouvoirs publics de pouvoir réallouer efficacement les facteurs de production concernés.

– L'*argument de l'indépendance* : certaines activités peuvent être considérées comme essentielles. Elles doivent alors rester nationales, même si elles ne sont pas compétitives (défense, agriculture).

– La *politique commerciale stratégique* : l'échange est source de gains. Or, ces derniers ne sont pas nécessairement répartis égalitairement entre les différents pays. Par des mesures protectionnistes ciblées, un pays peut s'accaparer une partie de ces gains.

– L'*argument de la concurrence déloyale* : un pays peut estimer subir une concurrence déloyale, du fait par exemple de pays autorisant le travail des enfants ou ne respectant pas certaines normes sociales (voir p. 116). Des mesures protectionnistes peuvent alors servir à rééquilibrer le rapport de forces.

LES POLITIQUES COMMERCIALES STRATÉGIQUES

Selon la théorie ricardienne, le commerce international est un jeu à somme positive. Cependant, cette théorie ne pose pas la question de la répartition du gain ainsi créé. Selon l'économiste Paul Krugman, un pays peut, par des mesures protectionnistes ciblées et appropriées, influer sur ce partage.

▪ L'exemple Boeing / Airbus

• Cet exemple montre les bienfaits apportés par une subvention publique à une entreprise. Voici la matrice des gains dans le cas où aucun des pays ne subventionne son entreprise nationale :

		Airbus	
		Produit	Ne produit pas
Boeing	Produit	Airbus = – 10 Boeing = – 10	Airbus = 0 Boeing = 100
	Ne produit pas	Airbus = 100 Boeing = 0	Airbus = 0 Boeing = 0

Source : d'après Krugman, 1987.

• Dans cette situation, les deux entreprises n'ont pas intérêt à produire ensemble, car alors elles perdraient toutes deux de l'argent. Le cas de gros porteurs, où le marché est quantitativement limité et les coûts fixes très élevés, en est un bon exemple. Si les entreprises se partagent le marché, aucune des deux ne parviendra à écouler suffisamment d'avions pour atteindre son seuil de rentabilité (voir p. 144). Krugman pose l'hypothèse qu'une des deux entreprises à « un coup d'avance » sur l'autre : elle peut décider en premier si elle produit ou non (par exemple, son avion est déjà prêt). Imaginons que ce soit Boeing. Dans ce cas, rationnellement, Boeing décidera de produire, car il saura qu'Airbus, par la suite, ne produira pas ; en effet, si Airbus décidait de produire alors que Boeing produit déjà, Airbus serait sûr de… perdre de l'argent. Les seuls gains de l'échange possibles vont être entièrement accaparés par l'entreprise américaine. L'Union européenne peut alors agir en accordant des subventions à Airbus. Si Airbus reçoit, en cas de production, une subvention de + 20, qu'elle devra à terme rembourser, on obtient alors la matrice ci-après :

		Airbus	
		Produit	Ne produit pas
Boeing	Produit	Airbus = + 10 (– 10 + 20) Boeing = – 10	Airbus = 0 Boeing = 100
	Ne produit pas	Airbus = 120 (100 + 20) Boeing = 0	Airbus = 0 Boeing = 0

• Airbus a alors tout intérêt à entrer sur le marché, car l'entreprise est sûre de gagner de l'argent, que Boeing décide de produire ou non. Dans ce cas, Boeing sait qu'Airbus va entrer et à donc tout intérêt, pour minimiser ses pertes potentielles, à ne pas entrer sur le marché. Airbus pourra alors rembourser l'aide publique reçue. Pour les Européens, l'avantage de cette subvention de + 20 est d'accroître le gain européen de + 100, ce montant correspondant au gain jusqu'alors accaparé par l'entreprise américaine.

▪ Les limites de la théorie de Krugman

• La principale limite de cet exemple est qu'il est difficile de croire que, dans cette situation, le gouvernement américain ne réagisse pas et ne décide pas à son tour de subventionner Boeing afin de redonner à l'entreprise américaine une position de force. On assisterait alors à une véritable « course à la subvention » qui n'aurait pas d'intérêt, car l'avantage recherché par un pays serait aussitôt annulé par le surcroît de subvention accordé par l'autre pays. De plus, l'intérêt d'une subvention au niveau global est nul ; ce qu'un pays gagne, l'autre le perd.

• Pour toutes ces raisons, l'Organisation mondiale du commerce (voir p. 108) cherche à mettre en place des mesures visant à interdire, ou du moins fortement limiter les possibilités de subvention, afin d'éviter les pratiques anti-concurrentielles.

FONDEMENTS DE L'ÉCONOMIE

FONCTIONS ÉCONOMIQUES

FINANCEMENT DE L'ÉCONOMIE

LA RÉGULATION

LA MONDIALISATION

L'ENTREPRISE

Le dumping social

Les craintes liées à l'internationalisation des échanges dans les pays développés portent en partie sur la concurrence déloyale qu'exerceraient les pays en voie de développement sur un certain nombre de produits. Avec des coûts de production très bas, ces pays parviendraient à gagner des parts de marché. Cependant, le concept même de dumping social est sujet à caution.

● Qu'est-ce que le « dumping social » ?

– *Le dumping* est une situation dans laquelle une entreprise choisit de vendre son produit à un prix inférieur à son coût de production. Sur chaque vente, elle perd donc de l'argent, mais cela lui permet d'attirer les consommateurs, et donc d'éliminer ses concurrents. À terme, elle pourra donc augmenter ses prix, et réaliser des profits qui lui permettront de compenser les pertes temporairement subies. Cette pratique est légalement interdite.

– Le « *dumping social* » est une notion qui est très éloignée de cette situation. L'entreprise qui le pratique vend en effet au-dessus de son coût de production. Cependant, elle va « profiter » d'une localisation lui assurant des conditions très avantageuses en terme de réglementations et de coût du travail pour obtenir des coûts de production faibles, qui vont lui donner un avantage compétitif sur ses concurrents, localisés ailleurs. On peut donc parler de « dumping social » à propos d'entreprises de pays développés qui partiraient se délocaliser dans des pays à faible protection sociale afin de minimiser leurs coûts de production, ou d'États qui mettraient sciemment en pratique des politiques de restriction des droits sociaux des travailleurs (libéralisation du marché du travail, diminution des charges sociales et des prestations sociales…) afin de rendre plus attractif leur territoire.

● Des conséquences diverses

– Face à la concurrence d'entreprises pratiquant le « *dumping social* », les entreprises toujours localisées dans les pays développés s'exposent à une réduction de leur compétitivité. À terme, cette réduction risque de provoquer des vagues de délocalisation et, par voie de conséquence, un appauvrissement des pays développés et une augmentation du chômage.

– S'il est vrai que les pays à faibles coûts salariaux proposent des produits à des prix défiants toute concurrence, toutes les productions n'y sont pas réalisables. Les activités à forte valeur ajoutée (c'est-à-dire demandant beaucoup de capital et de travail qualifié) ne peuvent être délocalisées dans des pays où la main-d'œuvre est peu qualifiée. On ne peut en effet durablement avoir des travailleurs qualifiés peu payés. Par conséquent, ce « *dumping social* » ne concerne que des activités qui sont de toute façon, du fait de la division internationale du travail (voir p. 111), vouées à disparaître dans les pays développés.

– Chaque pays possède des avantages compétitifs. L'avantage des pays en voie de développement est lié à de faibles coûts salariaux. S'ils devaient se voir imposer des normes sociales équivalentes à celles des pays développés, alors même que leur niveau de développement correspond à peine à celui des pays développés du XIXe siècle (où il n'y avait alors pas de normes sociales), leurs possibilités de développement risqueraient d'être remises en question.

FAUT-IL CRAINDRE LES PAYS
À FAIBLES COÛTS SALARIAUX ?

■ Des coûts horaires du travail inégaux

Coûts horaires de la main-d'œuvre dans l'industrie en 2000 (en euros)

23,9

Japon

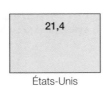

21,4

États-Unis

19,9

Moyenne UE à 15

Moyenne
des pays candidats
intégrés dans lUE
en 2004 (hors Malte)
↓

4,5

Source : Eurostat, Burau of labour statistics.

Entre les différentes régions du monde, et au sein même de l'Europe, il existe d'importantes disparités de coût de la main-d'œuvre horaire entre les pays les plus riches et les autres.

■ Le dumping social, source de délocalisations ?

La notion de dumping social

(…) La concurrence des pays à faible protection sociale dans les industries traditionnelles à forte intensité de main-d'œuvre est devenue de plus en plus tangible (…). L'inconvénient majeur du haut niveau de protection sociale existant en Europe est que le coût du travail y est plus élevé que dans d'autres pays. Cela peut engendrer des délocalisations.

Certains pays n'hésitent pas, d'ailleurs, à faire la publicité de leur faible coût du travail ou de leur maigre protection sociale. On trouve, par exemple, au Bangladesh, des affiches racoleuses invitant à s'installer dans ce pays pour un « *optimum profit* » et déclarant que ce pays « *offre les coûts les plus bas mais une force de travail productive* ». Elles affirment aussi que « *les lois y interdisent la constitution de syndicats dans certaines zones et que les grèves y sont illégales* » !

Gaëtan Gorce, *Rapport d'information sur le dumping social en Europe.*

L'importance de la productivité

En fait, le différentiel de coût salarial explique peu les investissements à l'étranger. 80 % des investissements directs étrangers se font dans les pays à hauts salaires. (…) Cela ne veut pas dire que certains secteurs, pour lesquels les coûts salariaux sont une part importante des coûts totaux, ne sont pas attirés par les pays à bas salaires. Dans ce cas, on oublie souvent que les différentiels de salaires surestiment l'économie que fait une entreprise en se délocalisant dans les pays à bas salaires. C'est oublier que ces pays ont une productivité du travail beaucoup plus faible que la France, ce qui y augmente le véritable coût du travail. On peut rétorquer que les emplois détruits et créés par les délocalisations ne sont pas les mêmes : ceux détruits sont non qualifiés, et ceux créés sont qualifiés. Dans ce cas, l'impact se ferait non sur le chômage mais sur les inégalités. L'argument est valide mais il plaide alors pour des mesures qui subventionnent l'emploi non qualifié.

Philippe Martin, « Délocaliser pour respirer » *Libération.*

FONDEMENTS DE L'ÉCONOMIE

FONCTIONS ÉCONOMIQUES

FINANCEMENT DE L'ÉCONOMIE

LA RÉGULATION

LA MONDIALISATION

L'ENTREPRISE

Le marché des changes

Les valeurs des monnaies fluctuent quotidiennement les unes par rapport aux autres. Les critères explicatifs de ces variations sont multiples. Cependant, la manière dont se détermine et fluctue la valeur des monnaies dépend du régime de change adopté. Nous sommes globalement passés d'un système de changes fixes jusque dans les années 1970 à un système de changes flexibles.

Marché des changes et SMI

– Le marché des changes est le marché sur lequel se confrontent l'offre et la demande de monnaies étrangères contre de la monnaie nationale. Les devises s'y échangent les unes contre les autres, en fonction d'un *taux de change*, qui se définit comme le prix auquel une monnaie s'échange contre une autre monnaie. Par exemple, si le taux de change euro/dollar est de 2, cela signifie que l'on peut échanger 1 euro contre 2 dollars, ou 1 dollar contre 0,50 euro.

– Le fonctionnement du marché des changes dépend du type de *système monétaire international* (SMI) mis en place, un SMI étant l'ensemble des règles et des institutions définissant les modes de détermination du cours des monnaies, et donc des taux de change.

Les régimes de changes

Il existe deux grands types de systèmes de change : le *régime de changes (ou de parités) fixes*, et le *régime de changes (ou de parités) flottants*, aussi nommé régime de flottement.

– Dans un régime de changes fixes, il existe une parité officielle autour de laquelle les cours effectifs des monnaies ne doivent que faiblement varier. Une référence fixe alors la parité officielle. Cette référence peut être la valeur de l'or, chaque monnaie ayant une valeur précise définie en or (système de « l'étalon-or ») ; ou la valeur d'une devise précise, telle que le dollar (système mis en place lors des accords de Bretton Woods en 1944, où seul le dollar était convertible en or, les autres monnaies étant uniquement convertibles en dollar).

Il peut aussi exister, des *régimes de parités fixes sans étalon*, lorsque les parités officielles des monnaies se définissent deux à deux (exemple : dans le cadre du SME, 3,50 FF = 1 DM ; 10 FF = 1 £...). Dans ce système, les autorités monétaires nationales interviennent sur les marchés financiers pour défendre la valeur de leur monnaie si besoin est.

– Dans le régime de changes flottants, les monnaies n'ont pas de parité officielle. Leur cours peut fluctuer librement sur le marché des changes, en fonction de l'offre et de la demande de chacune des monnaies. Le flottement peut être *administré*, lorsque les autorités monétaires nationales peuvent éventuellement intervenir sur les marchés financiers pour soutenir la valeur de leur monnaie ; il peut aussi être *pur*, lorsque les autorités monétaires ne peuvent intervenir.

Les Accords de la Jamaïque

Le système de changes fixes a été le système dominant jusqu'au début des années 1970. Ce système a été officiellement abandonné en 1976 lors des Accords de la Jamaïque, qui posent que plusieurs régimes de change peuvent coexister dans le monde. Le flottement est aujourd'hui la règle au niveau mondial. Il n'est cependant pas pur, les autorités monétaires pouvant toujours chercher à influer sur la valeur des monnaies.

LES DÉTERMINANTS DU TAUX DE CHANGE

◼ L'offre et la demande

• Dans un système de changes flexibles, la valeur d'une monnaie est déterminée par la rencontre entre l'offre et la demande de cette monnaie. Cette offre et cette demande peuvent elles-mêmes être motivées par quatre comportements distincts :
– des touristes voulant changer leur monnaie ;
– des entreprises ayant vendu leur production à l'étranger, et cherchant à échanger cette monnaie étrangère en monnaie nationale ;
– des spéculateurs cherchant à anticiper l'évolution de la valeur d'une monnaie ;
– des investisseurs cherchant à investir leurs capitaux dans un pays étranger.

• Plus la demande d'une monnaie est élevée par rapport à son offre, et plus sa valeur va augmenter. Cette valeur est donc liée au solde de la balance des transactions courantes (voir p. 102), et à la capacité du pays à attirer des investisseurs étrangers.

◼ La comparaison des taux d'intérêts réels

• Lorsqu'un agent économique a le choix entre la possession de différentes monnaies (par exemple à des fins de spéculation), il souhaite *a priori* détenir la monnaie qui ne perdra pas de valeur avec le temps. Il faut donc que le pays dans lequel cette monnaie a cours connaisse un taux d'inflation faible et des taux d'intérêts nominaux élevés. En effet, on calcule les taux d'intérêts réels (t_i) à partir de la formule suivante :

t_i = taux d'intérêt nominal – taux d'inflation

• Par exemple, un placement à un taux d'intérêt nominal de 5 %, dans un pays où le taux d'inflation est de 5 %, n'enrichit pas l'épargnant ; les intérêts qu'il touche compensent simplement la perte de valeur de la monnaie, de telle sorte que le pouvoir d'achat de son épargne reste constant.

• Par conséquent, la demande d'une monnaie dont le pays propose des taux d'intérêts réels plus élevés que ceux d'un autre pays devrait être plus forte, ce qui devrait amener à une appréciation de la valeur de cette monnaie.

◼ L'intervention des banques centrales

• L'une des missions potentielles d'une banque centrale est de contrôler la valeur de sa monnaie par rapport aux autres monnaies. Elle dispose pour cela de réserves de change, c'est-à-dire de devises étrangères, qu'elle obtient grâce aux exportations réalisées par les entreprises nationales (en effet, lorsqu'une entreprise française exporte aux États-Unis, elle obtient des dollars qu'elle va ensuite déposer à sa banque contre des euros, cette banque l'échangeant à son tour à la banque centrale contre de la monnaie banque centrale).

• Or, lorsqu'une monnaie perd de sa valeur, et que la banque centrale souhaite qu'elle reprenne son ancienne valeur, elle peut directement intervenir sur les marchés internationaux en revendant des devises étrangères contre sa monnaie nationale.

• Face à l'importance des volumes mondiaux d'échanges de monnaie, cette possibilité d'intervention est aujourd'hui limitée.

◼ Anticipations autoréalisatrices et confiance dans l'économie

Ce déterminant concerne plus particulièrement les spéculateurs.

• Soit le taux de change euro/dollar suivant : 1 euro = 1 dollar. Si un spéculateur américain anticipe que, dans 6 mois, le taux de change sera de 1 euro = 2 dollars (accroissement de la valeur de l'euro par rapport à celle du dollar), il a alors intérêt à échanger aujourd'hui ses dollars contre des euros. En effet, s'il possède 100 000 dollars, il va les échanger contre 100 000 euros et si son anticipation se réalise, il échangera dans 6 mois ses 100 000 euros contre 200 000 dollars.

• Ainsi, si les agents économiques spéculateurs anticipent un accroissement de la valeur d'une monnaie, ils vont procéder à des achats en masse… ce qui va entraîner une hausse de la demande de cette monnaie, et donc une appréciation de son cours ! On parle alors d'*anticipations autoréalisatrices*.

FONDEMENTS DE L'ÉCONOMIE

FONCTIONS ÉCONOMIQUES

FINANCEMENT DE L'ÉCONOMIE

LA RÉGULATION

LA MONDIALISATION

L'ENTREPRISE

L'évolution de la valeur des monnaies

Les cours des monnaies varient quotidiennement les uns par rapport aux autres. Après une longue période de dépréciation, le cours de l'euro est ainsi remonté par rapport à celui du dollar depuis 2002. Or, toute variation de la valeur d'une monnaie a des conséquences sur l'activité économique.

Les conséquences positives de la dépréciation

Prenons l'hypothèse d'une dépréciation de l'euro par rapport au dollar.
– L'*impact positif sur les exportations* : suite à la dépréciation de l'euro, les produits exportés des pays l'utilisant vers des pays dont la monnaie d'échange est le dollar gagnent en compétitivité-prix. Cet accroissement de la compétitivité-prix devrait conduire à une augmentation des exportations, source d'accroissement de l'activité économique dans les pays européens.
– L'*impact négatif sur les importations* : l'impact est inverse pour les produits américains importés en Europe, qui voient leur compétitivité-prix diminuer. La demande des consommateurs européens devrait donc se détourner des produits américains pour se reporter vers des produits européens, redevenus plus compétitifs.
Globalement, une dépréciation de la valeur de l'euro devrait entraîner une amélioration du solde de la balance des transactions courantes pour les pays européens (voir p. 102), et donc un accroissement de l'activité économique en Europe.

Les conséquences négatives de la dépréciation

Certains produits importés correspondent à des importations *incompressibles*, c'est-à-dire à des produits que les Européens ne savent pas (ou peu) produire (exemple : le pétrole). L'augmentation de leur prix ne va alors pas conduire à une réduction de leur demande, puisqu'il n'existe pas de produits de substitution. Par conséquent, la dépréciation de la valeur de l'euro va :
– augmenter le montant global en euros des achats de produits importés, ce qui tend à dégrader le solde de la balance des transactions courantes ;
– augmenter le niveau global des prix, car non seulement le prix de ces produits destinés aux consommateurs augmente, mais en plus certains de ces produits sont achetés par des entreprises européennes qui en ont besoin dans leur processus de production (matières premières…), et qui ensuite répercutent cette hausse dans leurs propres prix de vente. Cela va donc non seulement réduire le pouvoir d'achat des consommateurs européens, mais en plus diminuer les gains en terme de compétitivité-prix pour les entreprises européennes concernées.

L'importance de la compétitivité structurelle

L'impact globalement positif ou négatif d'une dépréciation va dépendre de plusieurs facteurs. On peut citer en particulier l'importance de la compétitivité structurelle pour les produits échangés. En effet, tous les raisonnements présentés reposent sur l'idée qu'une diminution des prix à l'exportation entraîne un accroissement de la demande se portant sur ces produits. Or, si les consommateurs sont avant tout influencés par la qualité du produit, son *design*, son image de marque, son aspect innovateur, etc., une réduction des prix ne se traduira pas automatiquement par une augmentation de la demande.

DÉPRÉCIATION ET SOLDE DE LA BALANCE DES TRANSACTIONS COURANTES

▪ La théorie de la courbe en J

• Cette théorie cherche à montrer que, sous certaines conditions, une dépréciation de la valeur d'une monnaie (dans le cadre d'un système à changes flexibles) ou une dévaluation (dans le cadre d'un système à changes fixes) détériore immédiatement le solde de la balance des transactions courantes, avant de l'améliorer quelques mois à un an plus tard, comme le montre la représentation graphique suivante :

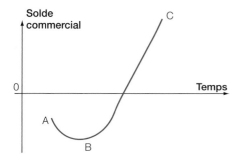

• Dans un premier temps, les conséquences de la dépréciation de la monnaie sur l'activité économique sont négatives parce qu'il existe un effet d'inertie chez les consommateurs, qui ne changent pas immédiatement leurs habitudes de consommation suite à une variation des prix. Par conséquent, à court terme, la diminution des prix des produits exportés n'entraîne pas d'accroissement des exportations, de même que l'augmentation du prix des produits importés n'entraîne pas la diminution des importations. Mais comme ces derniers coûtent à présent plus chers, le solde de la balance des transactions courantes se dégrade (on passe du point A au point B).
• Dans un deuxième temps, après que les habitudes de consommation se soient transformées suite à l'évolution des prix relatifs, et que les producteurs nationaux aient adapté leur produc-

tion à cette nouvelle demande anticipée en proposant des produits se substituant aux produits étrangers, le solde de la balance des transactions courantes repart à la hausse (point B à C).

▪ Les limites de la courbe en J

• Cette théorie n'est valable que si la condition de Marshall-Lerner, encore *appelée théorème des élasticités critiques*, est réalisée, c'est-à-dire que si la somme des élasticités prix de l'offre d'exportation et de sa demande d'importation d'un pays est supérieure à 1 :

$$\frac{\Delta D_e}{\Delta P_e} + \frac{\Delta D_i}{\Delta P_i} > 1$$

avec D_e : *demande du produit exporté* ; P_e : *prix du produit exporté* ; D_i : *demande du produit importé* ; P_i : *prix du produit importé.*

• En effet, si l'élasticité prix des produits exportés et celle des produits importés sont élevées, alors les aspects positifs sur l'activité économique d'une dépréciation de la valeur de la monnaie vont l'emporter sur les aspects négatifs, et vice versa.
• De plus, cette théorie n'est valable que dans le cadre d'un régime de changes fixes. En effet, dans un régime de *changes flexibles purs* (où les marchés financiers sont parfaits), une évolution de la valeur de la monnaie n'a aucune incidence sur l'activité économique, étant donné que l'impact négatif d'une dépréciation de la valeur de la monnaie nationale sur les prix nationaux compense exactement l'impact positif en terme de compétitivité prix, de telle sorte que le niveau des exportations et des importations reste identique avant et après la dépréciation. Cependant, dans la réalité, on ne se trouve jamais dans cette situation, et l'on peut donc, sous certaines conditions, élargir la théorie de la courbe en J à l'étude de situation de changes flexibles « imparfaits ».

FONDEMENTS DE L'ÉCONOMIE

FONCTIONS ÉCONOMIQUES

FINANCEMENT DE L'ÉCONOMIE

LA RÉGULATION

LA MONDIALISATION

L'ENTREPRISE

Les inégalités de développement

Si les pays développés à économie de marché ont connu une croissance économique globalement forte depuis plus d'un siècle, ce n'est pas le cas des pays en voie de développement, aux évolutions disparates. De fortes inégalités persistent entre pays du Nord et pays du Sud.

● Qu'est-ce que le développement ?

– Le développement est, selon l'économiste François Perroux, « la combinaison des changements mentaux et sociaux d'une population qui la rendent apte à faire croître, cumulativement et durablement, son produit réel global ». Il ne faut pas confondre croissance économique et développement : alors que la notion de croissance se limite à l'augmentation de la production, le développement est une notion plus qualitative qui induit des évolutions structurelles et sociales.
– Le sous-développement est l'état d'une société dont les caractéristiques économiques, sociales, politiques et culturelles l'empêchent d'assurer à l'ensemble des individus qui la composent la satisfaction des besoins fondamentaux de la personne humaine. Plutôt que de parler de pays sous-développés, on a longtemps utilisé le terme de pays en voie de développement, puis de pays en développement (PED).

● L'indicateur de développement humain

L'indicateur de développement humain (IDH) a été mis en place par le Programme des Nations unies pour le développement (PNUD) en 1992, pour mesurer le développement. Sa valeur, comprise entre 0 et 1, permet de classer les pays selon leur niveau de développement :
– niveau de développement élevé : IDH > 0,8 (57 pays). Moyenne : 0,895 ;
– niveau de développement moyen : IDH entre 0,5 et 0,8 (87 pays). Moyenne : 0,718 ;
– niveau de développement faible : IDH < 0,5 (31 pays). Moyenne : 0,486.

● Les PED : des situations disparates

La notion de Tiers Monde, longtemps utilisée pour caractériser les pays en développement, en opposition aux pays développés capitalistes à économie de marché et aux pays socialistes, est aujourd'hui devenue obsolète avec la disparition du « bloc » des pays de l'est. De plus, les pays en développement ont connu des évolutions diverses.
– Les pays émergents, ou NPI (nouveaux pays industrialisés) ont connu des taux de croissance forts et se sont bien insérés dans les échanges internationaux. Ce sont principalement des pays d'Asie du sud-est (les 4 dragons : Hong-Kong, Singapour, Taïwan, Corée du Sud) ainsi que l'Inde, le Brésil, le Mexique et l'Argentine. Économiquement parlant, ils ont quasiment rattrapé les pays développés.
– D'autres pays se sont enfoncés dans la pauvreté : ce sont les PMA (pays les moins avancés), surtout composés de pays d'Afrique subsaharienne. La classification des PMA est établie depuis 1970 par l'ONU, et comporte les pays ayant un faible PNB par habitant, une prédominance de l'agriculture dans leur tissu productif (la production industrielle y est inférieure à 10 % du PNB) et un taux d'alphabétisation inférieur à 20 %. Ils sont aussi caractérisés par une croissance limitée (inférieure le plus souvent à celle de la population), une faible insertion dans les échanges internationaux et une espérance de vie basse.

MESURER LE DÉVELOPPEMENT

◼️ Les différents indicateurs du développement

Le tableau suivant répertorie les critères utilisés dans le calcul des différents indices de mesure du développement.

IDH, IPH-1, IPH-2, ISDH – Mêmes composants pour des mesures différentes

Indice	Longévité	Savoir	Niveau de vie décent	Participation ou exclusion
Indice de développement humain (IDH)	Espérance de vie à la naissance	• Taux d'alphabétisation des adultes • Taux brut de scolarisation combiné dans le primaire, le secondaire et le supérieur	PIB par habitant (PPA)	
Indice de pauvreté humaine pour les pays en développement (IPH-1)	Probabilité à la naissance de ne pas atteindre 40 ans	Taux d'analphabétisme des adultes	• Pourcentage de la population privée d'accès durable à un point d'eau aménagé • Pourcentage d'enfants de moins de cinq ans souffrant d'insuffisance pondérale • Pourcentage de la population vivant en deçà du seuil de pauvreté monétaire	
Indice de pauvreté humaine pour les pays de l'OCDE à revenu élevé (IPH-2)	Probabilité à la naissance de ne pas atteindre 60 ans	Pourcentage des adultes ayant des difficultés à comprendre un texte suivi	Pourcentage de la population vivant en deçà du seuil de pauvreté	Taux de chômage de longue durée (12 mois ou plus)
Indicateur sexospécifique du développement (ISDH)	Espérance de vie des hommes et des femmes à la naissance	• Taux d'alphabétisation des hommes et des femmes • Taux brut de scolarisation combiné des hommes et des femmes dans le primaire, secondaire et le supérieur	Revenu estimé du travail des hommes et des femmes	

Source : PNUD.

◼️ Le classement selon l'IDH en 2007

Pays	IDH	Pays	IDH
1. Norvège	0,971	9. Suisse	0,960
2. Australie	0,970	10. Japon	0,960
3. Islande	0,969	11. Luxembourg	0,960
4. Canada	0,966	12. Finlande	0,959
5. Irlande	0,965	13. États-Unis	0,956
6. Pays-Bas	0,964	14. Autriche	0,955
7. Suède	0,963	15. Espagne	0,955
8. France	0,961	16. Danemark	0,955

Rapport mondial sur le développement humain 2009, PNUD.

FONDEMENTS DE L'ÉCONOMIE

FONCTIONS ÉCONOMIQUES

FINANCEMENT DE L'ÉCONOMIE

LA RÉGULATION

LA MONDIALISATION

L'ENTREPRISE

Les théories du développement

Le développement a été très inégal au cours du XXᵉ siècle. Si les pays occidentaux à économie de marché se sont développés plus rapidement que les autres, les situations ont été contrastées entre les pays en développement. Différentes théories ont tenté d'expliquer ces disparités.

● La thèse du retard de développement

– W.W. Rostow, dans *Les étapes de la croissance économique* (1960), décrit cinq phases de développement : la société traditionnelle, où prédomine l'agriculture ; les conditions préalables au décollage, qui correspondent à une modernisation de l'agriculture et à une transformation des mentalités avec l'apparition de l'esprit d'entreprise ; le décollage (*take-off*), marqué par l'apparition d'industries motrices jouant un rôle d'entraînement ; la marche vers la maturité, caractérisée par la diffusion à l'ensemble de la société du progrès technique ; l'ère de la consommation de masse. Le *take-off* est l'étape charnière qui mène au développement.
– Selon cette analyse, le développement est un processus linéaire, car toutes les sociétés doivent passer par les mêmes étapes. Les pays en développement (PED) seraient à un stade où se trouvaient autrefois les pays développés. Pour rattraper ces derniers, les PED devraient donc suivre leur exemple c'est-à-dire libéraliser leurs économies.

● La thèse du dualisme

Selon A. Lewis, la plupart des PED sont caractérisés par un fort dualisme économique et social. Il existe dans ces pays deux secteurs : un secteur traditionnel lié à l'agriculture vivrière avec un surplus de main-d'œuvre et une faible productivité ; et un secteur moderne souvent hérité de la colonisation (industrie), à forte intensité de capital et souvent tourné vers le marché mondial. L'absence de relations due à de fortes rigidités, entre ces deux secteurs, désarticule ces économies. La croissance du second secteur n'a donc aucun effet d'entraînement sur l'ensemble de l'économie.

● Dégradation des termes de l'échange et dépendance

– Les *termes de l'échange* constituent un indicateur des conditions économiques de l'échange international. Ils indiquent les conditions dans lesquelles un pays échange ses importations contre ses exportations. Cet indicateur se calcule ainsi :

$$\frac{\text{indice du prix moyen des produits exportés}}{\text{indice du prix moyen des produits importés}} \times 100$$

Il y aurait une tendance à la dégradation des termes de l'échange des PED, ce qui signifie qu'ils doivent exporter toujours plus pour se procurer la même quantité d'un bien importé. Selon cette approche, il faudrait revoir le type de spécialisation des pays en développement.
– *L'école de la dépendance* est un courant plus radical d'inspiration marxiste. C'est la logique de fonctionnement du système capitaliste qui serait à l'origine du retard de développement de certains pays. Ainsi, l'économie mondiale capitaliste serait une structure hiérarchisée comportant un centre (les pays industriels capitalistes) et une périphérie (les PED), l'exploitation des pays pauvres étant une condition nécessaire à la survie du capitalisme.

LE LIEN CROISSANCE-DÉVELOPPEMENT

◾ La croissance économique, préalable au développement ?

• Il existe empiriquement un lien entre croissance et développement. En effet, les pays qui ont connu une forte croissance économique ont également vu leur IDH augmenter le plus.

Évolution de la proportion de pauvres entre 1987 et 1998, en points de pourcentage	Revenu inférieur à 1 $ par jour	
	Pays à bas revenu	Pays à revenu moyen
Pays à croissance négative	0,9	1,6
Pays à croissance lente	– 0,8	0,9
Pays à croissance rapide	– 5,4	– 3,0
Pays à croissance très rapide	– 11,8	– 8,0

Source : Fonds monétaire international, *World Economic Outlook*, mai 2000.

Ce document est particulièrement explicite : ainsi, entre 1987 et 1998, les pays à bas revenu qui ont connu une croissance économique négative ont vu la proportion de leur population ayant un revenu inférieur à un dollar par jour augmenter de 0,9 point, tandis que cette proportion a diminué de 11,8 points dans les pays ayant connu une croissance économique très rapide. Il montre ainsi qu'il existe un lien entre croissance rapide et diminution de la pauvreté. Or, cette réduction peut être considérée comme un signe du développement d'un pays.

• La croissance économique est un préalable indispensable au développement, car :

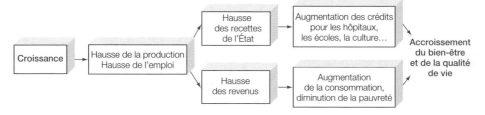

◾ Le développement ne se limite pas à la croissance

• Si globalement les pays les plus riches sont aussi ceux qui ont le niveau d'IDH le plus élevé, il existe malgré tout des écarts entre classement en terme de PIB par habitant et classement à l'IDH. Ainsi, en 2003 la Suède, 6e du classement selon l'IDH, n'est que 20e en terme de PIB par habitant, alors que les États-Unis, 4e en terme de PIB par habitant, ne sont que 10e du classement selon l'IDH (voir p. 123). De même, certains pays exportateurs de pétrole, tels que le Koweït, ont un fort PIB par habitant, alors même que leur niveau d'IDH est bien plus faible. Ces différences peuvent s'expliquer par :
– une mauvaise redistribution des richesses, qui entraîne hausse des inégalités et pauvreté.

On parle alors de mal-développement ;
– des transformations structurelles liées à la croissance économique (tertiarisation de l'économie, exode rural, dilution du lien social…) qui entraînent du chômage structurel (voir p. 100) et une exclusion d'une partie de la population.
– un changement de mentalité qui entraîne une perte de repères, du stress, et donc une diminution du bien-être.

• L'idée essentielle est que la croissance économique peut mener au mal-développement si ses fruits sont mal répartis. De plus, une croissance qui ne respecte pas l'environnement et qui épuise les ressources naturelles va à l'encontre du *développement durable* (voir p. 23).

FONDEMENTS DE L'ÉCONOMIE

FONCTIONS ÉCONOMIQUES

FINANCEMENT DE L'ÉCONOMIE

LA RÉGULATION

LA MONDIALISATION

L'ENTREPRISE

La construction européenne

La construction de l'Union européenne s'est faite de manière progressive. Son objectif était de créer une zone de libre échange économique et un ensemble politique stable pour garantir la paix. Jusqu'à aujourd'hui, les principales réalisations ont été d'ordre économique, l'union politique étant plus complexe à réaliser.

● Les principales étapes de la construction européenne

La construction européenne trouve son origine dans la volonté, au lendemain de la Seconde Guerre mondiale, de promouvoir la paix en Europe. Cette construction s'est faite en quatre grandes étapes :

– 1951 : l'Allemagne, la Belgique, la France, l'Italie, le Luxembourg et les Pays-Bas signent le Traité de Paris instituant la Communauté du charbon et de l'acier (CECA).

– 1957 : le 25 mars, ces six pays signent le Traité de Rome créant la Communauté économique européenne (CEE). Ce traité prévoit la mise en place à terme d'un Marché commun entre les pays membres de la communauté, c'est-à-dire d'une zone de libre circulation des biens, des services, des capitaux et des hommes.

– 1986 : signature de l'Acte unique européen, qui fixe l'ouverture du Marché unique au 1er janvier 1993.

– 1992 : signature du Traité de Maastricht, qui pose les fondements de l'Union économique et monétaire (UEM), et de la création d'une future monnaie unique, l'euro.

● Les grandes réalisations

Les principales avancées réalisées depuis la création de la communauté européenne sont :

– la suppression des droits de douane entre les pays membres ;

– la suppression partielle des barrières physiques (suppression totale entre les treize pays membres de l'espace Schengen) ;

– la mise en place de la Politique Agricole Commune (PAC), afin de soutenir financièrement les agriculteurs européens face à la concurrence des agriculteurs des pays tiers ;

– une harmonisation partielle des législations dans un certain nombre de domaines ;

– la mise en place d'une monnaie unique pour douze États membres ;

– la mise en commun au niveau européen d'un certain nombre de compétences, telles que la politique commerciale, la politique monétaire, le contrôle des règles de concurrence…

● Les avantages et contraintes d'un marché unique

La mise en place du *marché commun* a eu plusieurs avantages :

– accroître la concurrence, et donc offrir un plus grand choix aux consommateurs ;

– réaliser des économies d'échelles (voir p. 144) suite à l'accroissement de la taille du marché ;

– permettre une croissance économique forte : grâce au libre-échange, les pays européens devraient, en suivant la théorie ricardienne (voir p. 110), gagner en efficacité, et il devrait s'en suivre une homogénéisation des situations des différents pays.

Dans le même temps, ce marché commun, en créant de nouvelles interdépendances entre les pays membres, réduit l'autonomie de leurs politiques nationales, et donc en partie leur souveraineté. Les politiques économiques de relance keynésiennes butent ainsi sur la contrainte extérieure.

L'ÉLARGISSEMENT DE L'UNION EUROPÉENNE

▄▖ Historique de l'élargissement

1951 **1957**	Six pays forment la Communauté européenne du charbon et de l'acier (CECA) : République fédérale d'Allemagne (RFA), France, Belgique, Italie, Luxembourg et Pays-Bas. Ces six pays formeront en 1957 la CEE.
1973	Adhésion du Royaume-Uni, de l'Irlande et du Danemark (Europe à 9)
1981	Adhésion de la Grèce (Europe des 10)
1986	Adhésion de l'Espagne et du Portugal (Europe des 12)
1995	Adhésion de l'Autriche, de la Finlande et de la Suède (Europe des 15)
2004	Adhésion de Chypre, Malte, Estonie, Hongrie, Lettonie, Lituanie, Pologne, République tchèque, Slovaquie, Slovénie (Europe à 25)
2007	Adhésion de la Roumanie et de la Bulgarie (Europe à 27)

▄▖ Le calendrier actuel

• Le cinquième élargissement, réalisé en 2004, est celui qui a vu le plus grand nombre de nouveaux pays intégrer l'Union européenne.

• Le 31 mars 1998, les négociations d'adhésion ont démarré avec les six pays les mieux préparés : Chypre, Estonie, Hongrie, Pologne, République tchèque et Slovénie. Puis, le 15 février 2000, six autres pays ont suivi : la Bulgarie, la Lettonie, la Lituanie, Malte, la Roumanie et la Slovaquie.

• Les chefs d'États ou de gouvernement ont décidé, lors du Conseil européen de Copenhague de décembre 2002, que Chypre, la République tchèque, l'Estonie, la Hongrie, la Lettonie, la Lituanie, Malte, la Pologne, la République slovaque et la Slovénie respectaient les critères pour entrer dans l'UE. Ils leur ont alors proposé d'intégrer l'Union 1er mai 2004.

• Le traité d'adhésion de la Bulgarie et de la Roumanie à l'Union européenne n'a lui été signé que le 25 avril 2005. Leur adhésion a été effective le 1er janvier 2007.

• Aujourd'hui, trois pays restent officiellement candidats. Les négociations d'adhésion se sont ouvertes en octobre 2005 pour la Croatie et la Turquie (même si elles « constituent un processus ouvert, dont l'issue n'est pas garantie ») . Enfin, la Macédoine a déposé formellement, le 22 mars 2004, sa candidature d'adhésion à l'UE et a obtenu le statut de pays candidat lors du Conseil européen de décembre 2005.

▄▖ Le processus d'adhésion

• Les pays qui souhaitent adhérer à l'Union européenne doivent être des États européens, et respecter les principes de l'article 6 du traité sur l'UE : liberté, démocratie et respect des droits de l'homme et des libertés fondamentales, ainsi que de l'État de droit. Ils doivent également satisfaire aux critères de Copenhague :
– maintenir des institutions stables ;
– avoir une économie de marché ouverte et concurrentielle ;
– souscrire aux objectifs de l'Union politique, économique et monétaire.
Enfin, ils doivent intégrer l'acquis juridique communautaire, c'est-à-dire l'ensemble des principes, des règles et des objectifs qui fondent l'UE.

Jusqu'où aller ?

• Les cas de la Turquie et, par extension, des pays comme l'Ukraine, posent ainsi deux grands types de questions :
– peut-on considérer que ces pays font géographiquement partie de l'Europe ?
– les normes, valeurs, et coutumes de ces pays sont-elles compatibles avec celles défendues par l'Union européenne ?
Se posent alors les problèmes du respect de la liberté religieuse, de politiques non discriminantes envers certaines minorités, de l'abolition de la peine capitale…
L'adhésion à l'Union européenne induit l'intégration dans un système de valeurs.

Page rédigée à partir de *Source d'Europe*, site Internet pédagogique de l'Union européenne.

FONDEMENTS DE L'ÉCONOMIE

FONCTIONS ÉCONOMIQUES

FINANCEMENT DE L'ÉCONOMIE

LA RÉGULATION

LA MONDIALISATION

L'ENTREPRISE

L'Europe monétaire

Après l'intégration économique (libre circulation des biens et des services), et avant une hypothétique intégration sociale (convergence des systèmes sociaux), les États membres de l'Union européenne ont cherché à poser les bases d'une coopération monétaire, qui a été à l'origine de la création d'une monnaie européenne, l'euro.

De Bretton Woods au SME

– L'instauration de principes de fonctionnement monétaires communs aux États membres de la Communauté économique européenne (CEE) a été motivée par la fin du système monétaire de Bretton Woods et par l'abandon du système de changes fixes (voir p. 118) décrété en 1971 par le président américain R. Nixon. La convergence des économies européennes s'est alors trouvée remise en cause par la fluctuation libre des monnaies.
– En 1972, les accords de Bâle mettent en place le serpent monétaire européen. Ce système fonctionne selon le principe suivant : le « tunnel » oblige les monnaies européennes à ne pas s'écarter de plus de 2,25 % de leur parité fixe avec le dollar. À l'intérieur de ce tunnel, les monnaies européennes entre elles doivent respecter un écart maximum de ± 2,25 % par rapport à leurs parités fixes (le « serpent »).
– Les résultats du serpent monétaire ne furent pas ceux escomptés, pour plusieurs raisons : crise pétrolière de 1973, appréciation du deutschemark par rapport au dollar et nombreuses entrées et sorties des monnaies européennes du système cambiaire. Cet échec du serpent européen n'a pas entraîné l'abandon d'une coopération monétaire en Europe. Celle-ci a réellement repris en 1979, avec la mise en place du *Système monétaire européen* (SME). Son objectif initial était d'instaurer la stabilité des monnaies et des taux de change en Europe et à plus long terme, la stabilité des prix et une plus grande convergence des politiques économiques. Plus précisément, il s'agissait d'empêcher la pratique des *dévaluations compétitives*, consistant pour un pays à réduire volontairement la parité de sa monnaie afin de gagner en compétitivité-prix.

Du SME à l'UEM

Le SME reposait sur un certain nombre de principes.
– Le retour à un système de changes fixes : les monnaies des pays participants étaient échangeables entre elles grâce à des cours pivots. Chaque monnaie avait un cours défini par rapport à une unité de compte commune, l'ECU (*european currency unit*) et pouvait fluctuer par rapport aux autres monnaies de ± 2,25 % (marge élargie à ± 15 % après la crise de 1993).
– La création de l'ECU : l'ECU était une monnaie composée des devises des pays membres, chaque devise étant pondérée en fonction du poids économique de chaque pays. Les cours pivots étaient ajustables entre eux puisque les parités pouvaient être modifiées selon l'évolution économique des pays. Ainsi, entre 1981 et 1986, le cours du franc a été révisé cinq fois.
– L'obligation pour les Banques centrales européennes d'intervenir sur le marché des changes quand les monnaies s'écartaient de leur cours pivot pour rétablir les parités.
L'ECU a continué d'exister jusqu'au 31 décembre 1998. Depuis le 1er janvier 1999 et l'entrée en vigueur de l'UEM, il a été remplacé par l'euro sur la base d'un pour un. Le principe de fonctionnement et de définition de l'euro est quasi identique à celui de l'ECU. En 2005, douze pays forment la zone euro : l'Allemagne, l'Autriche, la Belgique, l'Espagne, la Finlande, l'Irlande, l'Italie, la France, la Grèce, le Luxembourg, les Pays-Bas et le Portugal.

BILAN ET PROLONGEMENTS DU SME

◼ Les réussites du SME

Si le SME a connu un certain nombre de crises, il a aussi permis quelques réussites, dont les plus probantes sont :
– une relative *stabilité des taux de change* des monnaies européennes entre elles malgré des ajustements relativement fréquents des cours pivots de certaines monnaies, alors même que durant la même période, les autres monnaies du SMI ont connu des variations parfois très fortes ;
– une *convergence des taux d'intérêt* chez les pays membres du SME, ce qui a contribué à favoriser l'émergence d'un marché financier européen permettant une meilleure allocation des ressources financières au sein de l'espace économique européen ;
– une *convergence et une diminution du taux d'inflation* au sein de l'Union. Les politiques monétaires menées en Europe ont atteint leur objectif prioritaire de lutte contre la hausse des prix.

La réduction du différentiel d'inflation France/Allemagne

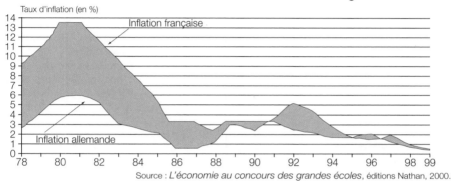

Source : *L'économie au concours des grandes écoles*, éditions Nathan, 2000.

◼ L'Union économique et monétaire

Puisque, grâce au SME, les monnaies nationales des pays membres fluctuaient peu, le passage à des parités irrévocables est apparu souhaitable. Au marché unique correspondrait alors une monnaie unique, l'euro, dont la création a été réalisée suite à la ratification en 1992 du traité de Maastricht, qui fixe le cadre juridique et l'échéancier de l'Union économique et monétaire (UEM).

• Première étape, s'achevant en décembre 1993 : achèvement du marché intérieur, comportant en particulier la libération totale des mouvements de capitaux et des services, condition de la constitution d'un espace financier unique.

• Deuxième étape (1er janvier 1994-30 juin 1998) : création de l'Institut monétaire européen (IME), qui a piloté le SME et veillé au respect par les pays membres des critères convergence (voir p. 131).

• Troisième étape : création d'un Système européen des banques centrales (SEBC) et d'une Banque centrale européenne (BCE) (voir p. 68), installée à Francfort, qui a tenu sa première réunion en juin 1998. Cette phase s'est achevée par l'introduction de l'euro le 1er janvier 1999.

◼ Le SME bis

• Les pays de l'Union européenne n'ayant pas intégré la zone euro peuvent participer à un « SME bis », qui est un sas d'entrée dans l'Union économique et monétaire.

• Les principes de SME-bis sont les suivants :
– l'adhésion à ce système n'est pas obligatoire ;
– le mécanisme est fondé sur des cours pivots définis par rapport à l'euro ;
– les marges de fluctuation sont relativement larges (± 15 %) de manière à éviter la spéculation.

FONDEMENTS DE L'ÉCONOMIE

FONCTIONS ÉCONOMIQUES

FINANCEMENT DE L'ÉCONOMIE

LA RÉGULATION

LA MONDIALISATION

L'ENTREPRISE

Les conséquences de l'euro

L'euro est officiellement entré en vigueur le 1er janvier 1999, mais les premières pièces et billets ne sont entrés en circulation qu'en janvier 2002. Les conséquences de sa mise en place sont théoriquement possitives. La réalité est un peu plus nuancée.

● Les avantages économiques théoriques de l'euro

L'adoption d'une monnaie unique doit en théorie relancer la croissance économique pour différentes raisons.

– La disparition des commissions de change lors du passage dans un autre pays de la zone euro doit avoir un impact positif sur le tourisme, et réduire les coûts de production des entreprises qui achetaient une partie de leur matériel dans d'autres pays de la zone euro.

– La disparition de l'incertitude pesant sur les changes permet aux entreprises de ne plus subir les fluctuations financières liées aux variations de la valeur des monnaies.

– L'accroissement de la concurrence est conséquente d'une comparaison des prix facilitée. Cela doit normalement entraîner une pression à la baisse sur les prix, et permettre une plus grande liberté de choix pour les consommateurs. Cette baisse des prix doit relancer la compétitivité-prix des produits européens ainsi que la consommation, ce qui est source de croissance économique.

– Une tendance à la baisse des taux directeurs de la banque centrale (voir p. 68), car une monnaie unique est plus forte qu'un ensemble de monnaies séparées sur les marchés internationaux. Or, cette détente sur les taux d'intérêt est théoriquement source d'une augmentation de l'investissement, et donc de la croissance.

● Des avantages économiques à relativiser

– Certains de ces points sont cependant à nuancer. Ainsi, la Banque centrale européenne, qui est l'organisme indépendant des pouvoirs politiques chargé de veiller à la mise en place de la politique monétaire commune, a, depuis la mise en place de l'euro, maintenu une politique de taux directeurs plus élevés que ceux pratiqués aux États-Unis par la Réserve fédérale. Or, cette politique monétaire restrictive, si elle a donné les résultats attendus en matière de lutte contre l'inflation, a contribué à comprimer la demande (voir p. 69), ce qui est un frein à la croissance économique.

– De même, l'accroissement supposé de la concurrence n'a pas forcément eu lieu, car les habitudes (et les possibilités concrètes de consommation) restent fortement nationales.

– Enfin, la baisse des prix attendue est restée en partie lettre morte ; au contraire, dans certains pays, le passage de la monnaie nationale à l'euro a entraîné des arrondis de prix à la hausse.

● Des avantages politiques

L'adoption de l'euro avait aussi pour objectif de renforcer le sentiment d'appartenance des Européens à l'Union européenne, au-delà de leur sentiment d'appartenance nationale. Ce sentiment communautaire accru devrait être la base de la prolongation d'un des objectifs majeurs à la source de la constitution de l'Union européenne : la promotion de la paix entre les peuples européens.

COMMENT INTÉGRER LA ZONE EURO ?

◾ Les préalables à la candidature

• Pour pouvoir intégrer la zone euro, un pays doit déjà appartenir à l'Union européenne, et donc avoir conformé sa législation à un certain nombre de règles.

• Être membre de l'UE ne suffit cependant pas. Dans un premier temps, les politiques économiques des États candidats sont soumises à un certain nombre de procédures de surveillance multilatérale, afin de s'assurer qu'elles sont compatibles avec celles des autres membres (en particulier, elles ne doivent pas être inflationnistes).

• Les pays désireux de se doter de l'euro comme monnaie doivent faire acte de candidature pour être admis dans l'UEM. Ensuite, ils doivent intégrer pendant une période d'au moins deux ans le mécanisme de change européen ou « SME bis » (voir p. 129).

◾ Les critères à respecter

• Les pays candidats doivent ensuite respecter cinq critères économiques (les critères de convergence) l'année précédant l'examen de leur candidature, tel que stipulé dans le traité de Maastricht de 1992 :
– un déficit public limité à 3 % du PIB ;
– une dette publique inférieure à 60 % du PIB ;
– un taux d'inflation qui ne soit pas supérieur de plus de 1,5 point au taux d'inflation moyen des trois pays membres de l'Union ayant les taux d'inflation les plus faibles ;
– des taux d'intérêt nominaux à long terme qui n'excèdent pas de plus de 2 points les taux d'intérêt moyen des trois pays membres de l'Union ayant les taux d'intérêt les plus faibles ;
– avoir connu une stabilité de la monnaie par rapport au « SME bis » pendant au moins deux années consécutives.

• L'une des grandes critiques faites à ces critères est qu'ils négligeraient totalement certains aspects économiques et sociaux essentiels, tels que des taux de chômage et de pauvreté faibles, ou une croissance économique forte… En fait, ces critères sont liés à l'objectif alloué :

construire une zone monétaire commune. Or, l'existence de cette zone induit nécessairement une certaine discipline budgétaire et monétaire de ses membres, sans quoi les plus vertueux (ceux ayant des déficits et une inflation faibles) payeraient pour les politiques plus laxistes des autres États. Par contre, le fait que certains pays connaissent des taux de chômage ou de pauvreté élevés n'a pas a priori d'incidence directe sur la situation des autres pays de la zone…

◾ Des critères… à géométrie variable ?

En mai 1998, onze des pays souhaitant participer à la monnaie unique sont retenus au regard des critères de convergence fixés dans le traité de Maastricht. La Grèce, qui ne respectait pas deux des critères de convergence en 1998, rejoindra la zone euro le 1er janvier 2001.
Cependant, en 1998, seuls trois pays membres (la France, le Luxembourg et la Finlande) respectaient l'ensemble des cinq critères. Les autres avaient un ratio dette publique/PIB supérieur à 60 % du PIB… Par conséquent, il a été décidé que les pays ne respectant pas ce critère, mais réalisant des efforts pour y parvenir à terme, seraient malgré tout acceptés.

◾ Et après ?

Une fois entrés dans la zone euro, les critères relatifs à la stabilité de la monnaie et au taux d'intérêt n'ont plus de sens (les taux d'intérêt étant déterminés par la BCE, voir p. 68). Les trois autres critères restent à respecter sous peine de sanctions pouvant aller jusqu'à l'amende. Par l'intermédiaire du Pacte de stabilité et de croissance, les pays de la zone euro se sont malgré tout engagés à terme à viser un équilibre de leurs budgets publics… même si certains pays, comme la France et l'Allemagne, en semblent actuellement éloignés.

FONDEMENTS DE L'ÉCONOMIE

FONCTIONS ÉCONOMIQUES

FINANCEMENT DE L'ÉCONOMIE

LA RÉGULATION

LA MONDIALISATION

L'ENTREPRISE

La diversité des entreprises

Une entreprise est une unité économique, organisée pour produire des biens ou des services marchands. Toutefois, la notion d'entreprise recouvre un grand nombre de situations : les entreprises se distinguent entre autres par leur taille, leur statut juridique ou encore leur secteur d'activité.

● La taille

La taille d'une entreprise peut s'appréhender à partir de son *chiffre d'affaires*. Mais c'est le plus souvent le nombre de salariés qui va permettre de juger de son envergure. Toutefois, il n'existe pas en France de définition officielle unique (par exemple, pour parler d'une PME, on a longtemps utilisé le seuil de 500 salariés, souvent remplacé aujourd'hui par celui de 250 salariés). Le classement ci-dessous est celui recommandé par l'Union européenne depuis 1996.
– Les *micro-entreprises* : 0 à 9 salarié(s). Pour les entreprises qui n'ont pas de salariés, surtout des entreprises individuelles, c'est le propriétaire de l'entreprise qui fournit le facteur travail.
– Les *très petites entreprises (TPE)* : 0 à 19 salariés (parfois 10 à 19).
– Les *petites entreprises* : 0 à 49 salarié(s) (parfois 20 à 49).
– Les *moyennes entreprises* : 50 à 249 salariés.
– Les *PME (petites et moyennes entreprises)* : 0 à 249 salarié(s) (parfois 20 à 249).
– Les *grandes entreprises* : 250 salariés ou plus.

● Le statut juridique

Au sens juridique, les entreprises sont répertoriées selon divers critères : nombre de propriétaires, responsabilité des associés, nécessité ou non d'un capital minimum…
– L'*entreprise individuelle* a un propriétaire unique, et ne possède donc pas de personnalité juridique distincte de celle de la personne physique de son exploitant. Ainsi, il n'y a pas de séparation entre le patrimoine privé du chef d'entreprise et son patrimoine professionnel.
– L'*entreprise sociétaire* (ou plus simplement la *société*) est une personne morale créée par un contrat conclu entre plusieurs personnes (les *associés*) qui décident de mettre en commun du travail et/ou du capital afin d'en partager les profits. On distingue les *sociétés de personnes* (*société en nom collectif* en particulier) dans lesquelles la responsabilité des associés est totale, et les *sociétés de capitaux* (*SARL* et *SA* en particulier) où la responsabilité des associés est limitée à leurs apports.

● Les branches et secteurs d'activité

– La comptabilité nationale distingue les branches et les secteurs d'activité. Une branche regroupe les unités de production qui ont la même activité et réalisent un seul type de biens ou de services. Un secteur regroupe les unités de production qui ont la même activité principale (voir les secteurs identifiés par l'Insee ci-contre).
– À la suite des travaux de J. Fourastié, les économistes distinguent aussi trois *secteurs d'activités* : *primaire* (agriculture, pêche…), *secondaire* (industries, BTP), *tertiaire* (services). Ce dernier secteur regroupe aujourd'hui une très large majorité des entreprises françaises, et ce quelle que soit leur taille (processus de *tertiarisation*).

CARACTÉRISTIQUES DES ENTREPRISES FRANÇAISES

Répartition des entreprises françaises selon le nombre de salariés et l'activité au 1er janvier 2008

Activité	Taille en nombre de salariés							Total	dont PME (10 à 249 salariés)
	0	1 à 9	10 à 49	50 à 199	200 à 499	500 à 1 999	2 000 ou plus		
Industries agricoles et alimentaires (IAA)	20 880	35 620	6 238	1 053	265	120	16	64 192	7 376
Industries hors IAA	86 841	62 696	26 776	6 129	1 402	627	121	184 592	33 370
Construction	198 103	171 215	27 609	2 172	259	139	18	399 515	29 874
Commerce	378 151	248 730	38 495	5 452	829	317	83	672 057	44 225
Transports	51 044	26 687	9 677	2 033	398	126	32	89 997	11 840
Activités financières	31 742	17 689	2 072	560	179	192	63	52 497	2 690
Activités immobilières	147 842	39 788	3 475	499	121	38	2	191 765	4 024
Services aux entreprises	352 203	151 929	28 081	4 364	894	414	116	538 001	32 723
Autres services	545 899	235 057	25 858	3 697	419	111	36	811 077	29 698
Total	1 812 705	989 411	168 281	25 959	4 766	2 084	487	3 003 693	195 820

Champ : activités marchandes hors agriculture ; France.

Source : INSEE, REE (Répertoire des Entreprises et des Établissements - Sirene).

Comparaison des principaux statuts juridiques des entreprises françaises

	Entreprise individuelle	EURL	SNC	SARL	SA
Nombre d'associés requis	Un, l'entrepreneur individuel	Un	2 au minimum	2 au minimum, 50 maximum	7 au minimum
Montant minimal du capital social	Pas de notion de capital social	Pas de minimum obligatoire	Pas de minimum obligatoire	Pas de minimum obligatoire (depuis 2003)	37 000 euros minimum
Qui dirige l'entreprise ?	L'entrepreneur individuel dispose des pleins pouvoirs pour diriger son entreprise	Un gérant qui peut être soit l'associé unique, soit un tiers	Un ou plusieurs gérant(s). Il peut s'agir, soit de l'un des associés, soit d'un tiers	Un ou plusieurs gérant(s), obligatoirement personne(s) physique(s). Cela peut être soit l'un des associés, soit un tiers	Un conseil d'administration, un président, désigné par le CA, un directeur général peut être nommé pour représenter la société et assurer sa gestion courante.
Quelle est l'étendue de la responsabilité des associés ?	L'entrepreneur individuel est seul responsable sur l'ensemble de ses biens personnels	La responsabilité de l'associé est limitée au montant de ses apports*	Ils sont responsables indéfiniment, sur l'ensemble de leurs biens personnels, et solidairement	La responsabilité des associés est limitée au montant de leurs apports*	La responsabilité des associés est limitée au montant de leurs apports
Qui prend les décisions ?	L'entrepreneur individuel seul	Le gérant (on peut toutefois limiter ses pouvoirs s'il n'est pas l'associé unique)	Les règles applicables sont les mêmes que pour une SARL	Décisions de gestion courante : le gérant. Décisions dépassant ses pouvoirs : en assemblée générale ordinaire. Décisions modifiant les statuts : en assemblée générale	– Décisions de gestion courante : directeur général ou président. – Assemblées générales ordinaires et extraordinaires : mêmes règles que dans les SARL.

(*) Sauf si l'associé a commis des fautes de gestion ou accordé des cautions à titre personnel.

EURL : Entreprise unipersonnelle à responsabilité limitée. **SNC :** Société en nom collectif. **SARL :** Société à responsabilité limitée. **SA :** Société anonyme.

FONDEMENTS DE L'ÉCONOMIE

FONCTIONS ÉCONOMIQUES

FINANCEMENT DE L'ÉCONOMIE

LA RÉGULATION

LA MONDIALISATION

L'ENTREPRISE

Entreprises privées et entreprises publiques

Les entreprises peuvent être classées selon la nature publique ou privée de leurs capitaux. Le statut, public ou privé, d'une entreprise n'est toutefois pas intangible : il peut évoluer au cours du temps suite à des mouvements de nationalisations ou de privatisations.

● Le secteur public d'entreprises

Une *entreprise publique* est une entreprise sur laquelle l'État peut exercer directement ou indirectement une influence dominante, en disposant soit de la totalité ou de la majorité du capital, soit de la majorité des voix attachées aux parts émises. Ces entreprises publiques forment le *secteur public* au sens restreint (au sens large, il comporte aussi les administrations publiques).

● Les nationalisations

– Une entreprise privée peut devenir publique suite à un processus de *nationalisation*, par un transfert de propriété de son capital à l'État. Ainsi, au XXe siècle, la France a connu deux principales vagues de nationalisations. Après 1945, l'État a nationalisé des entreprises de secteurs clés de l'économie (banques, assurances, secteur énergétique…). En 1982, le gouvernement Mauroy a également procédé à plusieurs nationalisations : cinq groupes industriels (CGE, Pechiney, Rhône-Poulenc, Saint-Gobain et Thomson), trente-neuf banques (dont Crédit du Nord, CCF, CIC…) et deux compagnies financières (Paribas et Suez).
– Au-delà des (rares) cas de nationalisations qui ne relèvent pas d'une logique économique (« nationalisation-sanction » de Renault en 1945), l'existence d'entreprises publiques peut se justifier économiquement. Dans une logique keynésienne, l'État peut, par l'intermédiaire de ses entreprises publiques, réguler l'activité économique. L'entreprise publique peut aussi permettre d'offrir des biens collectifs (voir p. 82) et se justifie dans les situations de monopole naturel (voir p. 80). Elle peut également favoriser la restructuration industrielle en s'engageant dans de nouvelles activités au succès et à la rentabilité incertains et aider financièrement des secteurs en déclin.

● Les privatisations des entreprises publiques

– Une entreprise publique peut être *privatisée* : une partie ou la totalité de son capital est alors transférée au secteur privé. La privatisation peut se réaliser par cession au secteur privé de titres de propriétés qui appartenaient à l'État, ou par augmentation du capital de l'entreprise pour des actionnaires privés (la part de l'État diminuant). Depuis 1986, et à l'image de ce qui se passait déjà à l'étranger (Royaume-Uni en particulier), la France connaît un vaste mouvement de privatisations qui se poursuit encore aujourd'hui.
– Le rôle des entreprises publiques dans l'économie nationale est souvent contesté : le secteur public d'entreprises est jugé trop important dans certaines activités concurrentielles. C'est d'ailleurs la raison pour laquelle l'Union européenne prône l'ouverture à la concurrence de secteurs tels que la téléphonie, la distribution d'électricité… De plus, d'un point de vue budgétaire, les privatisations fournissent à l'État des ressources, certes ponctuelles, mais non négligeables.

L'ÉVOLUTION DU SECTEUR PUBLIC EN FRANCE

▟ Évolution du poids des entreprises publiques en France

Entreprises publiques selon l'activité (fin 2003)

Activité économique	Nombre d'entre-prises	Effectifs salariés (en milliers)	Principaux groupes présents dans le secteur
Agriculture	n.s	11,9	Office National des Forêts
Industrie	173	206,9	
Industries agroalimentaires	n.s	n.s	
Industries de biens de consommation	9	1,8	Imprimerie Nationale
Industries de biens d'équipement	44	38,9	Snecma, Giat-industries, CEA
Industries de biens intermédiaires	45	12,0	Société Nationale des Poudres et Explosifs, CEA, Snecma
Énergie	71	153,4	CEA, EDF, GDF
Construction	20	3,2	
Tertiaire	1 238	895,4	
Commerce	36	2,0	
Transports	205	342,7	SNCF, Air France, Aéroports de Paris, RATP, Ports autonomes…
Activités financières	89	21,0	Banque de France
Activités immobilières	340	6,0	
Services aux entreprises	478	480,7	La Poste, France Télécom, CEA, C3D, CNES, ONERA
Services aux particuliers	68	30,7	Air France, France Télévision, SNR, Opéra de Paris
Éducation, santé, action sociale	6	8,0	Établissement français du sang
Administration	16	4,3	
Ensemble	1 447	1 117,4	

n.s : Résultat non significatif. Source : INSEE.

Entreprises contrôlées majoritairement par l'État en France

■ Effectif salarié en France (en milliers)
—○— Nombre d'entreprises contrôlées par l'État

p : données provisoires. Source : INSEE, Recme.

Depuis le milieu des années 1980, le nombre d'entreprises contrôlées majoritairement par l'État, de même que les effectifs salariés ont été réduits de plus de 50 %. En 1985, elles représentaient 19,3 % des effectifs salariés et 25 % de la valeur ajoutée totale, contre respectivement 7,5 % et 11,1 % en 2001. Aujourd'hui, le secteur public tend à se resserrer autour de groupes investis de missions d'intérêt général ou présentant un intérêt stratégique pour le pays. Les secteurs de l'énergie, des transports et des télécommunications représentent l'essentiel du secteur public.

▟ Les deux grandes vagues de privatisations

• La première s'ouvre avec la *loi du 2 juillet 1986* qui prévoit le transfert au secteur privé de vingt-huit groupes ou sous-groupes publics. Finalement, entre 1986 et 1988, quinze groupes ou sous-groupes ont été privatisés. On peut citer, sur cette période, les privatisations de la Compagnie générale d'électricité, de la Société générale ou de TF1.

• La *loi du 19 juillet 1993* inaugure la deuxième phase de privatisations. Elle élargit le champ des entreprises privatisables en ajoutant treize groupes ou sous-groupes publics à la liste des sociétés de 1986 non encore privatisées.

Entre 1993 et 1997 ont alors, entre autres, été privatisés : Elf, AGF, UAP, BNP, Renault (ouverture du capital), Rhône-Poulenc, Usinor-Sacilor… Ce programme se poursuit depuis 1997, avec les privatisations du GAN, du CIC, d'Aérospatiale-Matra, du Crédit Lyonnais, de Thomson-Multimédia…

FONDEMENTS DE L'ÉCONOMIE

FONCTIONS ÉCONOMIQUES

FINANCEMENT DE L'ÉCONOMIE

LA RÉGULATION

LA MONDIALISATION

L'ENTREPRISE

La concentration des entreprises

La concentration des entreprises désigne le processus d'augmentation tendancielle de la taille moyenne des unités de production. Le poids relatif des entreprises les plus grandes a tendance à s'accroître, ce pour des motifs d'efficacité productive et/ou de rentabilité.

● La notion de groupe

– Un *groupe* est un ensemble d'entreprises reliées entre elles par l'intermédiaire d'une *société mère* qui contrôle en totalité ou en partie ces entreprises. On parlera de *filiales* pour les sociétés qui sont détenues directement ou indirectement à plus de 50 % par la société mère.
– Si la société mère peut unifier certains aspects de la gestion financière ou de la fiscalité des autres entreprises, le groupe peut toutefois comporter une pluralité de centres de décisions, en ce qui concerne la politique de production, de vente…

● Les stratégies de concentration

Les concentrations ne relèvent pas toutes du même objectif.
– La *concentration horizontale* désigne le regroupement d'entreprises aux activités similaires (par exemple Air France-KLM). L'intérêt de ce type de regroupement est multiple : accroître la puissance de l'entreprise en gagnant des parts de marché, en réalisant des économies d'échelle (voir p. 144) grâce à une réduction des coûts et à des effets de synergie.
– La *concentration verticale* correspond à un regroupement d'entreprises aux activités complémentaires, soit en amont, par contrôle de fournisseurs, soit en aval, par celui de la clientèle. C'est le cas par exemple quand en 2002, Origny-Naples (consortium de coopératives betteravières) a acquis Beghin-Say (raffinage de sucre). L'objectif est alors de maîtriser tout ou partie de la chaîne de production, en contrôlant l'approvisionnement et la distribution de la production. Cela permet de réduire les coûts de production en « éliminant » les intermédiaires.
– La *concentration conglomérale (ou par diversification)* caractérise la réunion d'entreprises aux activités sans liens apparents. Le groupe Bouygues a été constitué par ce type de concentration avec des secteurs d'activité aussi divers que le BTP, les médias (avec TF1), ou encore la télécommunication… Diversifier les risques et les sources de profits est l'objectif visé par ce type de concentration.

● Les modalités de la concentration

Sur le plan pratique, la concentration peut se faire de plusieurs manières.
– L'*acquisition*, c'est-à-dire la prise de participation dans le capital d'une autre entreprise ; l'*OPA* (*Offre publique d'achat*) peut permettre cette prise de participation (une entreprise propose publiquement aux actionnaires d'une autre firme de racheter leurs actions à un prix plus élevé que celui du marché).
– La *fusion* : deux entreprises vont apporter leurs actifs respectifs pour créer une nouvelle société. Les deux anciennes entités « disparaissent » alors au profit d'une nouvelle.
– L'*absorption* : deux firmes apportent chacune leurs actifs, mais une seule disparaît juridiquement.

L'ÉVOLUTION DES OPÉRATIONS DE FUSION-ACQUISITION

◼ Le boom des fusions-acquisitions

• Au niveau mondial, les fusions et acquisitions (F&A) ont connu un essor particulièrement important dans la seconde moitié des années 1990. Ces opérations de F&A se sont essoufflées à partir de 2001, pour connaître un léger redressement en 2003 et 2004.

• Jusqu'au milieu des années 1980, les F&A ont été principalement le fait d'entreprises américaines et britanniques. Jusqu'à cette époque, la France était un acteur marginal de ce marché. À partir de 1986, une puissante vague de restructurations s'est engagée, d'abord dans les pays développés puis, dans les années 1990, dans certains pays en développement.

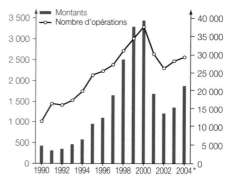

Nombre de fusions-acquisitions dans le monde et montant (en milliards de dollars)

* Quatre mois annualisés.

Source : Thomson Financial.

◼ Les causes de ce boom

• Une libéralisation croissante

– Les grands pays industriels ont libéralisé le secteur des services, notamment la banque, l'assurance et les télécommunications. Ce *processus de libéralisation*, mêlant *déréglementation* et *privatisation*, a débuté dès le milieu des années 1970 aux États-Unis. Il a atteint le Royaume-Uni au début des années 1980 et s'est diffusé au reste de l'Europe et au Japon au milieu des années 1980.

– Le processus de *libéralisation et d'innovation des marchés financiers* à partir du milieu des années 1980 a permis aux firmes de bénéficier de financements nouveaux, variés et souples pour développer leur stratégie de croissance.

– La plupart des pays ont engagé dans les années 1980 un processus de *déréglementation de l'investissement direct international* permettant une réduction sensible des obstacles et restrictions envers les investisseurs internationaux.

• Le rôle de la mondialisation

La volonté de *pénétrer les marchés étrangers* est l'un des principaux motifs des F&A. Cette stratégie vise, entre autres, à contourner des barrières tarifaires ou non tarifaires. Elle doit permettre une certaine proximité avec le client afin d'adapter les produits aux goûts locaux et d'assurer les prestations de service. Pour accéder aux marchés mondiaux et y jouir d'une position favorable, il faut atteindre une taille critique permettant de mobiliser les capitaux, les réseaux commerciaux, les laboratoires de recherche et de développement…

• La recherche de compétitivité

La volonté des entreprises de collaborer en vue d'*innover* est un argument devenu primordial. Pour rester compétitif, il faut maîtriser et développer de *nouvelles technologies*.

Or, il est difficile, même pour les grandes firmes, d'innover en permanence : la croissance rapide des connaissances techniques et les incertitudes liées au changement technologique rendent cette innovation difficile et complexe.

Dès lors, les F&A sont une stratégie de réponse à l'innovation : le rapprochement de sociétés doit favoriser l'acquisition et l'appropriation de nouveaux actifs incorporels (nouveau savoir faire, compétences clés permettant de développer de nouvelles technologies…).

FONDEMENTS DE L'ÉCONOMIE

FONCTIONS ÉCONOMIQUES

FINANCEMENT DE L'ÉCONOMIE

LA RÉGULATION

LA MONDIALISATION

L'ENTREPRISE

La multinationalisation des firmes

Les années 1990 ont été marquées par une forte croissance du nombre d'IDE, et en particulier des fusions-acquisitions impliquant des entreprises situées dans des pays différents. Ce mouvement a eu pour conséquence un accroissement du nombre de firmes dites multinationales.

Qu'est-ce qu'une firme multinationale ?

– Une *firme multinationale* (FMN) est une entreprise possédant au moins une unité de production à l'étranger. C'est une entreprise qui a le monde comme champ d'activités : le processus de production est divisé, réparti, entre les pays en fonction des avantages propres à chaque espace national : c'est la *DIPP (décomposition internationale des processus de production)*.
– Une firme se multinationalise en réalisant des *investissements directs à l'étranger (IDE)* (voir p. 107). Elle peut soit acheter une unité de production déjà existante, soit la créer de toutes pièces (*greenfield investment*).
– D'après les estimations de la CNUCED, il existe aujourd'hui dans le monde environ 65 000 entreprises multinationales qui comptent quelque 850 000 filiales étrangères dans divers pays.

Quelle nationalité pour les firmes multinationales ?

– Une firme multinationale possède une nationalité qui est celle du pays d'implantation de sa maison-mère (la société détentrice des différentes filiales du groupe). Cependant, le terme de *firme transnationale* est parfois aussi employé, pour insister sur le fait qu'il est aujourd'hui parfois difficile de déterminer la nationalité d'une firme (installée dans un pays mais détenue par des capitaux étrangers, réalisant une partie de sa production dans d'autres pays…).
– K. Ohmae, spécialiste en gestion stratégique, suggère que certaines firmes multinationales ont atteint une forme organisationnelle de *glocal localization* : si la firme est multinationale, elle doit cependant penser sa stratégie en termes locaux. Ainsi, les modes de consommation varient en fonction des pays ou des zones géographiques, de même que les modes de production. Ohmae parle de *glocalisation*, car les FMN doivent avoir une stratégie locale et régionale en plus de leur vision globale.

Les caractéristiques actuelles des FMN

– *Un fort accroissement de l'importance des FMN* : le volume d'IDE a été multiplié par plus de 100 entre le début des années 1970 et 2000. À partir de 2001, du fait de la crise boursière, on a assisté à un recul du montant des IDE, mais en 2002 ce montant reste malgré tout deux fois plus élevé qu'en 1991.
– *Une évolution de la sectorisation des FMN* : si les premières FMN se trouvaient dans les secteurs de l'électronique, du pétrole et de l'automobile, puis ensuite de l'alimentaire, de l'informatique et de la chimie, on assiste aujourd'hui à une augmentation forte du nombre de FMN dans le secteur des services. Ainsi, entre 1990 et 2002, 67 % des IDE ont concerné des entreprises exerçant leur activité dans le secteur des services.
– *Un commerce intra-firme important* : ainsi, les échanges de biens et de services sont en partie dépendants des FMN ; un tiers du commerce international correspond aujourd'hui à des échanges intra-firmes, c'est-à-dire entre filiales de la même firme.

UN EXEMPLE DE FIRME MULTINATIONALE

La conquête progressive du marché mondial

Le dispositif de production mondiale techniquement intégré
- les 82 usines Michelin
- les 6 plantations d'hévéas
- les 8 centres de recherches et d'essais

base nationale française

années 1960-1970 : renforcement européen et implantation en Afrique et au Brésil

années 1980-1990 : conquête nord-américaine, rachat d'Uniroyal Goodrich

années 1990-2000 : priorité asiatique et Europe médiane

Les équilibres stratégiques mondiaux face à la concurrence

Europe et Amérique du Nord : Michelin domine le marché

zones de faiblesse au Sud

pari asiatique dans le cadre de la Triade

D'après www.michelin.com/corporate/

Source : Manuel de Sciences économiques et sociales, Terminale, sous la direction de R. Revol et A. Silem, Hachette Éducation.

Michelin est une firme implantée sur tous les continents. Elle a réalisé une réelle *décomposition internationale du processus productif*, car elle a implanté ses usines dans différents pays en fonction de leur position dans le processus productif. Ainsi, les unités de production les plus en amont du processus productif, celles correspondant à l'exploitation des plantations d'hévéas, ont été implantées dans les pays dans lesquels ces plantations sont techniquement réalisables : on parle alors de *stratégie d'approvisionnement*. À l'inverse, les implantations réalisées aux États-Unis relèvent plus d'une *stratégie de marché* : produire directement dans un pays étranger permet de pouvoir ensuite écouler plus facilement dans ce pays la production réalisée (voir p. 141).

FONDEMENTS DE L'ÉCONOMIE

FONCTIONS ÉCONOMIQUES

FINANCEMENT DE L'ÉCONOMIE

LA RÉGULATION

LA MONDIALISATION

L'ENTREPRISE

Les causes de la multinationalisation

> Le phénomène des délocalisations est devenu prégnant dans l'actualité. Les motivations qui peuvent pousser une entreprise à installer son activité à l'étranger plutôt que sur le sol national sont diverses. La recherche d'un moindre coût est souvent mise en avant, mais il existe aussi d'autres facteurs.

● Rechercher de meilleures conditions d'offre

Une entreprise peut se localiser à l'étranger pour produire dans de meilleures conditions que celles présentes sur le sol national. Ces conditions peuvent être liées :
– aux *coûts de production* : si un produit connaît une forte élasticité-prix (voir p. 48), l'objectif d'une entreprise est alors de le produire au moindre coût, en se localisant sur le territoire où les salaires sont peu élevés, les charges sociales et l'imposition basses, etc. ;
– à la *flexibilité* du travail : les entreprises préféreront *a priori* se localiser dans des pays où les lois et règles encadrant le travail, sources de rigidités pour l'entreprise, sont peu contraignantes ;
– à la *présence de matières premières ou de travailleurs qualifiés* : si l'entreprise a besoin pour réaliser sa production de matières premières spécifiques ou de travailleurs possédant une qualification rare dans son pays d'origine, elle peut avoir intérêt à délocaliser une partie de sa production ;
– à la recherche *d'effets d'agglomération* : la présence conjointe sur un territoire d'entreprises réalisant le même type de production permet de profiter d'*externalités positives* (voir p. 82), liées à la présence proche de fournisseurs ou d'un bassin d'emploi correspondant aux besoins des entreprises. Une entreprise isolée sur son territoire national dans son activité peut ainsi être motivée à se délocaliser vers ces *pôles de compétitivité*.

● Se rapprocher des consommateurs

La localisation à l'étranger peut aussi être motivée par un désir de se rapprocher des consommateurs.
– L'entreprise peut ainsi toucher des consommateurs qu'elle ne pourrait sans cela atteindre, son activité n'étant pas exportable (c'est le cas de nombreux services, tel que par exemple les restaurants Mac Donald).
– Elle peut également mieux répondre aux besoins des consommateurs et à leur évolution, en particulier en terme de différenciation et de personnalisation, car elle est proche d'eux, ce qui lui permet d'être plus réactive.
– Enfin, elle peut améliorer son image de marque, en se donnant une image d'entreprise nationale auprès des consommateurs, alors qu'elle est étrangère (exemple : communication autour des emplois créés).

● Contourner les barrières protectionnistes

Une localisation à l'étranger permet à l'entreprise de ne pas subir de droits de douanes lors de la vente de ses produits, ce qui accroît sa compétitivité-prix. De même, dans le cas de quotas d'importation de la part du pays étranger, ou d'accords d'autolimitations réalisés avec le pays d'origine de la firme, elle peut ainsi vendre un nombre illimité de produits aux consommateurs de ce pays.

LES STRATÉGIES DE MULTINATIONALISATION

Les stratégies d'implantation à l'étranger découlent de la réponse à deux principales questions : Quelles unités de production implanter à l'étranger ? Où les implanter ? Les réponses apportées à ces questions varient selon les priorités des firmes, mais aussi en fonction de la période considérée. Selon W. Andreff, dans son ouvrage *Les multinationales globales*, les FMN seraient ainsi passées de stratégies globalement qualifiées de « banales » à des stratégies plus « globales ».

■ Les stratégies banales

Les stratégies banales reposent sur une vision encore nationale des firmes, dont la maison-mère reste marquée par son ancrage local. Ces stratégies banales sont principalement de trois types :

• Les *stratégies d'approvisionnement* (appliquées par les premières FMN au XIXe siècle) ; les implantations étaient réalisées à l'étranger pour approvisionner la société mère en matières premières qu'elle ne trouvait pas sur son sol national.

• Les *stratégies de marché* (apparues au XXe siècle) : les IDE réalisés visent à prolonger l'activité d'exportation par une production sur le lieu même des marchés étrangers. Les filiales, qualifiées de *filiales relais*, produisent les mêmes produits que la société mère, auxquels ils se substituent. La principale motivation pour la firme à ce type de stratégie est de se rapprocher des marchés où la demande est importante.

• Les *stratégies de décomposition internationale du processus productif* (apparues vers le milieu des années 1960). Les firmes localisent différents segments du processus de production dans différents pays. Elles tirent parti de coûts de production (par exemple les salaires) plus faibles dans les pays hôtes et d'économies d'échelle dues à la forte spécialisation de *filiales ateliers*, qui ne produisent pas le même produit fini que celui de la maison-mère (contrairement aux filiales relais). Cette stratégie est liée à la complexification des modes de production : plus un produit est complexe, plus il contient de composants qui peuvent être fabriqués de façon autonome les uns des autres, plus il offre de possibilités de DIPP.

■ Les stratégies globales

• Dans les années 1980, de nouvelles stratégies ont vu le jour. Elles ont en commun d'être « globales », au sens où les firmes intègrent dans leur stratégie l'ensemble des paramètres de localisation : stratégie de marché, mais aussi rationalisation de la production avec une recherche du moindre coût, et aussi et surtout recherche d'une rentabilité financière accrue avec une prise en compte des exigences des actionnaires liées à la volatilité internationale des capitaux.

• Les FMN ont alors une vision plus mondiale, globalisant leur stratégie à l'échelle de la planète. La recherche d'une rentabilité maximale se traduit par :

– le développement d'IDE *congloméraux* : les entreprises achetées à l'étranger ne réalisent plus la même production que la société-mère (IDE *horizontaux*), et ne se situent ni en amont ni en aval du processus productif (IDE *verticaux*) ; elles se trouvent à présent dans d'autres secteurs d'activité (exemple : Vivendi rachetant Universal), la motivation n'étant alors plus productive mais financière (s'implanter sur de nouveaux secteurs où les perspectives de rentabilité sont fortes) ;

– la recherche d'*économies d'échelles* (voir p. 144), qui implique pour la firme la nécessité d'atteindre une taille critique, grâce à des opérations de fusions internationales. Certains IDE horizontaux ont alors pour fonction d'accroître la taille du groupe, afin de permettre des restructurations à l'échelle internationale, et de créer ainsi des effets de synergie. La globalisation de la stratégie ne se réduit alors pas à la présence dans plusieurs pays, elle est aussi une *intégration organisationnelle*.

FONDEMENTS DE L'ÉCONOMIE

FONCTIONS ÉCONOMIQUES

FINANCEMENT DE L'ÉCONOMIE

LA RÉGULATION

LA MONDIALISATION

L'ENTREPRISE

Les conséquences de la multinationalisation

L'impact négatif de la multinationalisation est régulièrement mis en avant, que ce soit en termes d'emplois ou de commerce extérieur. Mais les conséquences de la multinationalisation des firmes sont plus complexes qu'il n'y paraît et doivent être analysées dans leurs dimensions quantitatives et qualitatives.

● La multinationalisation, destructrice d'emplois ?

– Les *délocalisations* correspondent à l'arrêt d'une activité productive sur le sol national, dans le but d'une relocalisation à l'étranger. Les FMN auraient ainsi un impact sur le commerce extérieur, en entraînant une diminution des exportations. Cela se traduit à terme par une diminution de la production réalisée sur le sol national, et, par voie de conséquence, du volume d'emplois nécessaires.

– Pour savoir si un pays est gagnant ou perdant en terme d'emplois suite aux délocalisations, il faut au préalable calculer le solde des délocalisations. En effet, si des entreprises nationales se délocalisent, des entreprises étrangères viennent dans le même temps s'implanter sur le sol national…

En fait, tout dépend du *contenu en emplois* des activités concernées : ainsi, si les activités délocalisées sont fortement utilisatrices de travail, alors que les activités localisées sont à forte intensité capitalistique, le solde en terme d'emplois sera négatif.

– Pour mesurer l'importance des délocalisations, on s'appuie généralement sur le montant des IDE (voir p. 107). Or, tous les IDE ne sont pas des délocalisations. Ainsi, la création d'une activité à l'étranger sans réduction de l'activité dans les pays d'origine (suite à une stratégie de marché par exemple), qui est une forme d'IDE, n'est en rien destructrice d'emplois dans le pays d'origine de l'entreprise.

● Les impacts positifs de la multinationalisation

– Les délocalisations créent indirectement des emplois sur le sol national : emplois dans les services de logistique, de transport ou de gestion des relations entre la société-mère et ses filiales.

– Les délocalisations peuvent permettre à l'entreprise de rester compétitive grâce à la baisse des coûts ; et par voie de conséquence de sauvegarder des emplois qui sans cela auraient été détruits, voire d'en créer dans les branches d'activité non délocalisées.

– Suite à une délocalisation, l'entreprise nationale peut répercuter les économies réalisées en diminuant ses prix de vente sur le sol national, ce qui libère du pouvoir d'achat pour les consommateurs, d'où une hausse de la production et de l'emploi dans d'autres secteurs…

● Une dimension qualitative à prendre en compte

Au-delà du solde comptable, la multinationalisation des firmes entraîne une restructuration des emplois, avec une disparition progressive des emplois non qualifiés dans les pays développés, compensée au moins en partie par la création d'emplois qualifiés.

L'IMPACT DE LA MULTINATIONALISATION SUR LES ÉCHANGES COMMERCIAUX

Le développement des IDE est-il un frein au commerce international, ou au contraire un moteur de ces échanges ?

🔳 Effets de complémentarité et de substitution

Les IDE peuvent avoir deux effets contraires sur le niveau des échanges internationaux : un effet de substitution, et un effet de complémentarité.

• *L'effet de substitution* met en avant l'impact négatif que les flux d'IDE peuvent avoir sur le commerce existant entre deux pays. Lorsqu'une entreprise implante une unité de production dans un pays étranger, elle réduit ses exportations vers ce pays, puisqu'elle substitue ces exportations par une production locale, découlant des IDE réalisés. C'est l'approche développée par les modèles néo-classiques de l'échange international, fondé sur les hypothèses du modèle de concurrence pure et parfaite (voir p. 74).

• À l'inverse, *l'effet de complémentarité* avance que les IDE existants entre deux pays peuvent être créateurs d'échanges entre ces deux pays. C'est l'approche développée par les modèles de concurrence imparfaite (voir p. 80).

🔳 IDE verticaux et horizontaux

Pour déterminer l'impact des IDE sur le commerce international, il faut distinguer les différents types d'IDE.

• Dans le cadre *d'IDE horizontaux*, la firme se contente de répliquer son unité de production d'origine dans différents pays. Dans ce cas, les IDE ont tendance à réduire le commerce international, car la firme, pour toucher des consommateurs étrangers, n'a plus besoin d'exporter ses produits.

• Dans le cadre *d'IDE verticaux*, la firme multinationale scinde sa production en unités morcelées dans différents pays, en fonction des avantages comparatifs apportés par chacun.

On se trouve alors dans une logique de décomposition internationale des processus productifs (voir p. 138). Dans ce cas, les différentes filiales vont devoir s'échanger les différents biens et services qu'elles produisent séparément afin de proposer, en bout de chaîne, un produit fini. Ces différents échanges sont alors créateurs de commerce international.

🔳 Les analyses empiriques

• Tout d'abord, un constat : si les échanges impliquant les FMN représentent environ les deux tiers des échanges mondiaux, les échanges internationaux intra-firme, c'est-à-dire ceux exclusivement réalisés entre des unités de production du même groupe, représentent quant à eux environ le tiers des échanges mondiaux. Les FMN sont donc bien créatrices d'un commerce international, correspondant à celui qui naît des échanges entre leurs différentes filiales.

• De plus, les flux d'IDE sont fortement corrélés aux échanges internationaux de biens et de services. D'une part, depuis trois décennies, on assiste simultanément à une augmentation importante des échanges de biens et de services, mais aussi des IDE, ce qui montre bien que la multinationalisation des firmes n'est pas un obstacle au développement du commerce international. D'autre part, la structure géographique des IDE suit celle des échanges de biens et de services : ce sont très majoritairement des échanges Nord-Nord : en 2003, les pays en développement n'étaient à l'origine que de 5,8 % des IDE, et recevaient l'équivalent de 30,7 % des IDE sortants.

• L. Fontagné et M. Pajot, en 1999, dans une étude portant sur vingt-et-un pays de l'OCDE sur la période 1980-1995, ont établi la corrélation suivante : une augmentation des IDE de 10 % en direction d'un pays étranger est associée à une croissance d'environ 5 % du flux d'exportations vers ce pays.

FONDEMENTS DE L'ÉCONOMIE

FONCTIONS ÉCONOMIQUES

FINANCEMENT DE L'ÉCONOMIE

LA RÉGULATION

LA MONDIALISATION

L'ENTREPRISE

Les coûts de production

> Les coûts de production désignent l'ensemble des dépenses engagées par une entreprise pour se procurer les ressources ou facteurs de production dont elle a besoin pour assurer le processus productif. L'analyse de ces coûts est essentielle puisque leur niveau et leur évolution vont déterminer, en comparaison avec les recettes, les éventuels bénéfices de l'entreprise.

● Coûts fixes et coûts variables

On distingue traditionnellement deux types de coûts selon qu'ils sont dépendants ou non des quantités produites.
– *Les coûts fixes* (CF) correspondent aux dépenses engagées par l'entreprise dont le niveau demeure identique quelles que soient les quantités produites (et même si l'entreprise ne produit pas). C'est le cas par exemple de la location des bâtiments ou des équipements, de certains impôts (comme les impôts fonciers).
– *Les coûts variables* (CV) sont ceux dont le niveau varie en fonction du volume de production, soit de manière proportionnelle avec les quantités produites (achat de matières premières par exemple), soit de manière non proportionnelle (c'est le cas des salaires si l'entreprise a recours à des heures supplémentaires rémunérées plus cher).
– *Le coût total* (CT), aussi nommé *coût global*, est la somme des coûts fixes et des coûts variables.

● Coût moyen et coût marginal

– *Le coût moyen* (CM), ou coût unitaire, désigne le coût par unité produite. Il s'obtient en divisant le coût total par les quantités produites. La courbe de CM est traditionnellement présentée en forme de U (voir graphique ci-contre). En effet, quand les quantités produites sont faibles, les coûts fixes pèsent lourdement sur le coût moyen, puisqu'ils ne se répartissent que sur quelques unités produites. Progressivement, le coût moyen diminue car les coûts fixes sont « amortis » : ils se répartissent sur une quantité de plus en plus grande de produits fabriqués. On dit que, dans cette situation, l'entreprise réalise des *économies d'échelle*. Ensuite, à partir d'un certain volume de production, les coûts variables tendent à l'emporter sur les coûts fixes, ce qui fait croître le coût moyen. Une telle représentation repose sur l'hypothèse de *rendements d'échelles décroissants* passé un certain niveau de quantités produites.
– *Le coût marginal* (Cm) représente le supplément de coût engendré par la production d'une unité supplémentaire (unité dite marginale). On l'obtient en faisant le rapport entre la variation du coût total et la variation des quantités produites. La courbe de coût marginal est en forme de J (voir graphique ci-contre) : le Cm est décroissant puis croissant, mais atteint son minimum pour une quantité produite plus faible que le coût moyen.
– La position relative des deux courbes s'explique économiquement. Dans un premier temps, le Cm est inférieur au CM car la production d'unités supplémentaires (marginales) coûte moins cher que les unités déjà produites. L'entreprise a donc intérêt à produire davantage. Ensuite, il vient un moment où la loi des *rendements décroissants* rend la production d'unités supplémentaires plus chère que les unités déjà produites. Le Cm devient donc supérieur au CM.

COÛTS DE PRODUCTION ET MAXIMISATION DU PROFIT

◼ Le point mort

• L'entreprise doit connaître le seuil minimal de production au-dessous duquel elle réaliserait des pertes (et donc à partir duquel elle réaliserait des profits). Ce niveau de production est appelé *seuil de rentabilité*, ou encore *point mort*. Pour connaître ce seuil, il lui faut étudier les coûts de production puisque ce *point mort* correspond au niveau de production pour lequel les *recettes totales* (mesurables par le *chiffre d'affaires*, CA) égalisent les coûts totaux (CT). Au-dessus de ce point mort, l'entreprise réalise des *profits* (CA > CT) ; en dessous on est dans une zone de *pertes* (CA < CT) :

**Profits (ou pertes)
= prix × quantités – coût total**

• Deux situations sont alors envisageables :
– dans le cadre de *rendements d'échelles décroissants*, les bénéfices réalisés augmentent jusqu'à un certain point, à partir duquel ils diminuent, du fait de l'augmentation du coût moyen par unité produite.
– dans le cadre de *rendements d'échelles croissants*, l'augmentation des bénéfices perdure avec l'accroissement des quantités produites (cas du graphique ci-dessous).

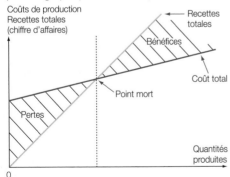

◼ La maximisation du profit

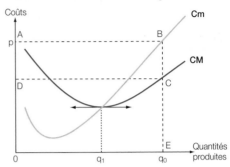

• L'entreprise a intérêt à augmenter sa production tant que le coût de la dernière unité produite (soit le coût marginal) est inférieur ou égal au prix de vente. Autrement dit, pour maximiser son profit, l'entreprise doit produire une quantité telle que :

C_m **= recette marginale = prix de vente**

• L'offre (les quantités produites) est une fonction croissante du prix de vente. En effet, les recettes et les profits augmentent avec le prix de vente, mais par ailleurs, puisque le coût marginal est inférieur au nouveau prix de vente, produire plus est rentable pour l'entreprise jusqu'à ce qu'ils s'égalisent.

Interprétation graphique :
Le profit total est représenté par la surface ABCD. En effet, la recette totale liée à la vente de q_0 unités est représentée par la surface ABE0. Et, CE étant le coût moyen pour une production de q_0 unités, alors la surface DCE0 représente le coût total.

Profit total	**= Recettes totales**	**– Coût total**
⬇	⬇	⬇
Surface ABCD =	Surface ABE0	– Surface DCE0

FONDEMENTS DE L'ÉCONOMIE

FONCTIONS ÉCONOMIQUES

FINANCEMENT DE L'ÉCONOMIE

LA RÉGULATION

LA MONDIALISATION

L'ENTREPRISE

Du taylorisme au fordisme

Depuis les débuts du capitalisme, la recherche constante de l'amélioration de l'efficacité du travail pousse les entreprises à mettre en place des formes d'organisation du travail de plus en plus performantes. Division et rationalisation du travail sont les maîtres mots du taylorisme puis du fordisme.

● Le taylorisme

F.W. Taylor (1856-1915), ingénieur américain dans une aciérie (la Midvale Steel), a mis au point, au début des années 1880, un système de gestion destiné à mettre fin à la « *flânerie systématique* » (*fallacy*) dans les ateliers. Il préconise alors de procéder à une *double division du travail*.

– La *division verticale du travail* consiste à séparer le travail de conception (réservé au « bureau des méthodes » composé d'ingénieurs et de techniciens) et le travail d'exécution (effectué par les ouvriers). Ces derniers sont observés et chronométrés, et chaque opération complexe est analysée et décomposée en gestes simples.

– La *division horizontale*, résulte de la division verticale. C'est la parcellisation des tâches : chaque ouvrier se voit confier une tâche simple, élémentaire, répétitive qu'il doit exécuter en un minimum de temps et de la manière la plus efficace possible (la « *one best way* »). Cette *Organisation scientifique du travail* (OST), permet d'éliminer les gestes inutiles, de sélectionner les modes de réalisation les plus efficaces et donc de gagner en productivité. En outre, le taylorisme permet d'embaucher à l'époque aux États-Unis une main-d'œuvre immigrée nombreuse et sans qualification, et contribue également à affaiblir les syndicats de travailleurs de métiers.

● Le fordisme

Henri Ford (1863-1947), industriel américain, prolonge et approfondit les principes du taylorisme au début du XXe siècle.

– Le fordisme repose aussi sur une double division du travail, mais Ford va plus loin en introduisant *la chaîne de montage* dans ses usines automobiles en 1914. « Ce n'est plus l'ouvrier qui circule autour du produit, c'est le produit qui se déplace devant une série d'ouvriers fixés à leur poste de travail ». Ainsi le processus de décomposition des opérations est encore plus poussé. En outre, cela permet de produire, à grande échelle, des biens *standardisés* (exemple de la Ford T).

– Ford innove aussi dans le mode de rémunération de ses salariés. En effet, il instaure en 1914 un salaire quotidien de 5 $ (le fameux « *five dollars a day* ») alors qu'à l'époque, le salaire hebdomadaire moyen était de 11 $. En garantissant à ses ouvriers de telles rémunérations, il avait pour objectif de lutter contre l'absentéisme et le *turn-over* massifs, mais aussi d'assurer des débouchés à sa propre production. Au-delà d'une « simple forme d'organisation du travail », le fordisme est donc aussi un modèle de croissance dans lequel les gains de productivité permettent des augmentations de salaires et le développement d'une *consommation de masse* qui assure elle-même l'écoulement d'une *production de masse*. Pour certains économistes (École de la régulation, voir p. 12), l'instauration du fordisme aurait alors permis la période de forte croissance de l'après-guerre (les « Trente Glorieuses »).

LES CRISES DU MODÈLE TAYLORO-FORDIEN

Le taylorisme dès la fin du XIXe siècle, puis le fordisme au cours du XXe siècle, ont permis aux entreprises d'accroître fortement leurs performances grâce notamment à une division de plus en plus poussée des tâches. Toutefois, et ce progressivement à partir de la fin des années 1960, ces deux formes d'organisation du travail (modèle tayloro-fordien) ont dû faire face à plusieurs crises qui pousseront peu à peu les entreprises à revoir leurs modes d'organisation du travail (voir p. 148).

■ Une crise « humaine »

• Pendant les Trente Glorieuses, la hausse du pouvoir d'achat permettait l'élévation du niveau de vie et « compensait » des conditions de travail souvent difficiles et pénibles. C'était le « *compromis fordiste* ». Pourtant, petit à petit, les ouvriers ont donc de plus en plus remis en cause ces conditions de travail et par extension le compromis fordiste :
– leur travail manque d'intérêt : pas d'initiative, pas d'autonomie ; les ouvriers ne sont que des exécutants réduits à l'état de « pseudo machines » ;
– le travail est très répétitif ;
– le travail est particulièrement pénible, les cadences sont infernales ;
– les travailleurs rencontrent de plus en plus de problèmes pathologiques : stress, fatigue nerveuse, problèmes physiques (tendinites, maladies musculaires, mal de dos…)
• Ainsi, les conditions de travail de l'OST entrent en totale contradiction avec l'élévation du niveau d'instruction et l'émergence de nouvelles valeurs telles que la réussite et l'épanouissement individuel. Ces difficultés au quotidien se traduisent concrètement par des conflits, sous forme de grèves notamment, dont les mots d'ordre ne sont plus uniquement salariaux. Ces revendications se traduisent aussi par des attitudes anti-productives sur les lieux de travail : hausse de l'absentéisme, « coulage » de la production, *turn-over croissant*, détériorations volontaires, accidents du travail… Cette première crise a engendré un ralentissement de la croissance de la productivité qui va à l'encontre des principes mêmes du fordisme.

■ Une crise de la consommation de masse

Le ralentissement économique après 1974 va transformer les conditions de la croissance économique et les employeurs eux-mêmes vont « critiquer » le fordisme. Comment continuer à augmenter la productivité alors que la demande s'est transformée, et que les nouvelles exigences sont difficiles à satisfaire par des méthodes de production tayloriennes ou fordiennes ?
• En effet, le modèle tayloro-fordien paraît beaucoup trop rigide face aux transformations qui affectent le marché des biens et services. Les consommateurs souhaitent de plus en plus des produits diversifiés, voire individualisés, ils désirent se différencier et rejettent alors la standardisation issue du modèle fordien. Il faut donc que les produits soient fabriqués en plus petites séries, que les chaînes de production deviennent flexibles de même que la main-d'œuvre et son organisation. C'est la fin, au moins pour un certain nombre de produits, de la production en grande série.
• La consommation est de plus en plus volatile, elle change de plus en plus rapidement, en particulier avec les effets de mode.
• La qualité doit devenir un principe à la base de l'organisation du travail. Les consommateurs en font un argument essentiel d'achat. De plus, la concurrence (internationale en particulier) accrue fait que seuls les producteurs présentant des produits de qualité peuvent résister sur les marchés. Or, la qualité dans la production ne s'obtient pas forcément par la contrainte sur le lieu de travail mais plutôt par la responsabilisation et l'autonomie des travailleurs constitués en équipe, principes qui ne sont pas vraiment au cœur du fordisme.

FONDEMENTS DE L'ÉCONOMIE

FONCTIONS ÉCONOMIQUES

FINANCEMENT DE L'ÉCONOMIE

LA RÉGULATION

LA MONDIALISATION

L'ENTREPRISE

Les NFOT

Face à la crise du modèle tayloro-fordien, de nouvelles formes d'organisation du travail (NFOT) se sont développées dès le milieu des années 1970, avec en particulier le toyotisme. Il s'agissait d'essayer de corriger les défauts du fordisme, en termes économiques mais également sociaux.

● Le toyotisme

Dans les années 1950 et 1960, le constructeur automobile japonais Toyota met en place une nouvelle organisation de la production : le toyotisme (ou *ohnisme*, du nom de son concepteur, Taïchi Ohno). Le toyotisme est apparu à une certaine époque comme le « successeur » du taylorisme et du fordisme du fait de sa meilleure adaptation à la fabrication de produits différenciés. En effet, comparativement aux « anciennes » formes d'organisation du travail, et dans un souci de flexibilité et de qualité, le toyotisme repose sur des principes novateurs.
– Le système du « *juste à temps* » qui vise à éliminer les stocks (trop chers à gérer), et ce grâce à la méthode du *kan-ban*. L'aval détermine par ses demandes la production à effectuer en amont ; la production se fait donc en *flux tendus*. On produit donc lorsque la demande se manifeste.
– L'« *autonomation* » (contraction d'autonomie et automation) : en cas de panne ou de dégradation de la qualité, l'ouvrier peut arrêter la chaîne de montage et tenter de résoudre lui-même le problème. Ainsi, le salarié doit être polyvalent et suffisamment qualifié.
À travers ces deux innovations, le toyotisme vise à obtenir les « cinq zéros » : 0 stock, 0 délai, 0 défaut, 0 panne et 0 papier.

● Autres exemples de NFOT

– Les *cercles de qualité* sont des réunions, sur la base du volontariat, visant à résoudre certains problèmes et à perfectionner le processus de production. En favorisant la communication, la mobilisation et la motivation des salariés sont accrues, ainsi que la qualité des produits.
– Grâce à la *rotation des postes*, l'ouvrier occupe successivement des postes de travail différents, afin de rompre la monotonie du travail.
– L'*élargissement des tâches* consiste à regrouper différentes tâches pour un même poste de travail. Il est censé contribuer à limiter la division horizontale du travail.
– L'*enrichissement des tâches* vise à limiter la division verticale du travail et à améliorer la motivation des salariés en augmentant l'intérêt du travail effectué : on ajoute des tâches jugées plus valorisantes telles que le contrôle, la maintenance…
– Le *management participatif* consiste à associer les salariés au processus de décision concernant l'organisation du travail quotidien, l'évaluation des résultats…
– La *direction par objectifs (DPO)* fait en sorte que les supérieurs assignent des objectifs à leurs subordonnés, sans nécessairement fixer de modalités précises. Ceux-ci seront ensuite évalués sur l'écart entre les objectifs et les résultats obtenus.
– Avec le *travail en équipes semi-autonomes*, il s'agit de constituer un groupe de travailleurs dont les membres sont chargés de définir eux-mêmes les modalités de travail leur permettant d'atteindre les objectifs fixés par l'entreprise. Le groupe est responsable collectivement de la production. C'est le stade le plus avancé de la remise en cause de l'organisation taylorienne.

NÉO-TAYLORISME OU POST-TAYLORISME ?

Les NFOT mises en place dans de nombreuses entreprises correspondent-elles à un véritable dépassement du mode de production tayloro-fordien (*post-taylorisme*) ? Autrement dit, l'organisation du travail actuelle a-t-elle réellement rompu avec les « anciens » principes ? Ou s'agit-il de modes de production se référant toujours au taylorisme et au fordisme (*néo-taylorisme*) ?

◼ De réelles améliorations dans l'organisation du travail

Grâce à certaines NFOT, qui se référaient entre autres aux analyses de l'École des relations humaines, il y a eu de véritables ruptures avec l'organisation du travail taylorienne. Les anciens principes semblent véritablement remis en cause et parfois même abandonnés.

– Une plus grande implication/responsabilisation du personnel grâce aux cercles de qualité, au management participatif, ou à la DPO, les exécutants peuvent être associés au processus de décisions, on développe le partenariat, l'initiative, le droit à la parole… Il en résulte alors une organisation moins hiérarchisée, une autonomie plus importante, et donc un regain d'intérêt au travail.

– Une organisation de la production moins rigide : la mise en place, dans de nombreuses entreprises, de la production en flux tendus a permis d'assouplir l'organisation de la production, et de s'adapter davantage à la demande.

– Une recherche accrue de la qualité : celle-ci est largement favorisée dans les NFOT, non seulement grâce aux cercles de qualité, mais aussi grâce au toyotisme.

◼ Le taylorisme est toujours présent : le néo-taylorisme

Le dépassement du taylorisme est à relativiser car l'OST n'est pas encore totalement caduque. Les NFOT correspondraient davantage à un « *taylorisme déguisé* ».

La notion de « *néo-taylorisme* » semble plus adaptée pour décrire l'organisation du travail actuelle : les principes du taylorisme demeurent, seules les modalités de leur application changent.

• Les NFOT s'inscrivent encore souvent dans la continuité du modèle tayloro-fordien :

– les cadences de travail sont maintenues sous de nouvelles formes (la robotisation et l'informatique ont remplacé le chronomètre ; ce n'est plus le chef d'entreprise qui impose le rythme à l'opérateur, mais le client…) ;

– le contrôle hiérarchique est toujours très présent (division horizontale) ;

– la standardisation existe toujours, mais de manière plus camouflée : pour de nombreux produits, comme les voitures, même si il y a une apparente diversité, la base est commune (même soubassement, mêmes suspensions, même moteur, même boîtier de vitesse…).

• Le taylorisme se répand à des activités auparavant épargnées : il ne touche plus seulement l'industrie, et se développe *dans les services* : banque, assurance, restauration rapide, grande distribution, télémarketing…

Proportion de salariés (en %) déclarant que :
▨ 1984   ▨ 1991   ◼ 1998

« Le travail est imposé par le déplacement automatique d'un produit ou d'une pièce »	« Le travail est imposé par la cadence automatique d'une machine »	« Le travail est répétitif »	« Chaque série de gestes dure moins d'une minute* »
2,6 4,3 5,9	4,4 6,3 7,0	19,8 29,5 28,7	25,1 24,6 25,0

* Parmi ceux qui déclarent que leur travail est répétitif.

Proportion des salariés qui déclarent devoir respecter des normes ou des délais de production inférieurs à la journée, en %

	Cadres	Professions intermédiaires	Employés	Ouvriers
1984	8	14	12	31
1991	23	32	29	54
1998	33	39	31	63

▨ 1984   ▨ 1991   ◼ 1998

Source : *Alternatives économiques*, hors-série, n° 50, 4e trimestre 2001.

FONDEMENTS DE L'ÉCONOMIE

FONCTIONS ÉCONOMIQUES

FINANCEMENT DE L'ÉCONOMIE

LA RÉGULATION

LA MONDIALISATION

L'ENTREPRISE

La flexibilité du travail

La flexibilité désigne un mode de gestion de la main-d'œuvre dans les entreprises permettant d'adapter rapidement la production et donc l'emploi aux fluctuations de la demande. Si cette souplesse semble nécessaire pour les entreprises, elle est souvent source de précarité pour les travailleurs.

● Les différentes formes de flexibilité

Selon le sociologue Bernard Bruhnes, il existe cinq formes de flexibilité.
– La *flexibilité quantitative externe* consiste à faire varier les effectifs de l'entreprise en fonction des besoins, en facilitant l'embauche et le licenciement (recours aux CDD par exemple).
– La *flexibilité par externalisation* permet aux entreprises de déplacer sur une autre entreprise le lien contractuel avec le salarié. Le recours aux travailleurs intérimaires, ou à la sous-traitance de certaines activités annexes à la production (gardiennage, restauration, nettoyage…) en sont des exemples.
– La *flexibilité quantitative interne* s'obtient par la variation de la durée du temps de travail en fonction de l'intensité de la production : variation des horaires de travail, recours aux heures supplémentaires, utilisation du temps partiel, annualisation de la durée du travail (les « creux » dans l'activité de l'entreprise sont compensés par les périodes de « boom », ce qui évite le recours aux heures supplémentaires plus onéreuses).
– Dans la *flexibilité qualitative interne*, encore appelée *flexibilité fonctionnelle*, c'est la polyvalence des travailleurs qui apporte la souplesse nécessaire. En fonction des besoins de la production, les salariés peuvent changer de poste, d'atelier, ou encore de bureau.
– En outre, il faut évoquer la *flexibilité des rémunérations*, qui peuvent varier en fonction des résultats de l'entreprise et des salariés (individualisation des rémunérations).

● Les enjeux de la flexibilité

– La flexibilité peut être envisagée comme une réponse aux rigidités du modèle de croissance fordiste. En effet, depuis les années 1970, le mode de production fordiste (voir p. 146) s'est heurté à plusieurs problèmes : production plus fluctuante, concurrence accrue, volatilité des goûts des consommateurs… Les entreprises ont alors réagi en essayant d'ajuster au plus près production et utilisation de la main-d'œuvre. Les nouvelles méthodes de gestion mises au point (zéro stock, zéro délai, flux tendus…) nécessitent une plus grande souplesse dans l'utilisation du facteur travail. Cela se traduit dans les entreprises par un recours massif aux intérimaires ou aux CDD, par l'annualisation du temps de travail, par une plus grande polyvalence des travailleurs (capables d'occuper plusieurs postes), par le développement des temps partiels plus souples à utiliser et par des salaires plus individualisés.
– La flexibilité est également présentée par les économistes néoclassiques (voir p. 76) comme une solution au chômage. La persistance et l'importance du chômage sont selon eux dues aux trop fortes rigidités sur le marché du travail (intervention de l'État et des syndicats). Ils préconisent donc une flexibilisation à la baisse des salaires et du coût salarial pour résorber les déséquilibres qui affectent le marché du travail. De même, ils recommandent un assouplissement de la réglementation du travail (supprimer l'autorisation administrative de licenciement, favoriser l'embauche de salariés à temps partiel, de salariés en CDD…).

LES EFFETS DE LA FLEXIBILITÉ SUR L'EMPLOI

Ce sont surtout des raisons structurelles (améliorer la compétitivité, s'adapter aux nouvelles technologies…) qui poussent les entreprises à flexibiliser l'emploi. L'aspect le plus discuté du débat porte sur la question du rapport entre protection de l'emploi et évolution du marché du travail, une plus grande flexibilité étant pour certains le moyen de lutter contre le chômage.

■ Flexibilité et précarité

Sous-emploi et temps partiel

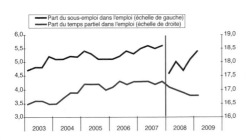

Champ : France métropolitaine, population des ménages, personnes de 15 ans ou plus.
Source : INSEE, enquête Emploi.

Formes particulières d'emploi
(en milliers et en % de l'emploi total)

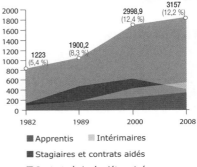

Source : d'après INSEE, enquêtes Emploi.

La flexibilité accrue a engendré le développement de nouvelles formes d'emplois : les statuts des salariés sont de plus en plus hétérogènes, et le marché du travail se segmente avec un *dualisme* entre les *emplois typiques* (stables, à temps plein, relevant d'un seul employeur et s'exerçant sur un lieu de travail spécifique) et *atypiques*. Ces derniers sont souvent *précaires* (sauf les temps partiels lorsqu'ils ne sont pas subis) car la situation des salariés est particulièrement instable et le rapport de force avec l'employeur très défavorable aux salariés. Ils sont occupés en majorité par des jeunes, des femmes ou des travailleurs peu qualifiés. Ceux-ci risquent de connaître un chômage récurrent, s'ils n'arrivent pas à s'insérer dans des emplois plus stables. Cette situation, si elle se prolonge, peut être source de pauvreté (travailleurs pauvres) et d'exclusion.

■ Flexibilité et niveau de l'emploi : des effets incertains

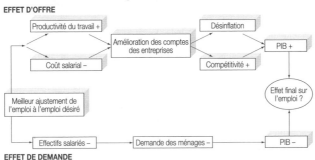

D'après les *Cahiers français* n° 233, mai-juin 1987, La Documentation française.

FONDEMENTS DE L'ÉCONOMIE

FONCTIONS ÉCONOMIQUES

FINANCEMENT DE L'ÉCONOMIE

LA RÉGULATION

LA MONDIALISATION

L'ENTREPRISE

Les conditions de travail dans l'entreprise

La mise en place progressive d'une législation du travail s'imposant aux entreprises, et d'organismes tels que les CHSCT ont grandement participé à l'amélioration des conditions de travail dans les entreprises. Toutefois des problèmes persistent dans certains secteurs d'activité, où les risques professionnels sont importants.

● La durée du travail

Depuis la fin du XIXe siècle, on assiste à un lent mouvement de *réduction du temps de travail*. Ainsi, le temps de travail annuel des salariés à temps plein est passé en moyenne de 3 000 heures par an en 1870 à environ 1 650 heures aujourd'hui, soit une diminution de près de 50 %. Cette réduction du temps de travail annuel s'est réalisée en plusieurs étapes.
– Limitation de la *durée journalière* (1841 : journée de 8 heures pour les enfants de moins de 12 ans ; 1900 : 10 heures par jour dans l'industrie ; 1919 : journée de 8 heures).
– Limitation de la *durée hebdomadaire* (1906 : jour de repos hebdomadaire obligatoire ; 1936 : semaine de 40 heures ; 1982 : semaine de 39 heures ; 1997 et 2000 : lois Aubry sur les 35 heures).
– Instauration de *congés payés* (deux semaines en 1936 ; troisième semaine en 1956 ; quatrième semaine en 1969 ; cinquième semaine en 1982).

● Une pénibilité toujours présente au travail

La dernière enquête menée au niveau européen en 2000 montre la persistance, voire parfois l'aggravation, des conditions de travail.
– L'exposition à des environnements physiques contraignants (bruit, vibrations, produits dangereux, chaleur, froid…) et à une mauvaise conception des postes de travail (port de charges lourdes et positions de travail pénibles) demeure importante.
– Le travail s'est intensifié : plus de la moitié des travailleurs doivent suivre des *cadences* élevées ou respecter des *délais* rigoureux pendant au moins un quart de leur temps de travail. Et si le travail ne dépend plus autant des cadences, il est de plus en plus déterminé par le client.
– L'autonomie dans le travail reste assez faible : un tiers seulement des travailleurs déclarent avoir peu ou pas de contrôle sur leur travail.
– La *ségrégation et la discrimination sexuelles*, essentiellement à l'encontre des femmes, malgré quelques progrès, demeurent importantes, de même que la violence, le harcèlement ou l'intimidation.

● Les risques professionnels

Depuis 1991, il existe une obligation légale pour l'employeur d'évaluer les *risques professionnels*. Réactivée en 2001, elle doit déboucher sur une meilleure prévention des accidents du travail et des maladies professionnelles.
– Le nombre de *maladies professionnelles* reconnues est en forte hausse depuis 10 ans, passant d'environ 5 000 à la fin des années 1980 à près de 35 000 en 2003.
– Le nombre *d'accidents du travail* ayant donné lieu à un arrêt de travail est de l'ordre aujourd'hui de 750 000 par an, ce qui correspond environ à 41 accidents pour 1 000 salariés en 2003. Certains secteurs sont plus touchés que d'autres : l'indice de fréquence est de 11,4 pour 1 000 dans les services, contre près de 92 pour 1 000 dans le BTP.

LE CHSCT

Les *comités d'hygiène, de sécurité et des conditions de travail* (CHSCT) ont pour mission de contribuer à la protection de la santé et de la sécurité des salariés ainsi qu'à l'amélioration des conditions de travail.

◼ Dans quelles entreprises ?

Le CHSCT est obligatoire dans les entreprises et établissements dont l'effectif est au moins égal à 50 salariés au cours des trois dernières années. Toutefois, dans les entreprises de moins de 50 salariés, l'inspecteur du travail peut imposer la constitution d'un CHSCT en raison de la nature des travaux, de l'agencement ou de l'équipement des locaux. En l'absence de CHSCT, ce sont les *délégués du personnel* qui exercent les attributions normalement dévolues au comité.

◼ Constitution du CHSCT

Sont membres du CHSCT :
– le *chef d'établissement* – ou son représentant – qui en assure la présidence ;
– le *médecin du travail*, le *chef du service de sécurité et des conditions de travail* et – occasionnellement – toute personne de l'établissement qualifiée sur un thème soumis au CHSCT ;
– la *délégation du personnel*, désignée pour deux ans par les membres élus du *comité d'entreprise* et les délégués du personnel. Le nombre de représentants du personnel composant la délégation varie de trois à neuf selon la taille de l'entreprise (nombre augmenté dans les entreprises comportant une ou des installations particulières à haut risque industriel).

◼ Fonctionnement du CHSCT

• Le CHSCT se réunit au moins une fois par trimestre et après chaque accident. Il doit également être convoqué si deux de ses membres en font la demande.
• L'employeur doit :
– fournir au CHSCT toutes les informations nécessaires à l'exercice de sa mission ;
– lui transmettre une fois par an, un rapport sur la situation de l'établissement dans le domaine de l'hygiène, de la sécurité et des conditions de travail ainsi qu'un programme annuel de prévention des risques professionnels et d'amélioration des conditions de travail.
• Pour exercer leurs missions, les membres de la délégation du personnel :
– disposent d'un *crédit d'heures* (de 2 à 20 heures selon l'effectif de l'établissement) considéré comme temps de travail (ce crédit est majoré de 30 % dans les entreprises comportant une ou des installations particulières à haut risque industriel) ;
– bénéficient, à l'occasion de leur première désignation, d'une formation spécifique qui peut être assurée par des organismes de formation agréés par le préfet de région ou choisis sur une liste fixée chaque année par arrêté ministériel. Cette formation est renouvelée lorsque les membres de la délégation du personnel ont exercé leur mandat pendant quatre ans, consécutifs ou non ;
– jouissent des mêmes garanties en matière de licenciement que celles instituées au profit des membres du comité d'entreprise (autorisation préalable de l'inspecteur du travail).

◼ Les missions du CHSCT

• Les attributions du CHSCT sont exercées au bénéfice des salariés de l'établissement et de ceux mis à disposition par des entreprises extérieures (travailleurs temporaires). Elles consistent principalement à :
– analyser les conditions de travail et les *risques professionnels* ;
– procéder à des inspections et des enquêtes ;
– développer la *prévention* par des actions d'information et de sensibilisation ;
– analyser les circonstances et les causes des accidents du travail ou des maladies professionnelles.
• Le CHSCT est également consulté avant toute décision d'aménagement important susceptible d'avoir une incidence sur les conditions de travail, d'hygiène et de sécurité (modification de l'outillage, des cadences…). Il doit en outre recevoir de l'employeur communication des rapports et des résultats des études du médecin du travail.

FONDEMENTS DE L'ÉCONOMIE

FONCTIONS ÉCONOMIQUES

FINANCEMENT DE L'ÉCONOMIE

LA RÉGULATION

LA MONDIALISATION

L'ENTREPRISE

Les représentants du personnel

Aujourd'hui, la place des salariés au sein de l'entreprise est davantage reconnue : ils peuvent être représentés au travers de diverses institutions, aux pouvoirs et compétences variés. Si traditionnellement, les syndicats tiennent une place majeure dans les relations professionnelles, ils connaissent depuis quelques années un déclin.

● La présence syndicale dans l'entreprise

Un *syndicat* de salariés est une association assurant la défense des salariés pour la reconnaissance et le respect de leurs droits professionnels, économiques et sociaux. L'entreprise est le cadre privilégié de l'action syndicale : revendications, contestations, négociations…
– La *section syndicale*, composée des salariés adhérant aux cinq syndicats représentatifs, peut exister dans toute entreprise quel qu'en soit l'effectif. Elle dispose de la liberté d'affichage, de distribution de publications, de collecte de cotisations, et du droit de réunion (avec l'octroi d'un local).
– Chaque syndicat représentatif, dans une entreprise d'au moins 50 salariés, peut désigner au moins un *délégué syndical*. Celui-ci exerce un rôle de représentation de son syndicat et de négociateur de convention ou d'accord collectifs. Il dispose, pour ce faire, des moyens nécessaires (crédit d'heures, liberté de déplacement…).

● Les délégués du personnel

Les délégués du personnel sont, depuis 1945, présents dans toutes les entreprises d'au moins 11 salariés avec pour mission première de représenter le personnel auprès de l'employeur et de lui faire part de toute réclamation individuelle ou collective relative aux salaires ou à l'application du Code du travail. De plus, en l'absence de comité d'entreprise, il est consulté sur les licenciements économiques, la formation professionnelle, la durée du travail… et il est l'interlocuteur de l'inspecteur du travail.
Le délégué du personnel peut également assumer les missions des autres institutions (délégué syndical dans les entreprises de moins de 50 salariés par exemple).

● Les comités d'entreprise (CE)

Institué en 1945, le CE doit être présent dans toute entreprise de 50 salariés et plus.
– Il est composé de représentants élus (en nombre variable selon la taille de l'entreprise) et de représentants syndicaux (désignés par les organisations syndicales) ; il est présidé par le chef d'entreprise ou son représentant.
– Le CE assume un *rôle consultatif* en matière de gestion et d'évolution économique et financière de l'entreprise, en matière d'organisation du temps de travail, d'introduction de nouvelles technologies, d'évolution de l'emploi… En outre, il est chargé de *gérer les activités sociales et culturelles* mises en place par l'entreprise au bénéfice des salariés et de leur famille (cantine, crèches et colonies de vacances, pratiques sportives et culturelles…).
– Pour remplir ses attributions, le CE dispose d'une subvention de fonctionnement versée par l'employeur (0,2 % de la masse salariale), d'une contribution patronale, de l'assistance d'experts, d'un crédit d'heures pour les titulaires, et d'un local aménagé.

LE SYNDICALISME FRANÇAIS EN CRISE ?

■■ Les symptômes du déclin syndical

Le déclin syndical se manifeste aussi bien par une *crise d'adhésion syndicale* (moins d'adhérents) que par une *crise de l'audience syndicale* (syndicats moins présents dans les conflits, les élections professionnelles…).

• Le *taux de syndicalisation* (part des syndiqués dans la population active occupée) a fortement diminué depuis 30 ans. Aujourd'hui, en France, on estime que 8 % environ des salariés sont syndiqués (près de 30 % l'étaient en 1950).

• Le taux de syndicalisation reste bien plus élevé dans le secteur public que dans le secteur privé, dans les grandes entreprises que dans les petites, même s'il a diminué partout.

• Ce taux est l'un des plus faibles d'Europe (plus de 80 % en Suède et au Danemark ; de l'ordre de 40 % en Italie ou en Autriche…).

Les taux de syndicalisation depuis 50 ans

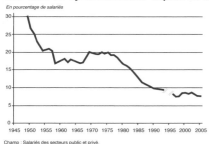

En pourcentage de salariés

Champ : Salariés des secteurs public et privé.

Source : DARES, *Premières Synthèses*, avril 2008.

• Le recul de l'influence des syndicats se voit aussi au fait que certains conflits, parmi les plus « durs » de ces dernières années, ont été menés en dehors des syndicats, principalement par des *coordinations* (mouvement des infirmières en 1988 par exemple).

• La perte d'influence des syndicats est aussi réelle dans les relations quotidiennes du travail. Par exemple, une proportion (de l'ordre d'un tiers) des représentants du personnel est aujourd'hui élue sur des listes non syndicales.

■■ Les facteurs explicatifs

• Le nombre d'emplois ouvriers a considérablement diminué depuis 1975. Or, le syndicalisme a une bonne part de ses racines dans le mouvement ouvrier (déclin des « bastions du syndicalisme » : sidérurgie, chantiers navals…).

• La *montée du chômage de masse* et l'essor des *formes d'emplois flexibles* ont rendu plus difficile la syndicalisation de toute une partie de la main-d'œuvre, en particulier les salariés d'exécution (ouvriers et employés), mais aussi les femmes et les jeunes. Cette flexibilité est un obstacle à la participation syndicale : seuls 2,5 % des salariés en CDD ou en intérim sont syndiqués ; et 6 % des salariés à temps partiel.

• Les syndicats eux-mêmes sont remis en cause. Ainsi, certains soulignent que l'*institutionnalisation des syndicats* les a coupés de leurs militants. Les syndicats peuvent apparaître comme des *organisations bureaucratiques* dans lesquelles les adhérents ne se reconnaissent plus, le syndicalisme n'est plus de proximité car les délégués syndicaux sont souvent aspirés par de nouvelles tâches (formation professionnelle, gestion paritaire…) les obligeant à se « professionnaliser », et à s'éloigner du terrain.

• Cela se conjugue avec la *montée de l'individualisme* qui amène les travailleurs à s'interroger sur le bien-fondé de l'action collective dans le domaine du travail. Dans une approche individualiste, le socio-économiste Mancur Olson, analyse la participation à l'action collective (et donc la syndicalisation) en termes de rapport coûts-avantages. L'engagement syndical suppose que les coûts de cet engagement (en temps, en cotisations dépensées…) soient moins importants que les avantages qu'il pourra procurer (meilleures conditions de travail, hausse de salaire…). Or, comme les revendications portent le plus souvent sur des avantages collectifs, l'individu est tenté par la stratégie du « *passager clandestin* » (« *free rider* ») : il pourra bénéficier des avantages obtenus par ceux qui ont agi, sans en subir le moindre inconvénient.

Index

Édition : Judith Ajchenbaum / Laurence Accardo
Maquette de couverture : Evelyn Audureau / Alice Lefèvre
Maquette intérieure : T. Méléard / K. Fleury
Iconographie : Gaëlle Mary
Photocomposition – Photogravure : Compo 2000

N° d'éditeur : 10181416 - Août 2011
Imprimé en France par Sepec – 00421110714